LA COLÈRE DU FAUCON

Du même auteur :

Das Thema des Todes in der Dichtung Ugo Foscolos, essai, Universität des Saarlandes, 1967.

Huysmans A Rebours und die Dekadenz, essai, Bouvier, 1971.

Zum modernen Drama, essai, Bouvier, 1973 (2ᵉ édition : 1975).

Siegfried Lenz : Das szenische Werk, en coll. avec W. J. Schwarz, essai, Francke, 1974.

Christa Wolf : Wie sind wir so geworden wie wir heute sind ?, essai, Lang, 1978.

Kein Schlüssel zum Süden, récits, Bläschke, 1984.

L'autre Pandore, roman, Leméac, 1990.

Berbera, récits, Boréal, 1993.

Solistes, nouvelles, L'instant même, 1997.

Literatur in Québec/Littérature québécoise 1960-2000, en coll. avec François Ouellet, essai, Synchron Wissenschaftsverlag, 2000.

Orfeo, roman, L'instant même, 2003 (réédition format poche 2013 ; paru en anglais sous le même titre, Véhicule Press, 2008).

La littérature québécoise 1960-2000, en coll. avec François Ouellet, essai, L'instant même, 2004.

La bonbonnière, en coll. avec Guy Boivin, roman en portraits, L'instant même, 2007.

Le jugement, roman, L'instant même, 2008 (paru en allemand sous le titre *Das Urteil,* Stämpfli, 2011).

Le chat proverbial, histoires, L'instant même, 2009.

M., roman, L'instant même, 2010.

Job & compagnie, roman, L'instant même, 2011.

Le temps figé, en coll. avec Guy Boivin, roman, L'instant même, 2012.

HANS-JÜRGEN GREIF

La colère du faucon

roman

L'instant même

Maquette de la couverture : Bernard Schlup

Photocomposition : CompoMagny enr.

Distribution pour le Québec : Diffusion Dimedia
539, boulevard Lebeau
Montréal (Québec) H4N 1S2

Distribution pour la France : Distribution du Nouveau Monde

L'instant même
865, avenue Moncton
Québec (Québec) G1S 2Y4
info@instantmeme.com
www.instantmeme.com

Dépôt légal – Bibliothèque et Archives nationales du Québec, 2013

Catalogage avant publication de Bibliothèque et Archives nationales du Québec et Bibliothèque et Archives Canada

Greif, Hans-Jürgen
    La colère du faucon
    ISBN 978-2-89502-334-0
    I. Allemagne – Histoire – 1945-1955 – Romans, nouvelles, etc. I. Titre.

PS8563.R444C64 2013   C843'.54   C2013-940429-5
PS9563.R444C64 2013

L'instant même remercie le Conseil des Arts du Canada, le gouvernement du Canada (Fonds du livre du Canada), le gouvernement du Québec (Programme de crédit d'impôt pour l'édition de livres – Gestion SODEC) et la Société de développement des entreprises culturelles du Québec.

Les yeux de l'ogre

Le souvenir de l'homme est parfois plus puissant
que l'homme lui-même.

R. J. ELLORY.

L'ENFANT EST BRUSQUEMENT RÉVEILLÉ. Dans le noir, il reconnaît sa mère au parfum qui l'enveloppe. Elle le soulève. Il l'enlace et pose la tête sur son épaule. Pendant qu'ils traversent le couloir, il se rendort presque, son pyjama garde encore la chaleur du lit. Un de ses doigts se prend dans la chaîne du pendentif qu'elle porte au cou. Elle pousse un léger cri, d'irritation ou de douleur, avant de démêler la mèche de cheveux, le bijou et la main du petit. Puis, elle ouvre la porte du fumoir, réservé aux hommes, le *Herrenzimmer*. Le père y travaille et discute avec ses amis quand ils viennent manger à la maison. L'enfant ne sait pas qui est ce père, il ne l'a jamais vu. Sa mère et son frère lui ont dit qu'il était parti en France faire la guerre. À Paris, il occupe un poste important dans la Wehrmacht, les forces armées allemandes.

Quand ils entrent, la fumée de tabac est si dense qu'elle le fait tousser. Dans un fauteuil est assis un homme dont les yeux suivent chaque mouvement de la mère. Il dit des mots incompréhensibles qui sonnent comme des accusations. La mère ne répond rien, elle se contente de soupirer de temps en temps : « Gabriel, Gabriel ! » Elle berce son fils, dont elle perçoit l'inquiétude. L'enfant fixe pendant deux ou trois secondes l'homme vêtu d'un uniforme gris avant d'enfouir son visage sous le revers de la robe de chambre. Il n'aime pas ce regard. Après un temps, l'homme se lève, mais reste debout à côté du bureau vide dont la surface reflète la lumière de la lampe. Il montre l'enfant du doigt ; il parle. Malgré le timbre sombre de sa voix, ses mots ressemblent aux sifflements des martinets. La mère est fatiguée de tenir l'enfant dans ses bras. Il aura bientôt trois ans et commence à se faire lourd. De la main gauche, elle le presse contre elle comme pour se protéger. L'homme s'est approché, son haleine chargée de l'odeur du cigare les effleure, il tire sur la forte tresse blonde de la mère et lui renverse la tête. L'enfant voit ses yeux tout près. Ils sont gris clair et brillent d'un éclat métallique. Quelques phrases chuchotées encore, des *s* tranchants, des *ou* répétés, des mots et des sons que l'enfant saisit et n'oubliera jamais : « Anne… mensonges… je saurai. » Il lâche la tresse, s'éloigne, passe à un meuble bas, en ouvre la porte, sort un verre et une bouteille, se verse une rasade de liquide doré qu'il boit d'une traite, pose le verre, enfile un long manteau, met sa casquette, s'empare d'une mallette en métal et quitte la pièce tandis que la mère demeure debout, immobile. On entend la porte d'entrée qui s'ouvre, se referme. Des phares glissent sur les rideaux, le bruit d'un moteur s'éloigne. Quand tout est redevenu silencieux, la mère range la bouteille, saisit le verre, éteint la lampe et quitte la pièce. En passant par le salon, elle dépose le verre sur la desserte. Ensuite, elle couche l'enfant dans son lit, le borde, se penche sur celui de Henning, son fils aîné, et sort.

Le lendemain, au petit-déjeuner, l'enfant demande à sa mère qui était le visiteur de la nuit dernière. Elle hausse les épaules, secoue la tête et dit qu'il a dû rêver. Le verre n'est plus sur la desserte.

* * *

Un autre soir, plus tard dans la même année, la mère, le frère et l'enfant se trouvent dans une grande salle où la lumière des lustres est si tamisée que l'on aperçoit à peine par où entrent les gens qui s'assoient à table. L'enfant demande quand reviendra Claudine, la jeune fille au pair. Henning répond qu'elle est Lorraine, donc une ennemie de l'Allemagne. Elle habite à une heure et demie de train de leur ville, qu'il a fallu quitter pour un temps, sur ordre de la Wehrmacht, car l'armée française tente de l'encercler. Claudine a promis de revenir dès que la guerre sera terminée, car elle aime beaucoup Henning et a un faible déclaré pour Falk. Elle adore ses cheveux magnifiques, d'un blond plus doré que ceux de sa mère, plus doux aussi, et bouclés. Elle admire ses grands yeux bleu ciel, «les yeux d'un rêveur, d'un artiste». Il tient de la famille de sa mère, les Süter, particulièrement de sa grand-mère et de son parrain Reinhardt, le frère de sa mère, «tombé au front», alors que Henning verse du côté du père, les Bachmann. Le grand frère a les cheveux et les yeux noirs. Falk a demandé à sa mère ce que signifie «tomber au front». Qui tombe peut se relever et continuer à marcher. Elle lui dit que l'expression signifie qu'il est mort au combat, et quand on est atteint d'une balle, d'un morceau de grenade, on meurt, on tombe par terre et on ne bouge plus. L'enfant a du mal à se représenter une telle mort. Il a vu des lapins et des poules mortes, mais les bêtes étaient méconnaissables, les lapins sans peau ni tête, les poules nues et éviscérées. Il pense souvent à ce mystère qu'il n'arrive pas à éclaircir.

7

Dans la salle à manger, qui ne ressemble en rien à celle de la maison, il faut parler bas. Le cliquetis des ustensiles, le bruit de la porcelaine couvrent le murmure des clients. Le claquement de la porte de la cuisine est agaçant. Par l'un des battants, les serveurs apportent des plateaux chargés de mets, par l'autre, on ramène les assiettes sales. La chevelure de la mère est relevée en chignon. Elle porte une robe coupée dans un tissu aux reflets changeants et a couvert ses épaules d'une écharpe multicolore en laine fine. Ses seuls bijoux sont un rang de perles et une bague ornée d'une grande pierre d'un bleu aussi pâle que le ciel d'un matin d'hiver. Son sac à main est accroché au dossier de sa chaise. Le repas commence par une soupe. Henning fait la grimace et refuse de manger, il la trouve trop salée. Viennent ensuite un morceau de viande panée, des pommes de terre bouillies et des légumes en purée. La mère parle peu, elle surveille les manières de ses enfants et semble satisfaite, car elle ne les reprend pas. Déjà, le petit manie les ustensiles avec une certaine aisance, sauf le couteau. Au moment du dessert, une sirène commence à hurler, annonce d'un danger imminent. Tous les dîneurs se lèvent.

La mère prend son sac et conduit les enfants vers l'escalier qui mène à la cave. Un homme affirme que celle-ci est *bombensicher,* «à l'épreuve des bombes», puisque le plafond est en béton armé. «À Bad Krozingen, si ce n'est dans toute la Forêt-Noire, c'est l'hôtel où on est le mieux protégé», dit-il. L'enfant veut demander au frère ce que signifient les mots qu'il vient d'entendre, mais il craint d'être encore traité d'imbécile, d'idiot ou de crétin, et se tait. Il entend se fermer la lourde porte en métal. Bientôt, le sol tremble, les gens se taisent et regardent droit devant eux. On perçoit un bruit sourd, transmis par le sol du lavoir où ils s'entassent. On manque de chaises. Beaucoup d'hommes restent debout ou s'appuient sur les cuves, Henning aussi, alors que Falk a une place confortable sur les genoux de la mère. Quand la lumière des ampoules vacille, l'homme du mot *bombensicher* dit que les avions ennemis ne font pas de cadeaux à la ville, que, demain, Freiburg sera un champ de ruines. Personne ne commente sa remarque. Les lumières faiblissent puis s'éteignent, les ventilateurs s'arrêtent et on sent la terre vibrer de façon presque continue. Un serveur allume quelques chandelles. Cela donne à l'endroit un air de fête. L'enfant s'endort, content d'être tout contre le corps chaud de sa mère.

* * *

Ils sont retournés à leur maison, avec vue sur la ville dont les hauts fourneaux crachent nuit et jour de la suie qui se dépose partout. Le froid commence à s'installer. La mère a trouvé un vieil homme pour fendre le bois. Un autre lui a procuré une douzaine de sacs de briquettes, livrés tard le soir, car il est défendu de vendre à des civils tout produit pouvant servir à l'effort de guerre. Toutefois, pour allumer les poêles de la cuisine et du salon, il faut aller chercher des branches mortes dans la forêt toute proche. La mère regrette l'absence de Claudine, une adolescente forte. Elle aurait transporté toute seule les fagots encombrants qui leur égratignent les mains. Appeler Esslin pour cette tâche qu'ils peuvent exécuter eux-mêmes serait inapproprié, presque scandaleux dans le contexte actuel. Esslin effectue les gros travaux, mais elle prépare aussi des plats simples pour plusieurs jours, passe l'aspirateur sur les tapis, lave les carreaux de céramique dans la cuisine et la salle de bains. La mère s'occupe de la vaisselle, époussette, c'est tout ce qu'elle sait faire. Parfois, elle tente de suivre une recette, mais, Dieu sait pourquoi, elle la rate toujours, en rit et jette le résultat de ses expériences aux poubelles. Pour elle, cuisiner est un jeu. Après son mariage, il lui a fallu suivre des cours, elle ne savait pas cuire un œuf, ce qui avait choqué son mari : « Une maîtresse de maison doit savoir exécuter toutes les tâches domestiques. Dans sa volonté d'établir l'égalité de chacun, le Reich vise la disparition des privilèges. L'argent ne servira plus à acheter la force des travailleurs, hommes ou femmes. Nous sommes des socialistes, ne l'oublie pas. » Elle avait baissé la tête pour masquer son sourire.

Tous trois vont aussi dans la forêt pour cueillir des faînes, seul moyen de se procurer de l'huile. Les sources d'approvisionnement des États conquis puis perdus aux mains des Russes sont taries. Le cadet se fait expliquer ce qu'est une faîne, à quoi ressemble l'écorce des hêtres près desquels on trouve ces petits fruits triangulaires qu'il faut ouvrir pour en extraire l'amande. C'est long et difficile, il faut chercher dans les feuilles mortes. Le soir approche. Pour mieux sentir les faînes dures et piquantes, l'enfant enlève ses gants qu'il glisse sous les bretelles de son pantalon. La mère l'appelle, ils doivent rentrer, on ne voit presque plus rien. Il vide ses poches, fier de les avoir remplies à ras bords. Elle lui demande où sont ses gants. Il n'en trouve qu'un seul, l'autre est perdu. La mère insiste : ce gant est précieux, elle n'a que cette paire pour lui, il doit le retrouver avant de rentrer. Le gant, rayé vert et rouge, sera facile à voir, même dans le noir. Alors il retourne sur ses pas, du moins c'est ce qu'il croit. Les voix d'autres cueilleurs lui parviennent, parfois quelqu'un siffle, il entend des chiens aboyer. Il lève les yeux et distingue à peine les troncs lisses et argentés des hêtres.

La mère et le frère ont disparu. Il les appelle, mais ne reçoit pas de réponse. Jamais il ne s'est senti aussi seul. Les siens l'ont abandonné au milieu de la forêt qui se fait silencieuse. Ils

le punissent parce qu'il a perdu un gant. La faim commence
à le tenailler et il regrette d'avoir donné tout son butin. Il se
met à pleurer, en couinant d'abord. Les grosses larmes et les
plaintes viennent ensuite. Il se rappelle les histoires de Henning : des animaux sauvages et des hommes dangereux attrapent les
petits enfants perdus en forêt pour les manger. Des sorcières
y rôdent aussi. Pendant quelques semaines, elles enferment
les garçons imprudents dans le but de les engraisser. Quand
elles les trouvent assez dodus, les sorcières les tuent comme
des cochons. Elles plantent un couteau dans la gorge de leurs
victimes pour recueillir le sang et en faire du boudin noir.
Ensuite, elles les dépècent et font bouillir leur chair dans de
grandes marmites. Hänsel et Gretel ont eu de la chance, car la
plupart de ces enfants finissent leur vie comme les poulets et
les lapins, sur une broche ou en pâté. Le petit a été fasciné par
ce que lui racontait le frère. Il s'est imaginé Hänsel au-dessus
d'un feu en train de rôtir, il en a eu des frissons d'horreur, assez
agréables après tout, puisqu'il était couché dans son lit, à l'abri
des brutes cannibales. Henning lui a appris le mot « cannibale »,
Menschenfresser*, qui lui cause une délicieuse chair de poule
rien qu'en le prononçant. Il envie son frère, qui lit déjà. S'il ne
connaît pas un mot, il en demande la signification à leur mère,
qui cherche parfois dans l'un ou l'autre des grands livres, au
fumoir du père. Bien entendu, la mère sait tout ou presque,
puisqu'elle lit sans arrêt, jusque tard dans la nuit. Henning dit
que la bibliothèque de leur mère est composée de livres pleins
de photos de déserts, ce sont « des livres tellement compliqués,
tu n'as pas idée ».

---

* Le terme est composé de *Mensch* (être humain) et *fressen,* verbe réservé à
l'ingestion de nourriture par les animaux.

Comme l'enfant ne veut pas avertir les sorcières de sa présence, il étouffe ses cris et presse une main sur sa bouche. Il s'assied au pied d'un jeune arbre, ramène ses jambes, se fait aussi petit que possible. Son frère le lui a bien expliqué : toujours, les mangeurs d'enfants et les sorcières portent sur l'épaule un chat ou un hibou qui les guident en pleine noirceur, car ces bêtes voient dans la nuit. Il fait froid, son corps tremble. À l'approche d'un ours, d'un loup ou d'une autre bête féroce, il grimpera dans l'arbre. Il se dit qu'en fin de compte, mieux vaut être capturé par une sorcière et avoir un couteau dans la gorge que finir sa vie entre les mâchoires d'un lion ou d'une panthère aux longues dents aiguisées, comme ces grands félins qu'il a vus une fois au cirque. Non, il va rester ici même, sa mère le trouvera au pied de l'arbre, mort de faim. Elle va pleurer de l'avoir laissé seul dans la forêt, elle sera remplie de remords. Ensuite, il sera enterré au cimetière, dans le caveau où se trouvent déjà plusieurs membres de sa famille, des oncles, des tantes, les grands-parents. C'est du moins ce que lui a dit Henning. En réalité, les Bachmann n'ont pas de caveau à Saarbrücken ; les origines de la famille du père ne se trouvent pas ici. Les connaissances de sa mère viendraient, elle devrait organiser une grande fête en son honneur, car il faut toujours « manger la peau d'un mort », même s'il est aussi petit que lui. Il sort un mouchoir pour s'essuyer le visage et se débarrasser de la morve coulant de son nez. Il tente de ne pas trop écouter les bruits auxquels il n'avait jamais fait attention, le vent dans les arbres, le bruissement des dernières feuilles sèches attachées aux branches, les troncs qui bougent et craquent.

C'est Henning qui retrouve son frère endormi. La mère est fâchée et reproche au petit de s'être caché loin du chemin. Il faut se hâter et rentrer. Elle lui saisit la main rudement, ne la lâche pas, même si elle marche beaucoup trop vite et s'il trébuche souvent. Elle parle encore du gant perdu, que c'est un malheur. Nulle part sur le chemin du retour il n'y a de réverbères. Quand ils entrent enfin dans la maison, avant d'allumer les lampes, il faut fermer tous les volets. «Sinon, les bombes vont tomber, la maison va exploser et brûler», a dit Henning. Ils vont à la cuisine. Les faînes sont déposées dans un grand contenant. Une fois débarrassées des cupules et versées dans le petit pressoir, elles donneront deux tasses d'huile. Avant de commencer ce travail, lui et son frère vont à la salle de bains se laver les mains à l'eau glacée. Il est plus important de chauffer quelques pièces de la maison que d'avoir de l'eau chaude ; le charbon est rationné, bien que la Sarre soit l'une des régions de l'Allemagne les plus riches en charbon.

* * *

La maison, construite dans les années 1920, est située sur une des collines qui entourent la ville, la Rotenbühl, proche du vieux cimetière, dans la Haldystraße, une des bonnes adresses en ville. Au milieu de l'hiver 1944-1945, il fait si froid que la neige reste au sol. Dans l'après-midi du 13 janvier 1945 – plus tard, on en parlera tant autour de lui que cette date restera gravée dans la mémoire de l'enfant –, de nombreux avions surgissent dans le ciel gris. Ils lâchent leurs bombes et repartent. D'autres arrivent, puis d'autres encore, une vague après l'autre. C'est la dernière attaque sur la ville, déjà gravement endommagée par la précédente, trois mois plus tôt. Mais de celle-là, l'enfant ne se souvient pas.

Au lieu de se réfugier dans leur cave comme les rares habitants restés à Saarbrücken, la mère et ses enfants assistent au massacre déclenché par les avions. Tous les trois sont adossés contre le mur d'un petit hangar qui servait autrefois de garage. Il est vide depuis que le père est parti faire son devoir à la guerre ; la voiture a été réquisitionnée par l'armée. Il ne faut pas s'éloigner du mur, ni bouger ni courir, car certains avions, très petits et agiles, volent bas et prennent les gens en chasse pour les tuer, les uns après les autres, « comme des lapins ». C'est ce que la mère a raconté il y a quelques jours. Elle était allée en ville chercher de quoi manger. Elle n'était pas la seule à vouloir ramener de la nourriture à la maison, il y avait quelques personnes dans les rues du centre, des femmes surtout, qui tentaient d'échanger des bons alimentaires contre de la farine, du suif, de la viande, des légumes, du lait, même si elles savaient que ce serait peine perdue. Dans les faubourgs, elle a eu plus de chance, puisqu'elle y connaît des marchands qui ont des obligations envers son mari. Mais soudainement, une demi-douzaine de ces petits avions leur ont tiré dessus avec des mitrailleuses. Le petit veut savoir comment cela sonne, une mitrailleuse. Henning le sait : « Ça fait tak-tak-tak-tak, tu entends à peine une pause après chaque tir. Et la balle atteint sa cible si vite que la victime n'en entend même pas le son. » Un de ces petits avions a poursuivi les femmes d'un magasin à l'autre. Il fallait zigzaguer, courir aussi vite que possible. À côté de la mère, des trous sont apparus en ligne droite dans l'asphalte, à distance régulière. « Si une balle l'avait atteinte, elle l'aurait traversée du chapeau aux pieds », a dit Henning. Mais la mère a été plus rapide que les tireurs et est revenue à la maison avec, dans son filet, du pain noir, une petite motte de beurre, une bouteille de lait, des légumes et même des os à moelle auxquels étaient encore attachés des morceaux de viande.

Cet après-midi-là, au milieu de l'hiver, les bombes sont tombées sur la ville de Sarrebruck, en allemand Saarbrücken, signifiant des « ponts sur la Sarre », ce qui est bien plus logique que la désignation en français qui, elle, ne veut rien dire, sauf indiquer le nom du fleuve. Aux enfants, Claudine avait expliqué que la source de la Sarre se trouve en France, dans un coin de son pays qui a été allemand jusqu'au temps du roi Louis XIV puis s'est francisé, car la France avait écrasé les petits princes allemands. Elle avait précisé que les Lorrains, tout comme les Alsaciens, s'expriment en français, du moins quand ils se trouvent en présence d'un Allemand, mais qu'entre eux, ils utilisent un dialecte allemand. La mère lui avait strictement défendu de l'employer afin de ne pas corrompre l'allemand impeccable qu'elle avait enseigné à ses fils. Avant le départ de Claudine, on parlait souvent français à la maison, bien que la mère cherchât parfois un mot. Quand la jeune fille accompagnait madame Bachmann en ville, elle devait s'adresser aux marchands en allemand, même si elle avait un accent français. De toute façon, les gens savaient qu'elle était au pair chez le docteur Bachmann, comme beaucoup d'autres jeunes Lorraines et Alsaciennes qui avaient dû retourner chez elles à la déclaration de la guerre.

* * *

Le centre-ville de Saarbrücken s'étend dans un grand bassin naturel, entouré de collines aux pentes souvent plus abruptes que la Rotenbühl, l'Eschberg et la Winterberg ; la plus marquante est la Schlossberg, sur laquelle se dresse le château des comtes de Nassau, une véritable falaise qui tombe à pic au bord de la Sarre. Les trois Bachmann observent les explosions des bombes au sol, les gerbes de flammes suivies de fracas sourds, puis l'immense nuage de fumée. Le bombardement commence par la destruction des énormes usines situées de l'autre côté du fleuve qui sépare la ville, là où l'on produit de l'acier et beaucoup de *Kriegsmaterial,* du matériel de guerre, douilles de munition, fusils, canons antiaériens, bombes pour anéantir les ennemis : les Britanniques, les Russes, les Américains. Plus tard, l'épaisse couche grise cachant pour un temps les hauts fourneaux, les églises, les maisons se teinte de rouge. À la tombée de la nuit, presque tout le centre-ville brûle. La chaleur et l'odeur montent jusque sur les hauteurs de la colline. Il n'y a pas d'autre bruit que celui du vent de plus en plus fort secouant les buissons et les arbres dénudés, jusqu'à devenir une tempête. Il faut rentrer et se contenter pour le souper, d'une tranche de pain avec un peu de fromage en crème et d'une tisane froide, car lors d'une attaque, on ne peut pas allumer la cuisinière, malgré le froid et l'humidité. Les avions visent avant tout les maisons dont les cheminées fument. «Cela indique qu'il y a des ennemis à l'intérieur qu'il faut tuer. Comme nous», dit la mère. Quand Henning lui demande pourquoi il y a eu soudainement ce vent très fort, elle explique que le feu a besoin d'air pour se nourrir et qu'un brasier aussi énorme que la ville en flammes l'aspire brutalement.

Le lendemain, Henning réveille son frère et l'entraîne à la fenêtre. Bien que toutes les portes et les fenêtres de la maison soient fermées, l'odeur de la fumée est entrée, son goût s'est fixé sur la langue, la peau, les vêtements. Dehors, sur le trottoir, les pieds dans le caniveau, des inconnus sont assis. Derrière eux, sur le muret, devant le grillage en fer forgé, sont appuyés des chariots, des bicyclettes, des charrettes chargées de sacs, de valises, de vêtements. Ce sont des survivants qui ont réussi à échapper au bombardement de la veille. Ils sont silencieux. Après un temps, ils se lèvent et partent. Il n'y a plus la moindre trace de neige. La chaleur dégagée par l'incendie, qui continue à brûler pendant deux jours et deux nuits encore, a tout fait fondre.

Pour l'enfant, la guerre signifie qu'une balle peut traverser la mère de la tête aux pieds et la tuer en pleine rue, à la vue de tout le monde ; que de gros avions, dont on entend de loin le grondement des moteurs, larguent des bombes qui incendient la ville et font exploser les hauts fourneaux et les puits des mines de charbon ; que des réfugiés s'assoient devant la maison comme s'il s'agissait d'un rassemblement paroissial. Sauf qu'on est en plein hiver et que la mère préfère ne pas sortir de la maison. Elle craint peut-être que ces gens-là reviennent et transforment le jardin en un campement qui attirera de nouveaux avions prenant cette fois la maison pour cible.

À côté du portail en fer forgé, solidement ancrée dans l'une des deux colonnes en brique, une imposante plaque de laiton porte l'inscription : *Dr. phil. Gabriel Bachmann, Ministerialdirektor.*

* * *

L'enfant ignore à quel moment la guerre a pris fin. Il n'y a plus de formations d'avions qui survolent ce qui reste de la ville en laissant tomber des bombes. Il ne sait pas lire encore, sa vie n'a presque pas changé, sauf qu'il mange beaucoup de légumes crus ou en soupe, et pour ainsi dire jamais de viande. L'été torride et une sécheresse prolongée font dire à tous que l'hiver sera difficile à cause de la faiblesse des récoltes. Pourtant, l'automne est doux et plein de découvertes : depuis un an et demi, le grand frère va à l'école, sauf le dimanche, où il sert à la grand-messe. Celle-ci n'a plus lieu à la basilique, trop endommagée, mais dans le sous-sol de la mairie. Les après-midi, une fois ses devoirs terminés, et s'il est de bonne humeur, il permet au petit de les accompagner, lui et ses camarades de classe, dans leurs explorations des parties anéanties de la ville, en dépit des enseignes jaunes avec un mot en grandes lettres noires, *Lebensgefahr*. Sous ce mot, le premier que l'enfant apprend à reconnaître, est dessiné un crâne reposant sur deux os croisés. Mais ces avertissements ne font plus peur aux enfants, qui pénètrent aussi vite que des furets dans les caves des maisons en ruine. Parfois, ils trouvent des squelettes, vieux maintenant de huit mois, revêtus d'uniformes ou en civil, couverts de moisissure, parfois encore avec des restes de tendons, mais sans chair. Souvent, des mèches de cheveux collent aux crânes. Cela sent à la fois la pourriture et le sucré. « Ce sont les rats qui puent », explique l'un des garçons. L'enfant écoute les conversations des grands. La nuit, il fait des cauchemars où toutes leurs histoires se mêlent. En général, il aime explorer ces lieux sombres et difficiles d'accès, pourvu qu'il ne soit pas seul. Il monte puis dévale les amas de briques, de pierres, les pans de béton armé d'où émergent des bouts de fer rouillé. Les membres de la bande sont à la recherche de trésors enfouis. Ils éventrent des meubles et brisent les tiroirs de bois humide, les bureaux et les tables, mais ne trouvent rien de valeur. Il n'y a pas de compartiments secrets, seulement des papiers détrempés par les pluies de l'automne 1945. Parfois, quand un adulte qui tient à maintenir l'ordre public les voit disparaître au fond d'une ruine, il avertit un policier. Ce dernier les chasse en jurant, ce qui fait glousser les garçons, trop rapides pour qu'il leur mette la main au collet. Il leur crie que certaines bombes n'ont pas explosé et que, s'ils les font bouger, elles peuvent les tuer tous ensemble et qu'on ramassera ce qui reste d'eux par petits morceaux.

Un jour, ils ont vu un vieil homme en train de creuser un trou à côté d'un arbre calciné. Ils ont ri, l'ont insulté et traité de fou d'espérer retrouver son trésor, enfoui lorsque son jardin était encore joliment entretenu. Maintenant, il n'y avait que des cratères, il ne retrouverait rien. Imperturbable, l'homme a continué son travail, s'interrompant de temps en temps pour se reposer et mesurer la distance entre le tronc et la tranchée qu'il avait ouverte. À la fin de la journée, il s'est arrêté, mais le lendemain, il était de retour pour continuer ses fouilles sous les sifflements de la bande. Tout à coup, il a sorti de la terre un gros paquet enveloppé de toile qu'il peinait à tenir, tant il semblait lourd. Les gamins se sont tus. Ils l'ont suivi du regard jusqu'à ce qu'il soit sorti des ruines de sa maison.

La mère bat la campagne à pied ou à bicyclette. Le soir, elle montre ce que les paysans lui ont cédé à prix d'or : des choux, des rutabagas, des carottes. Pour deux grands sacs de pommes de terre, il a fallu se départir du piano droit, propriété du père. Elle a caché son piano à queue, un Gotrian-Steinweg de taille moyenne, cadeau de son père, dans son bureau, situé à côté du salon, de crainte que le paysan ne le préfère.

Déjà, elle a donné ses bracelets, chaînes, camées, boucles d'oreilles, tout ce qui est d'or ou d'argent, pour payer les provisions qu'elle entrepose dans la chambre froide, mais elle refuse obstinément de se départir de son rang de perles et de sa bague sertie d'une aigue-marine. Par hasard, elle a déniché trois sacs de pommes vertes, les seuls fruits dans sa réserve. Le vendeur lui a assuré qu'elles étaient mûres, et que leur acidité en prolongerait la conservation. Il est de plus en plus difficile de convaincre les paysans de céder quoi que ce soit aux citadins ; ils doivent penser aussi à eux. Elle a sacrifié un service de porcelaine, hérité de sa mère, du Limoges à décor de roses, des tasses de Meißen, de Nymphenburg, la plus grande partie de l'argenterie. Esslin lui a demandé d'être payée en nourriture, mais la mère a répliqué que c'était hors de question et qu'en ces temps, la devise demeurait « chacun pour soi ». Alors Esslin continue à venir pour faire les gros travaux, mais on voit bien qu'elle est plus lente. Elle a le souffle court et les yeux cernés. Comme tout le monde, elle se fatigue vite.

La fin de la guerre est suivie d'un hiver interminable, glacial. Henning rapporte que son instituteur, un certain

Lindemann, qu'il n'aime pas, leur a dit que les vainqueurs veulent faire mourir de faim quatre millions d'Allemands. Falk croit qu'ils vont tous mourir. Henning rôde dans la maison et est même monté au grenier à la recherche d'une cachette de nourriture. Il a raconté que beaucoup de gens ont fait sécher des tranches de pommes. Elles deviennent sucrées quand on les mâche longuement. Mais chez lui, il n'y a que du chou vert, des rutabagas jaunes sans saveur, ainsi que les sacs de pommes de terre dont il faut entamer le contenu prudemment. C'est tout ce qu'il reste aux Bachmann. Il n'y a ni lait, ni viande fumée, ni lard, ni conserves d'aucune sorte. Plus de pommes. Pas un gramme de sucre. Rien.

* * *

Un matin, au début du mois de mars, l'enfant ouvre la porte de la cuisine et se fige : flanqué du frère et de la mère, un homme est assis en face de lui. Il boit un bol de chicorée. Du visage, l'enfant ne voit que les grands yeux gris qui le détaillent attentivement. Ils sont aussi étincelants et tranchants que dans son souvenir. En une fraction de seconde, et même si sa mère avait nié l'événement, tout lui revient de cette nuit lointaine qu'il avait reléguée au fond de sa mémoire : les mots sifflants, précipités, le geste de tirer sur la tresse pour forcer la mère à lever le visage et à offrir sa gorge à l'étranger. Lentement, celui-ci dépose le bol et dit d'une voix ressemblant au tonnerre qu'il se réjouit de rencontrer son autre fils, le plus jeune, et demande pourquoi il demeure immobile sur le seuil de la cuisine, le fixant d'une drôle de façon. La mère se fait impatiente et intime à Falk l'ordre d'approcher et de souhaiter la bienvenue à son père. L'enfant avance et tend la main droite, comme il l'a appris.

L'homme la saisit, la secoue formellement, avec une vigueur exagérée, de haut en bas, jusqu'à ce que le visage devant lui se décompose dans une grimace de douleur. Cette main énorme, épaisse, a des doigts gros comme des boudins. Elle écrase la sienne. La bouche aux lèvres plutôt minces forme un sourire distant. Les ongles grisâtres, mal soignés, s'enfoncent dans la chair de sa paume comme si l'étranger sous le masque de son père voulait savoir quand l'enfant serait prêt pour la marmite.

À cet instant précis, le garçon décide qu'il ne se soumettra jamais à cet homme. C'est l'ogre dont lui a souvent parlé son frère, un monstre si fort qu'un enfant ne pourrait se battre contre lui et remporter la victoire. Sa mémoire lui fait rejouer la scène de la nuit avec une clarté qui provoque en quelques secondes un sévère mal de tête : il ne peut soutenir ce regard, il revoit à nouveau les yeux menaçants posés sur sa mère. Après, viennent les mots incompréhensibles et sifflés, la haine qui les porte est palpable. Cette haine n'a pas uniquement éclaboussé la mère, mais l'a atteint, lui aussi, pendant qu'il avait la tête posée sur la poitrine de laquelle émanait ce parfum rassurant et familier. Il s'était agrippé à son cou quand elle avait prononcé deux fois le nom de l'homme. Il n'a rien oublié. Aujourd'hui, dans la cuisine, il lui suffit d'effleurer les traits de l'autre. Il sait, avec la certitude absolue du petit garçon qui aime rêver, se raconter des histoires, que le retour de cet homme est un malheur pour lui. Il ignore encore ce qui va se passer, maintenant que l'ogre a fait son entrée chez lui sous le masque du père. Déjà, l'enfant se sent seul dans sa lutte. De la mère et du frère, il ne peut rien espérer, ils se sont alliés au cannibale. Son premier contact physique avec lui vient de prouver ce dont l'autre est capable, en plein jour, devant les siens, sans que la mère proteste. Elle a bien vu que l'homme lui a broyé la main et presque brisé le poignet. Malgré la douleur lui remontant dans le bras droit, il tient le gauche près du corps, incline la tête dans un mouvement rapide, la redresse et regarde maintenant son vis-à-vis dans la prunelle, comme il l'a appris. Cependant, pas tout à fait, car il fixe plutôt cette épaisse barre noire au-dessus des billes grises. Par son geste poli et exécuté de manière automatique, l'enfant ne veut exprimer ni respect ni soumission, mais la politesse élémentaire due à tout adulte. Il est fâché contre lui-même d'avoir eu cette grimace de douleur. D'après Henning, il n'y a rien de plus imbécile que de montrer une faiblesse puisqu'elle donne un immense avantage à l'adversaire. Son frère et sa mère connaissent bien les réactions de l'enfant quand il est vexé : il fronce les sourcils, ne parle plus, s'assoit sur sa chaise, prend un jouet, n'importe lequel, et fait semblant de s'amuser tout en s'isolant dans un monde duquel lui seul possède la clé. Quelque chose dans la fermeté avec laquelle il fixe les broussailles au-dessus des yeux du *prétendu père* avertit ce dernier qu'il est allé trop vite, trop loin. Alors, il renonce soudainement à son vigoureux mouvement par lequel il a failli blesser l'enfant, qui recule d'un pas et, de sa voix claire, déjà maîtrisée et sans trace de tremblement, prononce chaque syllabe comme s'il s'adressait à un auditoire plus vaste :

« Tu me fais mal. »

Après ce constat, il s'assied à table. Le père sourit toujours. La mère apporte un bol de chicorée, sans lait ni sucre, coupe une tranche de pain, l'enduit de saindoux aux rillons d'oie qu'elle saupoudre de sel : « C'est délicieux. Un cadeau de Claudine. Elle fait dire que nous lui manquons tous, mais surtout toi. Ton père a fait une halte chez elle pour nous donner de ses nouvelles. » Pendant que Falk mange, il observe les autres. Le saindoux lui semble bon, mais le pain est infect et, avec les doigts, il en sort des morceaux de sa bouche. La mère murmure : « C'est un mélange de tout ce qu'on trouve encore, de l'orge, de l'avoine, beaucoup d'épluchures de pommes de terre. Dépose ce que tu n'aimes pas sur le bord de ton assiette avec ta cuiller à café, mais n'utilise pas tes doigts. » Tous l'observent en silence, il est gêné de manger devant eux. En avalant ses bouchées, il ne peut complètement empêcher une expression de dégoût, il a décidé de tout manger, même si cela goûte la moisissure. Penser aux épluchures lui donne envie de vomir. Quand ses molaires rencontrent ce qu'il espère être des grains de sable ou de terre, elles produisent un bruit désagréable résonnant fortement dans sa tête. Il pense aux tubercules brun foncé qu'il a dû monter de la cave au début du printemps, desquels, rabougris et ramollis, sortent de longs germes pâles. Sa mère lui a dit que, habituellement, au début de la nouvelle récolte, on donne ce qui reste aux cochons pour les engraisser. Pour eux, ce serait hors de question : ces pommes de terre valent l'ivoire, les cordes, la table d'harmonie, le bois de rose d'un piano. Ils les mangeront, jusqu'à la dernière, même si elle est noire.

Rarement le silence lui a autant pesé qu'en ce moment. Quand il boit, il a honte du bruit de déglutition et du gargouillis de son estomac. Il sait qu'il ne doit pas manger plus vite pour en finir avec cette épreuve, la mère le leur a strictement défendu. « Mastiquez longuement ! Plus vous salivez, mieux vous allez profiter de l'aliment. » Le *prétendu père* fait entendre sa voix sombre, graveleuse, comme s'il devait affirmer désormais son autorité : « Tiens-toi droit, n'appuie pas ton dos, c'est pour les paresseux. Et ne pose jamais les coudes sur la table comme un ouvrier sans éducation. » L'enfant avait placé les siens aux côtés de l'assiette à cause de la tranche de pain, grande, lourde, rendue friable par l'humidité des épluchures. Des morceaux s'en détachent et tombent avec un bruit mat dans l'assiette. Il les ramasse et les avale, même si l'odeur de ce pain lui répugne et que la graisse d'oie salée lui laisse un goût de plus en plus désagréable sur la langue. Aussitôt son petit-déjeuner terminé, il porte le bol et l'assiette à l'évier où il les rince à l'eau froide. Il demande s'il peut aller jouer dans sa chambre. Dehors, il fait encore trop froid. Sa mère ne le lui permet pas, au contraire : elle lui reproche de ne pas poser une seule question à son père dont le retour, à peine un an après l'armistice, tient du miracle. Elle prie son mari de raconter au cadet l'histoire de sa libération, même si elle et son frère aîné l'ont déjà entendue.

La voix rappelle le son d'une des cordes graves du piano à queue que l'enfant aime pincer de temps en temps. Quand il est seul à la maison, il finit par pianoter jusqu'à ce qu'il trouve une mélodie simple à retenir. Il la joue si souvent qu'il n'a plus besoin de penser aux touches, ses doigts s'en rappellent seuls. Il les fait glisser rapidement sur le clavier, de plus en plus vite, il veut que le piano résonne comme un orchestre, il frappe sur beaucoup de touches en même temps. S'élève un bruit énorme qui l'enveloppe complètement. Il se transforme en pianiste de concert dans une grande salle remplie jusqu'au dernier siège. Entré sans partition – il ne sait pas lire les notes – dans le bureau par la porte du salon, laissée ouverte, il pose la main gauche sur le couvercle abaissé, s'incline profondément devant le public imaginaire, s'assied, croise les doigts, les étire et, après l'accord d'ouverture, les laisse agir, avec une impressionnante agilité. Souvent, il joue les yeux fermés. Quand il a terminé, les applaudissements assourdissants le font sourire. L'artiste donne quelques rappels, puis lève les mains dans un geste d'impuissance : il ne faut pas abuser de ses forces. Après une dernière révérence, il sort par la porte donnant sur le couloir.

C'est à ces concerts qu'il rêve et dans lesquels il s'enferme pendant que son vis-à-vis raconte une histoire qui ne l'intéresse nullement. Les mots tombent sur lui sans le toucher, il a ouvert son parapluie invisible et observe la bouche de l'autre. Il voit des dents jaunies par le tabac, le café français ou autre chose. La langue, rose et épaisse, lèche les lèvres qu'elle laisse luisantes. Rien n'échappe à l'enfant, ni les cheveux noirs, fins, coupés court, ni le nez droit et fort sous les sourcils. Il enregistre les poches sous les yeux, les grandes narines desquelles sortent des poils noirs. L'homme frotte ses joues flasques, maigres, bleuâtres malgré le rasage, en cherchant une élégante tournure de phrase. La peau du cou est lâche, les muscles soutenant la tête saillent. Parfois, il serre les dents. Dans ces moments, les muscles masticateurs se dessinent sous la peau et semblent capables de briser n'importe quoi. Il porte une chemise blanche à fines rayures grises, un cardigan, un pantalon noir. Cependant, tout est trop grand et flotte sur lui comme s'il s'agissait des vêtements d'un autre. Seules les pantoufles lui vont bien, confectionnées dans un cuir souple. Il tousse souvent et se plaint de la mauvaise qualité du tabac. Au moins, la nuit dernière, il a bien dormi, après son long voyage depuis le camp de prisonniers. Les yeux du frère brillent, tant il est fier du père et heureux de son retour.

De temps à autre, l'enfant émerge pour se retrouver assis à la table de la cuisine. Il saisit certaines phrases, des mots isolés qu'il jette dans des tiroirs de sa mémoire. Ces mots possèdent une sonorité particulière et occupent du poids dans la phrase ; le moment venu, il les sortira des oubliettes. À cinq ans, il absorbe ce que l'on dit. Si on le lui demandait, il pourrait répéter fidèlement telle ou telle phrase dont l'intonation l'a fasciné. De ce matin, il retient que le *soi-disant père* a quitté Paris quelques heures seulement avant la fin de l'Occupation, chargé de surveiller le transport de documents secrets, d'une « importance capitale » pour le service de renseignements du « Reich, attaqué de toutes parts, comme un noble cerf par une meute de chiens ». Lui et ses hommes sont partis vers l'est, jusqu'au Palatinat, à Kaiserslautern, où leur camion est tombé en panne. Peu après, les Américains ont pris le contrôle de la ville. Ils n'eurent pas d'autre choix que de se rendre aux autorités des forces ennemies alliées. Cependant, ils ont réussi à détruire l'essentiel des papiers, destinés au QG à Berlin. Les voilà prisonniers de guerre. Ils ont été bien traités, les premiers interrogatoires ressemblaient à des formalités, rien que des questions anodines, nom, prénoms, grade, les plus récentes fonctions dans l'armée, l'adresse personnelle.

Plus tard, il est passé devant une commission mixte, composé d'Allemands et d'Américains, où on lui a posé des questions plus embarrassantes, sur son ancien rôle auprès du ministre de l'Éducation et de la Culture de la Saarpfalz, l'entité territoriale réunissant la Sarre et le Palatinat, sur les programmes d'histoire dans les écoles, ce qui a été retenu pour l'enseignement et pourquoi, les raisons du licenciement d'enseignants de l'école primaire et de professeurs des *Gymnasien**, la disparition de bon nombre d'entre eux, mais surtout, quelles fonctions il remplissait à Paris. Il explique qu'on déversait la paperasse par tonnes dans ses bureaux, même si la Sarre est le plus petit des lander allemands, même pas un million d'habitants. Une région sans importance véritable sur le plan politique, si l'on exclut les industries de la houille et de l'acier qui, en effet, ont compté pour beaucoup dans le renouvellement du matériel de guerre. Lui, non, il n'a jamais contribué à la production d'armes, il a eu assez à faire avec la Sarre *et* le Palatinat. Quant à son rôle à Paris, il se résumait à observer les réactions de la population face aux agissements de la Wehrmacht, à surveiller les publications des maisons d'édition, à dépister les imprimeries illégales, ce genre de choses, rien pour en faire un plat. Naturellement, il a

---

* L'équivalent des lycées français.

été membre du parti, de la NSDAP*, tout le monde occupant quelque fonction officielle devait l'être. Il a toujours su que le Führer était atteint de folie. Un homme sain d'esprit aurait-il déclenché une guerre qui allait dresser le monde entier contre l'Allemagne ? Il fallait être aveugle ou stupide pour ne pas le remarquer. Oui, à Paris, il a agi comme interprète lors de procès au civil, il n'a jamais participé ni assisté à l'interrogatoire d'un espion ou d'un maquisard. À la commission, il a donné spontanément les noms de ses anciens supérieurs hiérarchiques ainsi que de ses subalternes. Ils confirmeront qu'il dit toute la vérité. Il a été convoqué encore deux fois, a répété les mêmes réponses, les mêmes noms. « Je ne suis pas né de la dernière pluie. À Paris, j'en ai vu d'autres », dit-il aux siens, sans pourtant entrer dans les détails. Puisqu'il parle couramment français et se débrouille bien en anglais, le commandant de l'immense camp lui a confié la tâche d'interprète lors des interrogatoires de la commission chargée de dénazifier les prisonniers. « Il était très poli, m'appelait *sir,* comme moi d'ailleurs. Les officiers des vainqueurs et des vaincus se respectent. » Grâce à sa nouvelle fonction, il a bénéficié d'un traitement de faveur : chambre individuelle, lit confortable, même nourriture que celle des soldats américains, meilleure que celle des prisonniers en dépit du pain jaune et lourd à cause de la farine de maïs que les cuisiniers utilisaient, « mais rien à voir avec les horreurs qu'on mange ici ».

   Il termine son récit en disant qu'il a quitté ces « entretiens » avec une « veste blanche comme neige ». Il tire d'une enveloppe

---

* NSDAP : Nationalsozialistische Deutsche Arbeiter-Partei (Parti national-socialiste des travailleurs allemands), fondé en 1919 à Munich par Anton Drexler, dirigé dès 1921 par Adolf Hitler. Ce parti est au pouvoir de 1933 à 1945.

un document attestant qu'il a été interrogé à plusieurs reprises par la commission de dénazification – *Entnazifizierungskommission* – chargée d'évaluer le rôle de chaque prisonnier au sein du régime nazi. Les séances ont prouvé que lui, le *Dr. phil.* Gabriel Bachmann, n'a pas commis d'actes répréhensibles, ni avant ni pendant la guerre. Après quoi, le père sourit et se lève pour faire un tour au jardin. Il prend le bras d'Anne, alors que Henning et Falk les suivent à la distance prescrite de deux pas. Il veut inspecter les lieux. Il lui faut s'aérer, car cette toux l'inquiète à un point tel qu'il se demande s'il ne souffre pas d'une maladie incurable. «La dernière année a été éprouvante pour l'Allemagne. J'ai vu des villes complètement rasées, alors qu'ici, au moins, certains quartiers ont été à peine touchés. Si vous voyiez Francfort, quel désastre! Le centre historique n'existe plus, la maison de notre grand Goethe a été réduite en miettes… On m'a dit qu'à Cologne, seule la cathédrale a l'air plus ou moins intacte. Hambourg est rasée, comme Dresde. La situation est pire que ce que l'ancien ministère de la Propagande laissait entendre. Ah, ce Goebbels, quel menteur! L'incarnation du diable avec son pied bot. Je ne lui ai jamais fait confiance.»

Il s'étonne qu'on n'ait pas réquisitionné leur maison ou d'autres aux alentours. La mère répond que les Français ont choisi la colline opposée à la leur parce que les ponts ont été détruits. Il n'y a que deux trailles improvisées qui traversent lentement la Sarre. Les maisons sur les hauteurs de l'autre côté du fleuve ont été tout de suite occupées par les officiers français. La nouvelle administration a été regroupée en bas de la colline. La seconde maison du docteur Bachmann, une grande villa acquise quelques semaines après le retour de la Sarre à l'Allemagne, en 1935, se trouve à Am Staden, un secteur avec de belles propriétés ayant vue sur la Sarre, relativement peu touché, lui aussi. Bien entendu, les locataires ont été chassés et Gabriel Bachmann perçoit un loyer minimal de l'armée française. « Nous avons de la chance, même si nous sommes affamés », ajoute-t-elle.

Le père craint de ne pas pouvoir faire ressemeler ses chaussures en marcassin, confectionnées sur mesure en France avant la guerre, que Henning devra cirer et brosser chaque soir. Il regrette également de ne plus pouvoir envoyer ses chemises à la blanchisserie de Forbach, en Lorraine, à trois kilomètres de chez lui. Là, les blanchisseuses ont toujours accompli un travail exemplaire : « Je n'ai jamais compris pourquoi on est incapable, en Sarre, de blanchir les chemises à la perfection et de les repasser comme on le fait en France. C'était un plaisir de les porter. Quand c'est Esslin qui s'en occupe, le col est trop mou ou trop raide, et alors il me blesse, les manchettes aussi, elle n'a pas le tour de main et ne l'aura jamais. Et toi – il se tourne du côté de sa femme –, tu t'y connais encore moins qu'elle. Ton père a commis une grave erreur en t'envoyant à l'université. Regarde à quoi te servent aujourd'hui tes études en archéologie ! Un agréable et coûteux passe-temps, d'aucune utilité pour une jeune femme dans un pays en ruine. Tu aurais mieux fait d'apprendre à cuisiner ! »

* * *

Le père fait jouer toutes ses relations afin de réintégrer la fonction publique. Avant la guerre, il était haut fonctionnaire au ministère de l'Éducation, « le plus jeune *Ministerialdirektor** depuis Bismarck », dit la mère en souriant, même si l'enfant ne comprend pas ce que le titre veut dire. Henning explique : « une des grosses huiles, quoi », ce qui mystifie son frère encore

---

* Littéralement : directeur ministériel.

davantage. En fait, le *Dr. phil.* Gabriel Bachmann, dont la thèse a porté sur la politique extérieure du roi Frédéric II de Prusse, thèse qui le prédestinait au ministère des Affaires étrangères, a été le bras droit du ministre de l'Éducation de la Saarpfalz. Après la défaite, les portes s'ouvrent difficilement. Ses anciens collègues sont soit morts, soit emprisonnés, soit ont été déportés en Sibérie s'ils ont eu le malheur de se trouver sur le front de l'est, soit sont exclus de la fonction publique à cause de leur passé.

Des nouveaux responsables allemands, peu sont favorables au docteur Bachmann. Pour la plupart, il s'agit d'émigrés revenus à la fin des combats. Ils ont survécu à l'Occupation, cachés chez quelque parent en Lorraine, en Alsace ou en « zone libre », pétainiste. Les « fuyards de la guerre » obéissent aux ordres de supérieurs français dont on ne voit pas l'ombre.

« Des pantins. Je vois les fils qui les font bouger, mais je n'arrive pas à attraper la main au bout. Si je le pouvais, j'aurais tout de suite le bras et le reste. J'ai beau montrer les documents de Kaiserlautern attestant que j'ai été dénazifié en bonne et due forme par les Américains, on hausse les épaules. Heureusement que nous avons de l'argent en banque ; mais si tu veux mon opinion, les jours du Reichsmark sont comptés. Notre monnaie sera remplacée par le franc français. Par bonheur, j'ai encore des terrains près de la gare et quelques appartements au centre-ville, enfin, ce qu'il en reste après le brasier. Mais, sur le plan financier, je ne puis m'appuyer comme toi sur une source abondante. Contrairement à ton père, le mien n'était qu'un simple ouvrier passé contremaître. On ne nageait pas dans l'argent comme les Süter. Mais... une chose à la fois, n'est-ce pas ? »

Gabriel Bachmann passe ses journées à user le parquet des antichambres de la nouvelle administration. Il s'y rend tôt le matin, cherche ceux qu'il a connus pendant le Reich, démembré désormais, rapetissé, sous la tutelle des quatre alliés. Sa femme lui répète qu'il faut être patient. De son côté, il soutient que les autorités françaises ne tarderont pas à former un gouvernement composé de politiciens locaux qui « leur mangeront dans la main », c'est son expression, accompagnée d'une moue méprisante. Le soir, il rentre affamé, fatigué, déçu, irrité. Après la soupe à l'eau, il tourne les boutons du poste de T.S.F. En France aussi, tout demeure rationné. Pourtant, dit-il, en comparaison, ce pays n'a que peu souffert de la guerre, du moins les campagnes, demeurées intactes. En Allemagne, la reconstruction prendra de nombreuses années. Il s'est procuré des journaux avec des photos de Dresde, Hambourg, Francfort, Cologne, Berlin. « Qu'est-ce que je vous avais dit ? Voici les documents, ils ne mentent pas. Terrifiants. » Après une pause, il ajoute : « Cette fichue guerre, nous l'avons provoquée et nous avons été traités selon la loi du talion, œil pour œil, dent pour dent. Il est trop tard pour pleurer quand les pots sont cassés. » Pendant des jours, il n'adresse la parole à personne. Le soir, il s'assied dans le *Herrenzimmer* et regarde les photos ; il en a une grande quantité maintenant qu'il examine à l'aide d'une loupe.

* * *

Dès que le père s'absente, l'enfant, soulagé de ne pas sentir le regard gris sur sa nuque, respire plus librement. Quand *cet homme* est à la maison, même enfermé dans son bureau, Falk ne peut s'abandonner aux jeux avec les enfants de sa rue, qui viennent chez lui parce que sa mère leur prépare un semblant de goûter, presque toujours des pommes au four, sans sucre. Toutefois, ces fruits à la peau ratatinée et dure trompent la faim. Sachant *l'autre* tout près, il ne peut pas se concentrer sur ce qu'il fait, ni imaginer des variantes de jeu, ni s'adonner à ce qu'il aime le plus, rêver, laisser courir son imagination. Il a déjà failli tomber de la balançoire en l'apercevant, *lui,* qui s'était écrié n'avoir jamais vu un gamin aussi maladroit. De toute façon, bientôt il fera trop froid pour jouer dehors. Rien que de penser au drap glacial et légèrement humide qui l'attend dans la chambre qu'il partage avec son frère, il claque des dents. Malgré les remontrances de l'homme, qui lui répète qu'un garçon comme lui ne se plaint pas quand il n'a rien à se mettre sous la dent, il ne peut s'empêcher de faire la grimace quand la faim se fait sentir et le scie en deux. Mangées crues, les pommes vertes lui donnent la diarrhée ; souvent, des coliques lui labourent le bas du ventre. Midi et soir, il trouve des légumes bouillis sur la table, toujours les mêmes, rutabagas, carottes, rarement des topinambours, une fois sur deux des pommes de terre, agrémentées de quelques gouttes d'huile et d'un peu de sel. Sa mère lui fait boire beaucoup d'eau et de la tisane chaude pour tromper son estomac vide. Comme la plupart des enfants, il est pâle, grelotte dès qu'il s'assied pour jouer, est maigre à faire peur. Il a des faiblesses, s'évanouit souvent. Son ventre est gonflé. Henning et lui ont tellement hâte à la soupe du soir qu'ils ne peuvent s'empêcher de l'avaler à toute vitesse, malgré les remontrances des parents. Parfois, le frère laisse tomber sa cuiller, court aux toilettes et vomit. À cause des soupes et des tasses d'eau chaude, ils doivent souvent uriner pendant la nuit. Parce que le bruit des toilettes les réveille, les parents leur ont imposé l'utilisation de pots de chambre.

* * *

Falk s'est pris d'affection pour Mechthild, une fillette du même âge que lui. Elle est toute douceur, rieuse, coiffée de nattes d'un blond cendré et a de jolis yeux noisette. Ses mains potelées, aux bouts des doigts arrondis et aux ongles roses luisants, il aimerait les garder toujours entre les siennes. Souvent, elle lui apporte quelque chose à manger, deux tartines beurrées avec du fromage ou une pointe de gâteau, un œuf dur ou des fruits, de la confiture de cerises noires, sucrée («où sa mère trouve-t-elle du sucre ?» se demande madame Bachmann), de poires ou de pruneaux. Ses parents l'ont appelée Mechthild, ce qui signifie «grande combattante», parce que le parti voulait faire revivre le passé germanique. Elle porte mal ce nom puisqu'elle ne se bat jamais, même pas avec les trois chèvres entêtées dont elle doit s'occuper pendant l'été. Son père est inspecteur des mines. Réaffecté à son ancienne mine après l'échec du siège de Leningrad, un an avant l'attaque des Alliés sur Saarbrücken, il supervisait les équipes de mineurs composées de prisonniers de guerre. Par chance, il n'était pas au travail quand la ville a été bombardée. Les galeries ont explosé, les puits flambé ; ceux qui se trouvaient en bas n'ont pas pu remonter à la surface, ils sont tous morts. Mechthild habite une maison en brique rouge située sur l'autre versant de la colline, dans un quartier où les habitants disposent de lopins de terre aux portes de la ville et d'un jardin. Certains ont un cheval ou une vache, d'autres, un ou deux cochons ou des brebis. Chez la fillette, il y a une douzaine de poules dans un enclos et les trois chèvres qu'elle garde quand elles sont menées au pré.

Falk l'accompagne volontiers. Ils ne parlent pas beaucoup, tiennent les bêtes en laisse, comme des chiens, et se déplacent avec elles. Capricieuses, celles-ci veulent goûter à toutes sortes de plantes. Mechthild lui a montré comment boire directement du pis d'une chèvre, «mais n'en prends pas trop, sinon ma mère sait qu'on a triché». La première fois, il a mal visé, le lait coulait sur son visage, l'animal lui donnait des coups de patte dans la poitrine, ce qui faisait rire son amie. Lors de la moisson, il a aussi accompagné le père de Mechthild à ses champs de seigle et d'avoine, mais il n'a pas pu l'aider à battre les boisseaux avec des fléaux, trop lourds pour lui. Il aime beaucoup aller chez les Berger, une famille d'origine française, paraît-il, comme tant d'autres en Sarre. Là, il ne doit pas se surveiller, chacun poursuit tranquillement son travail, le père lui a montré comment tailler une flûte dans la branche d'un saule pleureur, il sait même tresser des corbeilles. La mère sent bon, un mélange de pain cuit, de beurre, d'étable. Il aime être tout près d'elle, se coucher sur le banc à côté de la cuisinière, fermer les yeux et l'entendre s'affairer autour de la table. Quand il entre, les parents Berger se taisent et le saluent avec de grands sourires ; ils semblent mal à l'aise, car entre eux, ils parlent le patois, qu'il ne comprend pas. En présence du garçon, ils doivent utiliser une langue qui leur est peu familière. Il arrive que Mechthild cherche un mot pourtant simple. Falk ne demande pas qu'on lui apprenne le dialecte. De toute façon, il ne pourrait pas l'utiliser puisque sa mère prétend ne pas le supporter, le trouvant « trop laid à entendre ».

À la fin de l'été, Nelly Berger, la mère de Mechthild, a guéri Henning d'une étrange maladie. En août, la peau du garçon s'était couverte de furoncles et de boutons rouges. Le médecin avait suggéré de la mélasse : « Le meilleur moyen de guérir votre fils, madame Bachmann. Une cuillerée à soupe cinq fois par jour, pendant deux semaines, et les furoncles vont disparaître. Je ne sais pas pourquoi, c'est peut-être une question de vitamines dont on ne connaît pas grand-chose encore, mais ça marche. » Impossible de trouver des betteraves sucrières, destinées ordinairement au bétail. L'état de Henning continuait à se détériorer, sa mère faisait le tour des fermes à bicyclette, son père prenait des renseignements auprès de connaissances en ville, interrogeait des pharmaciens, en vain. Parce que Mechthild ne croyait pas à cette maladie, Falk l'a emmenée auprès de son frère. Horrifiée par l'aspect de Henning, elle en a parlé à sa mère. Devant la porte d'entrée, un sac de betteraves a surgi comme par magie, assez pour donner trois grands pots d'un liquide brun foncé, visqueux. Le médecin avait dit vrai, Henning s'était remis rapidement.

Nelly Berger avait également soigné Falk. Une nuit d'été, il s'était réveillé après un cauchemar pendant lequel un bourreau lui arrachait les entrailles. Bien entendu, c'était Henning qui lui avait raconté qu'on tuait les criminels accusés de haute trahison en leur ouvrant le ventre pour enrouler les viscères. Falk s'assit dans son lit et sentit bouger quelque chose sous ses fesses. Il se redressa, baissa le pantalon de son pyjama, alluma la lampe de chevet et vit deux longs vers, brun foncé, se tortiller sur le tissu, dans ce qu'il lui semblait des excréments liquides, alors qu'un troisième lui sortait de l'anus. Muet d'horreur, il sauta du lit, réveilla son frère, lui montra les trois vers. Henning frappa à la porte de la chambre des parents en criant que des serpents sortaient du ventre du petit. La mère accourut, jeta les vers lisses et luisants dans les toilettes, lava les fesses de l'enfant en lui parlant doucement, car elle voyait combien cette expérience le traumatisait. Le lendemain, le médecin fut appelé, qui diagnostiqua une dysenterie infectieuse, provoquée par l'ingestion de légumes ou de fruits mal ou pas lavés, ou encore par de l'eau impropre à boire. Il raconta avoir vu des douzaines de cas du même genre, mais jamais des vers aussi longs que ceux décrits par les parents. « Rien de très dangereux, seulement dégoûtant. » Pour absorber les toxines, il fallait trouver du charbon de bois réduit en poudre, et de la choucroute crue pour chasser les vers. La mère de Mechthild était intervenue pour la première fois comme soignante, alertée par sa fille qui n'avait pas pu aller voir son ami, alité et trop épuisé par la dysenterie. «Ce sont de vieux remèdes qui font merveille, avait dit Nelly en souriant. Votre fils a de la chance de n'avoir attrapé que ça. Il me reste de la choucroute de l'année dernière et je broie moi-même le charbon de bois. Ne vous en faites pas, madame Bachmann, ce sera terminé dans une semaine. »

* * *

Début novembre, à la fin de la première année de l'après-guerre, Falk a cinq ans. Il raccompagne son amie chez elle. Tout l'après-midi, ils ont joué aux parents. Mechthild est plus sévère que le garçon et lui reproche ses faiblesses envers leurs enfants, alignés devant eux sur un banc, des poupées improvisées avec des fichus et des guenilles trouvées dans les mansardes chez les Bachmann, remplies de bric-à-brac couvert d'une épaisse couche de poussière. Le reste du grenier est vide, des lucarnes l'éclairent assez bien pour qu'ils n'aient pas peur des mauvais esprits qui pourraient se cacher dans les coins sombres, là où le toit rejoint le plafond du deuxième étage. Sauf eux, personne ne monte ici, ils ont mis des semaines à explorer les deux pièces et ont fini par trouver des trésors : de la vaisselle, des casseroles, des ustensiles, tout pour préparer des repas imaginaires. Falk sort exténué de ces repas, il a avalé des quartiers de bœuf, mangé trois pains, vidé des pots de crème, de marmelade, des conserves de toutes sortes. Il se tord, tellement il a mal au ventre pour avoir englouti toute cette nourriture, alors que Mechthild lui dit qu'il est pâle «comme un linceul», expression apprise de son ami qui la tient du frère. Puisque la nuit tombe chaque jour plus tôt, la brunante est un bon prétexte pour qu'il la raccompagne chez elle, en véritable chevalier. Des histoires circulent : certains soldats français, des types au teint basané venus de l'Afrique du Nord, s'en prennent tant aux filles qu'aux garçons seuls dans la rue après le coucher du soleil. On trouve les cadavres des enfants, la tête coupée et placée ailleurs, mais avant de mourir, ils ont été torturés. «Ces hommes sont pires que des *Menschenfresser*», racontent les gens, et ce mot terrible le fait frissonner. Dans la rue, mieux vaut être deux. Aux siens, l'enfant a dit que les parents de son amie ne le laissent jamais partir sans lui offrir un goûter ou même un vrai repas, soupe, pommes de terre, légumes bouillis, viande ou omelette et, comme dessert, une pointe de tarte aux fruits.

Cet après-midi, les enfants partent vers deux heures et demie. Une fois chez les Berger, ils ont droit à un verre de lait et des biscuits. Ils continuent à jouer aux parents, avec de vraies poupées, cette fois celles de Mechthild et de sa sœur. Quand le père rentre, vers six heures, il veut souper. La mère a préparé un repas «à la paysanne» que Falk aime beaucoup : des pommes de terre bouillies, refroidies, coupées en petits cubes, frites avec des oignons. À la fin, elle verse quelques œufs battus sur l'ensemble, remue, et c'est prêt. Le petit Bachmann en mange lentement, beaucoup, ce qui fait plaisir à madame Berger. Après le repas, les parents se retirent dans un coin de la cuisine, bavardent et boivent un verre de vin. Dans la chaleur de la pièce, le ventre plein, les enfants s'endorment. À dix heures, le père les réveille et dit au garçon qu'il faut vite retourner chez lui, on doit commencer à s'inquiéter.

Les rues sont noires, désertes, silencieuses. Comme toujours quand il n'y a pas de lumière, l'enfant a peur et se met à courir. L'air est beaucoup plus frais qu'au moment où il est parti de la maison avec son amie. Il a carrément froid avec ses culottes et ses chaussettes qui s'arrêtent au chevilles. En arrivant, il dira à sa mère que demain, il aimerait enfiler les vêtements d'automne, bas de laine, knickers, chemise en flanelle, pull-over. Il pense avec plaisir à son manteau au col en loutre, une fourrure qu'il aime.

Le père l'attend à la porte et lui demande pourquoi il rentre si tard. L'enfant répond qu'il s'est endormi après le repas chez les Berger, à côté de la cuisinière. Du coup, l'autre hurle que, depuis deux heures, la mère et le frère le cherchent partout en ville. « Ils sont mortellement inquiets, tu sais pourtant que des enfants disparaissent tous les jours. » Afin que cela ne se reproduise plus, il sera puni, et sévèrement. Il espère que son fils retiendra cette leçon longtemps, très longtemps.

* * *

Le *soi-disant père* va rapidement dans le fumoir, glisse la main derrière la grande bibliothèque vitrée et sort une cravache. L'enfant ne sait pas à quoi sert l'objet que l'homme fait claquer plusieurs fois le long de son pantalon, mais l'expression de son visage n'annonce rien d'agréable. Sous les épais sourcils, les yeux ne cherchent même pas l'enfant qui, prudemment, recule jusqu'à la porte d'entrée. L'homme l'attrape par le lobe de l'oreille qu'il tire vers le haut. L'enfant, surpris par la douleur, émet une sorte de miaulement aigu et tente de griffer l'énorme main. Mais elle ne le lâche pas, elle ressemble à des tenailles d'acier. Le premier coup l'atteint dans le dos. Il en ressent une violente et longue brûlure qui le jette en avant. Son oreille est libre, mais déjà le deuxième coup vient de lui cingler les épaules. Suivent le troisième, le quatrième. Au dixième, l'enfant arrête, il ne sait pas compter plus loin, la mère ne le lui a pas montré et Henning dit d'attendre l'an prochain, ce sera assez tôt. Le bout du fouet s'abat sur le cou, puis plus bas, sur les reins. Le garçon serre les dents et se dit qu'il se plaindra auprès de sa mère, qui ne l'a jamais battu, hormis parfois une tape sur les fesses à peine sentie. Immobile, droit, il entend le bruit de cet instrument souple qui fend l'air et un autre, plus irrégulier, rapide, la respiration de l'ogre qui manque d'air, tousse, s'interrompt, pousse des râles. Ce sont les grondements d'un chien pendant l'attaque. L'enfant a toujours eu peur des chiens. Henning lui a dit que c'est de sa faute si les chiens lui montrent les crocs. « Ils sentent quand on a peur, ça leur donne l'avantage. Ils attaquent si tu es faible. Tu leur dis *pfui, pfui,* mais tu pleures déjà de peur. Tu crois peut-être qu'ils sont stupides, les chiens ? Ils se moquent de tes *pfui* ! »

Comme pour les chiens, l'enfant ne voit qu'une solution : courir aussi vite que possible, s'enfuir. Il baisse la tête, la protège de ses mains – là aussi, les coups pleuvent, ses doigts lui font si mal qu'il les croit brisés – et plonge en avant. Il veut atteindre la porte. Mais déjà le *Menschenfresser* est au-dessus de lui, agrippe le collet de sa chemise, lui redresse le torse et, cette fois, le frappe sur ses jambes nues et ses fesses, mal protégées par les culottes et des sous-vêtements trop minces. Il est pris au piège. Au moment où il comprend qu'il ne pourra pas s'échapper, il commence à hurler, autant de peur que de douleur, alors que l'autre, les dents serrées, pousse des jurons ignobles, vulgaires, inconnus, la respiration sifflante, comme lors de cette nuit-là, il y a longtemps, que l'enfant n'a pas oubliée. Le bras s'abat à une cadence accélérée. Il n'y a plus moyen de supporter ces coups, touchant des nerfs à vif. Il se jette par terre, à côté du tapis, se trouve étendu sur le plancher de bois, près du fauteuil à oreilles, mais les pieds du meuble ne sont pas assez hauts pour qu'il se réfugie dessous. Les pires moments : sur le ventre, essayant de mettre sa tête à l'abri, il expose au fouet dos, fesses, haut des cuisses, mollets, jusqu'aux chevilles. Seuls les pieds sont protégés, il n'a pas eu le temps d'enlever ses chaussures.

39

Pour échapper aux coups, il se roule sur le dos, erreur qu'il regrette aussitôt. Le fouet frappe son torse, l'abdomen, le devant des cuisses et, souffrance aiguë, indescriptible, lui faisant perdre le souffle, les tibias, sans la moindre protection. Ces douleurs sont insupportables, il y a des moments où il entend à peine le halètement de l'homme et le bruit de la cravache fendant l'air. L'enfant ne sait pas d'où peuvent lui venir encore les larmes et la salive coulant de sa bouche grande ouverte. En espérant pouvoir mettre au moins un côté de son corps à l'abri, il rampe vers un mur, se voit dans les longues glaces de la bibliothèque, ne reconnaît pas son visage défiguré ni sa tête, car le sang coule des plaies au front et ailleurs sur le crâne ; ses cheveux sont collés et noirâtres. Dans sa bouche tordue, il sent sa langue enflée qu'il a mordue sans s'en rendre compte, ses yeux sont presque clos. Il a la gorge sèche, il n'a jamais crié comme maintenant. Au moment de s'effondrer, il sent qu'il a fait dans ses culottes, de la merde liquide, pas comme celle des vers sortis de lui en pleine nuit, mais celle causée par la peur extrême. Anéanti par la honte de s'être abaissé au niveau des « petits morveux », les bébés porteurs de couches, il s'en veut mortellement. Alors il vomit ce qui lui reste dans l'estomac, évitant de justesse le tapis. Au même moment, les coups cessent, brusquement. S'ensuit un silence interminable, il croit que l'ennemi prépare une nouvelle attaque, mais il entend une expiration brusque, un « phhhh ! » de mépris. L'énorme main le soulève par le haut des culottes et les bretelles en cuir, le porte dans la salle de bains où elle le place sous le pommeau de douche et l'arrose d'eau froide, tout habillé. Pendant que l'enfant cherche son souffle, l'homme, avec une grimace de dégoût, lui fait signe de se déshabiller et l'oblige à se nettoyer et à laver ses sous-vêtements, ses culottes, jusqu'à la chemise, tachée de sang. Falk grelotte, tant à cause de l'eau glacée que par peur de l'arme, toujours dans la main du tortionnaire qui a pris place sur un tabouret. L'ogre se repose, pour le moment du moins. L'enfant essore le linge, le dispose sur le bord de la baignoire comme le lui indique l'homme. Celui-ci lui jette une serviette, indique le corridor du bout des lanières de cuir tressé, le pousse vers la chambre des garçons, le fait entrer et ferme la porte qu'il verrouille de l'extérieur, en retirant la clé.

Dans la pièce, l'enfant tremble violemment. Il est seul et nu. *Le cannibale* ne reviendra peut-être pas dans les prochaines minutes. S'il se mettait au lit, il pourrait se protéger avec les couvertures. Il enfile son pyjama, des chaussettes, se couche, attend, respire rapidement, la bouche ouverte, guettant les bruits dans le passage, attendant que la clé soit tournée de nouveau. Ses extrémités sont glacées, il a faim. Des pommes de terre rissolées aux œufs, délicieuses, il en a vomi la plus grande partie. Il ne peut s'arrêter de trembler. Henning ne lui a jamais raconté qu'on pouvait encaisser une punition aussi féroce. En tout cas, elle a duré une éternité, sa peau n'est qu'une grande plaie. À bout d'haleine, il se dit que, dès leur première rencontre, il a su combien cet homme était méchant, méchant, méchant. *C'est un monstre.* Non seulement faut-il s'en méfier, mais éviter de le croiser dans la maison ou au jardin.

L'enfant ne sait pas raisonner encore. Pendant que les coups pleuvaient, il a poussé un hurlement ininterrompu. Il ignore ce que veut dire mourir, mais il est si las d'avoir été fouetté au sang qu'il aimerait s'endormir pour ne plus se réveiller. Si le monstre avait atteint le larynx, la carotide ou la jugulaire, il aurait peut-être succombé. Des années plus tard, en se remémorant cette première punition, il se dira que le bourreau savait ce qu'il faisait. En tout cas, il connaissait le corps humain. Ainsi, il avait épargné les reins, les organes génitaux, le devant du cou, les yeux. Cela lui a tout de même donné assez de latitude pour laisser sa marque ailleurs.

41

Dans un coin de son cerveau, les coups reçus nourrissent la haine née le jour où l'homme lui a broyé la main et presque brisé le poignet. Pour sa méchanceté, l'ogre devra subir la punition qu'il mérite, une mort lente, affreuse, publique. Il devra ressentir les douleurs qu'il a subies, lui.

Quand il entend le claquement de la porte d'entrée, signifiant le retour de la mère et de Henning, l'enfant recommence à pleurer, mais s'arrête aussitôt : il ne veut pas que les autres entrent. Ils s'arrêtent devant la chambre. Rien que des hoquets étouffés dans l'oreiller, impossible de les retenir. « Il a été puni pour t'avoir causé tant d'inquiétude. Il a déjà mangé chez les Berger. Cela ne lui convenait pas ; il a vomi dans mon bureau. Henning, tu dormiras cette nuit dans l'ancienne chambre de Claudine. On ne s'occupe pas de lui, il a soupé. Allons voir ce qui reste à la cuisine. »

Ils s'éloignent. En attendant le départ de l'homme, l'enfant finit par s'endormir profondément. Quand il se déplace dans son sommeil, les plaies recommencent à saigner et provoquent un cauchemar, toujours le même. Il se trouve dans une cave faiblement éclairée par une ampoule électrique, un endroit à moitié détruit qu'il connaît bien pour l'avoir exploré de nombreuses fois avec la bande de Henning. Tout à coup, il est seul, les autres ont disparu sans faire de bruit, il ne sait pas par où ils se sont sauvés, car seul l'escalier en béton mène vers l'extérieur. Derrière un pilier de soutènement faisant partie du mur épais, se détache silencieusement une silhouette, tenant un long couteau, un sabre peut-être, qui luit un bref instant dans la faible lumière. L'enfant sait que l'autre va le couper en morceaux, c'est un *Menschenfresser,* mais la silhouette disparaît lorsque la bande revient bruyamment pendant qu'il épie l'ombre impénétrable du pilier. Il veut avertir les autres, sortir, mais ne peut articuler un seul mot, n'avance qu'à petits pas, à peine un pied devant l'autre.

À son réveil, il pleut. La clé dans la serrure tourne. Sa mère entre, suivie du frère. Cela veut dire que l'homme a quitté la maison. L'enfant monte les couvertures jusqu'à son nez. De nouveau, son front se plisse, des larmes coulent sur l'oreiller, il peut enfin céder devant l'envie de montrer combien il souffre. Sa mère s'assied sur le bord du lit, effleure les plaies sur le cuir chevelu, couvertes de croûtes qu'elle examine longuement, se lève, revient avec des bouteilles, de l'eau chaude, un pot contenant de l'onguent, des débarbouillettes. Elle nettoie blessure après blessure, doucement, emploie des liquides qui brûlent là où la chair est à vif. Cela sent la pharmacie, une odeur agréable, composée de désinfectant, d'alcool, de camphre, de menthol, d'éther. Le mélange le rassure et suggère la propreté, le calme. La mère applique la crème avec beaucoup de précaution, il sent à peine ses doigts qui le caressent. Souvent, il a mal, mais il serre les dents et elle essuie aussitôt ses larmes. Ils ne parlent pas. Après un long moment, le frère sort.

L'enfant murmure qu'il a faim. Elle dépose flacons et tampons d'ouate, va à la cuisine, remue des casseroles, revient avec un plateau utilisé uniquement lorsqu'un membre de la famille est malade : quand Henning était couvert de pustules, ou certains matins, quand le père apporte un verre de thé et un biscuit dans la chambre des parents parce que « votre mère fait de la migraine ». Dans une assiette, l'enfant voit un œuf au miroir, deux tranches de pain brun – elle doit avoir trouvé un autre boulanger –, dans une autre, une pomme rouge, cuite, à côté d'une grande tasse de tisane fumante. Elle coupe le pain en morceaux qu'elle enfonce dans le jaune, réserve le reste de l'œuf et le dépose sur le pain. Il imite les oisillons, ouvre le bec et sa mère lui donne une bouchée. Elle l'observe et attend qu'il ait terminé le déjeuner, sans un mot, à la manière d'une garde-malade accomplissant son travail. Puis, elle continue le nettoyage des plaies dont certaines ressemblent à des coupures, là où les lanières tressées ont touché le corps deux ou trois fois, faisant éclater la peau. Un liquide clair coule de celles-là, le dos du pyjama est taché. Elle y applique plusieurs couches de gaze dont elle colle les extrémités avec des sparadraps. De la même façon, elle s'occupe de ses tibias. Avec autant d'épaisseurs de ce tissu fin, il se dit qu'il aurait été bien protégé, la veille. Il est presque midi quand elle a terminé. Elle change les draps puis l'invite à dormir. Plus tard dans l'après-midi, il aura une autre collation.

Il ne saura pas combien les prochains jours de convalescence coûteront cher à sa mère, en argent, en humiliations, en négociations, ce qu'elle aura donné pour rapporter de la nourriture chez elle. Elle use de dissimulation pour que son fils ne sache pas qu'elle peut aller jusqu'à trahir ses principes, son éducation, pour l'aider à guérir.

Ce soir-là, quand le père revient, la mère l'intercepte dans le hall. Ils entrent dans le *Herrenzimmer* et en ferment la porte. L'enfant n'entend que des bouts de mots, des bribes d'exclamations. Le père s'énerve, lève la voix. C'est le même sifflement que la veille, le râle, puis le grognement furieux. Plusieurs fois, il frappe sur le bureau. La mère l'interrompt, ce qui provoque de nouveaux accès de colère. Depuis longtemps il fait nuit noire. L'enfant n'ose pas allumer sa lampe de chevet. Il regarde l'autre lit, en face de lui, que le frère n'a pas utilisé, la veille. Pendant l'après-midi, il n'est pas venu non plus faire ses devoirs et n'a pas consulté ses livres de classe, ni l'atlas ni le dictionnaire, tous alignés sur l'étagère au-dessus de sa table de travail. Mais il se peut que l'enfant ait dormi.

Dans la soirée, la mère vide le pot de chambre. Quand elle le replace sous le lit, elle lui demande s'il veut manger. Il fait « oui » de la tête. Elle réapparaît avec le plateau. Sur la soupe, elle a placé des croûtons de pain graissés, « cela donne de jolis yeux à ton bouillon », dit-elle. Dans un murmure, elle ajoute : « J'ai parlé à ton père au sujet de tes blessures. Il avait raison de te punir, mais il s'est emporté et a dépassé les limites du raisonnable. Un tel accès de colère peut arriver à tout le monde, tu comprends, n'est-ce pas ? Parfois, tu te bats avec Henning avec une force telle que je me demande où tu la puises. Ton père m'a assuré qu'il t'aime autant que ton frère, mais il est persuadé que tu es, ce sont ses mots, sournois et obtus. Il est convaincu que tu caches tes pensées, que tu t'enfermes dans tes rêves, contrairement à Henning. Cela le déçoit. Il n'apprécie pas ton attitude, qu'il prend pour de la désobéissance. De plus, il n'aime pas les garçons qui pleurent aussi facilement que toi. D'après lui, tu es assez grand pour endurer une sévère correction sans dire un mot. »

Elle fait une pause, réfléchit en regardant par la fenêtre dont les vitres brillent dans le noir. On ne voit même pas le tronc du mélèze, tout près, qui a perdu ses aiguilles.

« Essaie de comprendre qu'il a la mèche courte, avec tout ce qu'il a dû vivre pendant la guerre et au camp. Hier, il était à bout de nerfs, il a vu rouge. Je ne sais pas pourquoi. Peut-être a-t-il eu une journée particulièrement décevante. Il est vrai que j'étais très inquiète à cause de ton retard. Ton frère et moi avons couru dans toutes les rues du centre. C'est bizarre, je n'ai pas pensé une seconde aux Berger. Pourtant, tu y vas souvent, mais tu n'es jamais rentré aussi tard à la maison. » Elle s'arrête un temps et détourne la tête, puis le regarde. Il voit qu'elle a les yeux rougis. « Maintenant, pour ta guérison, bouge le moins possible, il ne faut pas que les plaies s'ouvrent de nouveau. Sinon, tu auras des cicatrices partout, ce serait très vilain. Ne gratte pas les croûtes, elles vont tomber après plusieurs bains… chauds. » Elle sourit maintenant, se penche, son parfum l'enveloppe. Il est surpris qu'elle l'embrasse doucement sur le front, rare signe d'affection. Le matin, quand le père la quitte, et en rentrant le soir, ses lèvres touchent la joue ou le front qu'elle lui tend, mais elle n'aime pas qu'il place la main dans son dos ou autour de sa taille, du moins quand lui ou Henning se trouvent là.

Elle sort en fermant la porte à clé. Cette fois, le geste rassure l'enfant. Personne sauf la mère ne pourra entrer. Il est dans un état de béatitude puisqu'il vient d'avoir la preuve qu'elle l'aime, lui, sans doute plus que Henning, qui est du côté du père. Elle fait juste semblant de se prêter au jeu de cet homme, mais il faut être aveugle pour ne pas y voir clair, elle ne l'aime pas. Du moins, elle ne le montre pas, contrairement à madame Berger qui touche souvent la main ou l'épaule de son mari. Le nuage de parfum demeure suspendu dans la chambre. Sans cette fragrance, il croirait avoir rêvé. En le quittant, elle a dit que, pendant le reste de la semaine, il ne pourrait pas se lever. La dernière phrase seulement le dérange : « Tu dois apprendre à obéir aux ordres de ton père. »

* * *

Lui obéir, jamais. À mesure que les plaies guérissent, il se rend compte de ce qui s'est passé. Il y pense tout le temps, seul dans son lit. Derrière ses paupières mi-closes, dans ses rêves éveillés, il se rappelle les coups. Du matin au soir, il condamne son *adversaire* à mourir. Avec volupté, il se rappelle ce que Henning lui a dit des criminels, avant leur exécution. Sous le Führer, on décapitait. Avec une hache, comme en Angleterre avant qu'on y adopte la pendaison. L'enfant s'est fait expliquer tout ce qui entoure une décapitation, une pendaison. Pour *l'ogre,* il préfère nettement la hache, moins expéditive que la corde, car, semble-t-il, le bourreau peut mal viser et blesser grièvement le condamné avant de l'achever. Il ne faut pas lui couper la tête tout de suite, il demanderait au tribunal que *cet homme* soit fouetté jusqu'à ce que son corps ne forme qu'une bouillie sanglante. Il élabore le scénario jusque dans les derniers détails. Le torturer le plus longtemps possible. Lui donner à manger des choses répugnantes, comme ce pain fait avec des pelures de pommes de terre. Il regrette de ne pas connaître d'autres manières qui font souffrir plus longtemps, mais ce savoir viendra avec le temps. Son frère lui a dit que tout est dans les livres, dans la bibliothèque du père, où il y a aussi le Brockhaus* en vingt et un volumes, énormes. Avec la permission expresse du père, il le consulte déjà, c'est merveilleux, on peut y trouver réponse à n'importe quel genre de question. Quand il saura lire, lui, il apprendra tout ce qui s'y trouve imprimé. Ainsi, il sera l'homme le plus instruit du pays.

Parfois, il demande à sa mère si Mechthild a demandé à le voir. « Oui, elle est venue plusieurs fois et a été triste d'entendre que tu étais malade. Un petit mensonge ne fait pas de mal. Ce qui s'est passé est une affaire de famille, cela ne regarde personne », dit-elle. Puisque, de temps à autre, elle voit la maman de sa petite amie, elle l'avertira quand Falk ira mieux.

Après l'avoir enveloppé dans son propre peignoir, sa mère le conduit à la baignoire. L'eau est chaude, elle sent le sapin, de la mousse flotte à la surface. Il s'allonge, elle lui demande de se pincer le nez et de rester la tête sous l'eau aussi longtemps qu'il le peut. Les croûtes ramollissent et elle passe doucement une débarbouillette pour les détacher. Si la guérison

---

* Célèbre encyclopédie allemande, comparable à l'*Encyclopedia Britannica.*

se poursuit comme prévu, il ne portera presque pas de marques. En l'essuyant, elle chantonne « Falk, mon petit faucon bientôt guéri » et lui dit que c'est une mélodie arabe, originaire d'un pays lointain qu'elle aimerait revoir un jour. Il sait ce que « arabe » veut dire, à cause des enfants disparus, mais en ce moment, il prend conscience de ce que son nom signifie. S'il avait des ailes et des serres comme un faucon, il se serait levé dans les airs pour foncer sur le père et lui lacérer la tête. Cette image lui plaît, il passe plusieurs heures à la réinventer.

Les bains se répètent tous les jours. La mère allume le chauffe-eau, même si elle doit sacrifier une bonne partie des briquettes et ne sait pas où en trouver d'autres. L'hiver est aussi long et dur que le précédent. Dans les caves des maisons détruites de toutes les villes, grandes et moins grandes, beaucoup de gens meurent de froid, de faim, de maladies, de fièvres inconnues. Des cadavres, on en trouve par milliers ; la cause de leur mort n'est pas toujours la faim ou l'extrême faiblesse. Certains ont été étouffés, des femmes surtout. Leurs sous-vêtements sont déchirés parce qu'elles y cousent ce qu'il leur reste de bijoux ou d'argent. Mais la plupart des morts sont si maigres qu'on se demande comment de tels squelettes pouvaient encore marcher.

L'enfant ne se soucie pas de ce qui se passe à l'extérieur de la maison et du jardin, protégé par une haute clôture de fer forgé. Il est content. Le jour, presque tout est redevenu comme avant, lui et la mère sont seuls à la maison. Au début de l'après-midi, vers une heure et demie, Henning arrive de l'école, mange le repas préparé par la mère, ce qui revient invariablement aux légumes cuits à l'eau. Après quoi, il fait ses devoirs et part avec ses copains. Dès le début de décembre, la neige s'est mise à tomber. Au père Noël, duquel il se moque comme d'une guigne (dans quelques mois, il aura neuf ans), Henning a demandé des patins afin de profiter d'un étang gelé, non loin de la maison. Il dort de nouveau dans la chambre, un peu moins froide que celle de Claudine, où « on se les gèle », mais que son petit frère ne sait pas ce que sont ces « les ». L'ogre rentre souvent tard, le cadet est déjà couché, ils ne se rencontrent que pendant les week-ends.

Henning a eu ses patins pour Noël, des lames qu'il faut visser à ses chaussures, ce qui abîme ces dernières, mais peu lui importe. Il est très content de pouvoir glisser sur la glace et de jouer à un jeu jusque-là inconnu, populaire en Amérique, le hockey. Falk, quant à lui, a trouvé sous l'arbre deux ardoises, une neuve et la vieille de son frère, ainsi que des cahiers où des lettres sont tracées de plusieurs manières : en caractères romains et gothiques, tant en cursive qu'en caractères d'imprimerie. « Si tu sais lire ces deux types de caractères, ce sera pas mal pour le début, lui dit le père. Aujourd'hui, tout est imprimé en romain. Mais quand ta mère et moi écrivons à la main, nous utilisons souvent des caractères qu'on appelle *sütterlin,* que les étrangers confondent souvent avec le gothique. Je t'apprendrai l'écriture *sütterlin* plus tard. » Falk est surpris de découvrir dans une petite boîte un cactus sans épines, enveloppé dans du papier de soie. Il constate avec un vif plaisir que le pot, la terre, la plante sont modelés en massepain. Pour ne pas être tenté de la manger, il place la sucrerie suintant l'huile d'amande dans une armoire vitrée du salon, devant l'argenterie et les bibelots précieux que sa mère n'a pas pu échanger contre de la nourriture : figurines en ivoire, boîtes laquées chinoises et japonaises, cloisonnés anciens dont les paysans ne voulaient pas puisqu'ils en ignoraient la valeur. Dans des assiettes sont disposés des noix de Grenoble, des châtaignes, des biscuits en forme de demi-lunes, d'étoiles, de petits personnages, dont l'odeur fait saliver les enfants ; quand ceux-ci veulent les croquer, ils constatent qu'ils sont durs comme de la pierre. Leur mère, l'air malheureux, les console : elle les placera dans une boîte avec des pelures de pommes ; à Pâques ils seront ramollis. Ils se contentent d'oranges, une pour chacun, qu'elle a dénichées au marché noir à Forbach, de l'autre côté de la frontière. Le père montre aux fils comment inciser la pelure du fruit de manière à ce que la chair se présente sur une étoile. Henning admire cette façon de faire. Son frère mâche lentement les tranches acides et un peu sèches.

On mange tout ce qui semble comestible. Il y a des gens qui vendent des lapins ; la viande est belle et goûte la venaison. En réalité, ce sont des chats. D'autres offrent des côtelettes d'agneau (qui a encore des brebis dans ce pays ?), très petites, assez dures, et on dit qu'en ville comme à la campagne les chiens disparaissent rapidement. « Les rats, ça viendra, attendez un peu », marmonne Esslin. Quand Henning rentre de son jeu sur glace, il est essoufflé, se jette sur la soupe en déclarant qu'il garde la tranche de pain pour le milieu de la nuit. Il sait qu'il se réveillera pour uriner, que la faim le tenaillera et que, s'il ne mange pas quelque chose, il ne pourra pas dormir à cause d'un mal de tête qui ne le lâchera plus jusqu'au petit-déjeuner. Ses camarades de classe tombent souvent malades, certains meurent d'« épuisement » ou encore d'« extrême affaiblissement ». C'est du moins ce que les médecins écrivent sur le constat de décès. D'autres ne se relèvent pas d'une pneumonie, d'une grippe ou d'un rhume banal, d'une infection virale. Ces morts ne semblent émouvoir personne, sauf les parents, et encore : c'est une bouche de moins à nourrir, la portion du mort sera distribuée aux autres. Tous les jours, d'autres enfants naissent, et meurent si la mère manque de lait. On enterre les bébés comme on ensevelit des chatons ou des chiots, dans des boîtes en carton ou en les enveloppant d'un petit linge. Depuis longtemps, les parents ne font plus part de ces disparitions dans les journaux. Les gros titres annoncent qu'au mois de décembre 1946, d'après les estimations des autorités de la santé publique, environ cinquante mille personnes ont été victimes de la faim. Quand l'hiver achèvera, ils seront plus d'un million et demi dans toute l'Allemagne. La nouvelle est annoncée à une population apathique, toujours en mouvement d'un endroit à l'autre, mue par l'espoir de trouver de quoi manger, dormant dans des ruines humides et glacées, insalubres. Dans toutes les grandes villes, comme Berlin, Cologne, Francfort, Munich, Hambourg, en Rhénanie-Westphalie où vivent dix-huit millions de personnes, la fièvre typhoïde fait des dizaines de milliers de victimes que les survivants abandonnent souvent dans les décombres.

* * *

Après Noël, le père en a assez de faire les antichambres. « Ils ne veulent rien savoir de moi. Les autorités menacent même de nous couper le téléphone, au prétexte que c'est un privilège datant du Reich. Je crois que tout vendre et émigrer serait une bonne solution. N'importe où, aussi loin que possible, en Australie ou au Canada. En attendant que ces pays soient ouverts aux Allemands. Aujourd'hui, bien des Sarrois crachent sur moi. Il y a deux ans encore, ils me léchaient les bottes. » Il vaut mieux qu'il reste à la maison et apprenne quelque chose au petit, « qui perd son temps en jouant alors que dans huit mois, il doit entrer à l'école ». La grande plaque en laiton au-dessus de la sonnette, côté rue, a disparu ; elle a été remplacée par une plus petite, rectangulaire, sur laquelle on lit *G. Bachmann,* rien d'autre.

À la table de la salle à manger, le cadet est assis à côté du père, qui lui enseigne à lire et à écrire. Il y fait froid. L'enfant ne peut s'empêcher de trembler et ne réussit pas à dessiner les lettres sur l'ardoise. Alors ils s'installent à la cuisine, la seule pièce convenablement chauffée. Le garçon est rassuré, sa mère est à côté de lui. Le père ne le touche que pour lui montrer comment faire les courbes, du *g,* du *p,* du *q,* en couvrant de son immense main celle du petit qu'il guide. Il écrit bien, le père, aussi bien que ce que l'enfant voit dans le livre. Pendant un temps, Falk mélange les trois lettres quand il les voit dans un mot. Alors il reçoit des coups qui ne laissent pas de trace : de son poing, *l'autre* sort l'articulation centrale du majeur et le frappe derrière la tête, ce qui cause tout de suite un solide mal de tête. Cela n'arrive qu'aux moments où la mère s'absente. Puisqu'on ne voit rien, Falk ne lui en parle pas.

Après trois semaines, le père le surprend en train d'écrire, dans une belle calligraphie, le mot *Lebensgefahr.* Falk lui explique où il l'a appris et qu'il en a copié les lettres. Depuis le début de novembre dernier, c'est la première fois que l'enfant lui adresse la parole sans que les larmes lui montent aux yeux et sans un gros nœud dans la gorge. Il n'a pas revu la cravache (elle n'est plus derrière la bibliothèque, il a regardé) et ne reçoit ni gifles ni taloches quand il commet des erreurs, rien que des punitions légères. Dans sa tête, il commence à l'appeler « père », même si cela lui paraît mensonger et lui répugne, car il n'a pas changé d'idée et n'acceptera jamais d'être le fils de celui à qui il s'adresse, sur le conseil de sa mère, en utilisant le titre officiel, alors que Henning dit affectueusement « papa », « maman ». Ce dernier mot, Falk l'utilise quand il est seul avec elle ; en parlant d'elle, il préfère « ma mère ». Il se force à cesser de penser au père comme étant *l'autre, l'homme venu dans la nuit, l'ogre, le cannibale, le méchant* ou encore *l'étranger qui me fait du mal* et *l'homme qui n'aime pas maman.* Souvent, sans qu'il le veuille, en se brossant les dents ou en se lavant

la figure et les mains, il se rappelle « ce soir de novembre ».
Tout lui revient à l'instant, même si les cicatrices sont en train
de s'effacer. Il reste aux aguets, par simple prudence. Quand
il entrera à l'école, en septembre, il saura lire aussi bien que
Henning. L'alphabet gothique est plus difficile à mémoriser que
le romain, mais il y arrive. Le père lui promet un cadeau s'il
apprend à lire en moins d'un mois, et seul, l'alphabet gothique,
qu'il trouve très beau. L'enfant triche un peu en consultant sa
mère, qui lui enseigne également les caractères *sütterlin,* très
différents des autres. C'est leur secret. Aidé en cela par Henning,
il s'est aussi attaqué aux chiffres, mais le grand se moque de
lui et rit quand il se trompe dans un calcul. Au moment où le
père reçoit la lettre du ministère, qu'il attend depuis son retour
à la maison, Falk sait compter jusqu'à vingt.

Sur le devant de la cuisinière émaillée blanc, se trouve
un mot étrange en lettres noires qui ressemblent à l'écriture
gothique. Il le lit des douzaines de fois à haute voix, sans
comprendre, il l'épelle : B-r-a-t-o-f-e-n, et en demande le sens
à Henning, qui le traite à nouveau de crétin sans révéler que,
trois ans plus tôt, il éprouvait les mêmes difficultés. Prenant ses
grands airs, il résout l'énigme : « Accentue la première syllabe et
tu piges tout de suite – *braten* et *Ofen**. Mets les deux ensemble
et qu'est-ce que tu as ? Un four à cuire tout ce que tu veux, du
pain, des gâteaux, des rosbifs si ça existe encore. Facile, non ?
Mais avec toi, rien à faire, tu es et tu resteras un crétin. Papa a
raison. » Le cadet se jure que son grand frère vient de le traiter
de haut et de l'insulter pour la dernière fois. À l'avenir, il
s'adressera uniquement à leur mère, surtout parce qu'elle le lui
préfère. Falk est persuadé que Henning sait qu'elle l'aime plus
que lui. C'est pourquoi il est jaloux, veut le blesser et se tient

---

* « Rôtir » et « four ».

du côté du père qui lui donne toujours un traitement de faveur. Si Henning était moins imbu de lui-même, cela pourrait très bien marcher entre eux, mais le grand a commencé à imiter le père et lui donne des taloches à tout propos. Matin et soir, c'est la bagarre entre eux, chacun veut entrer le premier dans la salle de bains. Le père tranche : aujourd'hui Henning, demain Falk, toujours en alternant. Cependant, après quelques jours, l'aîné ne l'entend plus ainsi et quand le cadet le dénonce auprès du père, celui-ci enfonce son froid regard gris dans les yeux de l'enfant et dit ne pas aimer les mouchards. Qu'ils règlent cela entre eux, ils ont assez de jugeote pour trouver une entente.

L'enfant déchiffre les histoires que ses parents sortent d'un coin de la bibliothèque, rien que pour lui. Puis, il les lit à haute voix. Au milieu de l'été, il commence un gros livre illustré, les contes des frères Grimm. Il adore. Les méchants sont punis sans pitié, les enfants protégés : une marâtre doit danser dans des sabots en fer chauffés à blanc jusqu'à en mourir ; la méchante reine est enfermée dans un tonneau plein de longs clous et roulée jusqu'à la rivière où elle se noie ; la tête parlante d'un cheval, clouée sur une planche, sauve une petite fille en l'avertissant des dangers qui l'attendent. Cette fillette ressemble à Mechthild, qui veut l'épouser, lui et personne d'autre, car il parle si bien, et ses cheveux sont d'un si beau blond, plus blonds que ceux de madame Bachmann, qui la fait rougir quand elle l'accueille, avec son bel accent, ses vêtements élégants, dans leur grande maison.

***

Depuis un mois, le père ne rentre chez lui qu'à la fin de la semaine.

54

Vers le milieu d'avril, quelques jours après le congé de Pâques, il a reçu la lettre du ministère de l'Éducation, qu'il attendait depuis longtemps. Elle l'a mis dans une grande colère. Après l'avoir lue plusieurs fois, il s'est écrié qu'on se vengeait de lui parce qu'il avait été le bras droit du ministre au temps du Reich. Oser lui offrir le poste d'*inspecteur d'écoles primaires,* alors qu'il avait été *Ministerialdirektor* ! Il se voyait cruellement rétrogradé par ce travail infâme, mal payé. Comment pourrait-il remplir sa tâche, puisqu'il n'avait jamais enseigné ? Il était historien, spécialisé dans les guerres de la maison Hohenzollern au XVIIIe siècle, il n'avait pas la moindre idée de ce que c'était que la *pédagogie* ! « Je me fiche complètement de cette science fumeuse ! Pff ! La pédagogie ! » Au bout de trois mois, il serait évalué et, bien entendu, on le jetterait à la rue. On demandait l'impossible, juste pour se débarrasser de lui. Après, que ferait-il ? Et les manuels, ces grosses briques, comment absorber leur contenu en quelques semaines et déterminer si les instituteurs avaient donné les leçons selon les règles émises par le ministère ? On ne lui accordait pas de voiture, mais une carte lui donnant libre accès aux trains, en seconde, une autre brimade. Il allait devoir *porter ses valises,* l'une remplie de livres, l'autre de vêtements. Il ne serait qu'un commis voyageur : toutes les deux ou trois nuits dans un lit étranger, au-dessus des cuisines d'une infecte auberge de campagne, et qui sait ce qu'on lui servirait, il en avait déjà des maux d'estomac. La mère l'écoutait, le calmait en prétendant qu'il s'agissait sans doute d'un poste temporaire.

Les samedis après-midi et les dimanches, il s'enferme dans son bureau. Il fume beaucoup et s'énerve en enfilant les feuilles de tabac sur des cordes qu'il suspend au grenier pour les faire sécher. Il prétend n'avoir jamais vu pire qualité, mais qu'il préférerait mourir plutôt que de se passer de tabac.

À cause de la fumée, le dimanche soir, l'odeur dans la maison est intolérable ; le lundi matin, il faut ouvrir portes et fenêtres pour la chasser. Les feuilles de tabac proviennent d'une ferme du nord de la Sarre, le Hunsrück, près de la frontière allemande. Planter du tabac est strictement défendu, mais les autorités ferment les yeux. Avant d'être trop sèches, les feuilles sont coupées en fines lamelles et placées dans des boîtes en métal. Quand il trouve du papier à cigarettes au marché noir, il roule lui-même sa provision pour la semaine. Comme ses doigts trop gros le rendent malhabile, l'opération est longue. Sans papier, il doit se rabattre sur la pipe, qu'il n'aime pas : cette fumée-là lui brûle la langue.

À mesure qu'il prend connaissance des directives adressées aux enseignants, il se détend et qualifie ce métier de « rasant ». Un mois plus tard, il commence à changer de ton. Les instituteurs, ces « pauvres bougres qui savent tout juste lire et écrire et ne connaissent que les bases de la géographie et de l'histoire », l'écoutent comme s'il prêchait l'Évangile, le prient de leur dicter ses commentaires qu'ils notent, rouges de zèle et mus par le désir de lui plaire. Ils lui demandent son opinion sur tel ou tel sujet difficile. Le nouveau régime, dont les tireurs de ficelles se trouvent à Paris, Metz ou Nancy, n'a rien changé de leur attitude devant l'autorité, ils demeurent aveuglément serviles dans l'obéissance caractéristique des fonctionnaires*. Il a repris son ancienne assurance, s'impatiente et s'irrite vite, sa voix est redevenue tranchante, même dans le murmure.

Un dimanche matin, en revenant de la messe avec la mère et Henning, il trouve le cadet seul dans un coin de la salle à

---

* En Allemagne, tous les enseignants, payés par l'État, ont le statut de fonctionnaires et ne peuvent être licenciés que s'ils commettent des erreurs ou des fautes professionnelles graves.

manger et le fixe de manière si pénétrante que l'enfant se sent poussé à passer aux aveux. Lesquels ? Il n'a rien à se reprocher, ou presque. Avant d'aller à l'église, la mère, aidée en cela de l'aîné, avait dressé la table pour le déjeuner, et Falk, trop jeune encore pour assister aux services religieux, vient de cueillir une demi-douzaine de fleurs ayant poussé au hasard dans le jardin, car les platebandes sont toutes utilisées pour les salades, le chou, les pommes de terre. Le père continue à plonger ses yeux dans ceux de son fils. Devant ce regard insupportable, les larmes roulent le long des joues de l'enfant. Il n'aurait pas dû prendre ces fleurs, peut-être, n'en ayant pas eu la permission. Il voulait juste faire plaisir à sa mère, ce qui doit être défendu, autrement comment expliquer l'expression si terrifiante de ce visage à quelques pas de lui, le profond pli vertical au milieu de la barre des sourcils ? Impossible de réprimer les sanglots qui lui montent dans la gorge, toujours plus rapprochés. Il ressent la même terreur que « ce soir-là ». L'homme va le battre, cette fois à mains nues. Il n'a pas besoin de cravache, les mains suffisent. « Là où elles frappent, dit Henning, l'herbe ne poussera plus. » Entre les hoquets, en ravalant la salive lui sortant des coins de la bouche, il perçoit un léger mouvement devant lui et ne voit pas venir les gifles, l'une administrée de la paume, l'autre du dos de la main, deux coups d'une force bestiale. Sa tête tourne violemment à droite, à gauche. Il a un goût affreux dans la bouche. Son nez coule. Il ouvre les yeux et voit le visage de *l'ogre* devant lui, tout proche, à quelques centimètres. L'odeur de l'haleine fétide chargée de tabac lui soulève le cœur. Il ne peut la supporter. C'est celle de l'ennemi tant détesté. Les lèvres du *Menschenfresser* sont étirées dans une sorte de sourire découvrant des dents jaunes, brunâtres entre les interstices. Alors, à son immense honte, incapable de se contrôler, il sent sa vessie se vider. L'urine lui coule le long d'une jambe, teint la chaussette gris clair, se répand sur le plancher.

Arrivent Henning et la mère, qui pousse un cri qu'elle étouffe immédiatement. Elle emmène l'enfant dans la salle de bains, ouvre le robinet, lui essuie le visage pendant que le nez saigne toujours, essore le gant de toilette qui laisse des traces rouges sur la porcelaine, répète le geste, lui ouvre la bouche, découvre qu'il a perdu une incisive. La mère lui place un linge imbibé d'eau froide sur la nuque, il doit le tenir. « Il faut arrêter le sang, répète-t-elle plusieurs fois. Pour ta dent, ce n'est pas grave, il t'en poussera une autre, plus belle. » Elle lui enlève ses vêtements souillés, apporte des propres, le lave, le reconduit à la salle à manger, le fait asseoir sur sa chaise et lui dit de garder la tête renversée en arrière. Elle demande à Henning de s'occuper de son frère, entraîne son mari dans le *Herrenzimmer*. Pendant que Henning demande en vain au petit ce qu'il a fait pour être dans un tel état, ils entendent des éclats de voix, ceux de la mère interrompus par les répliques violentes du père, inintelligibles. On entend plusieurs fois les mots « dangereux », « devenu fou », « inapte ». Elle sort de la pièce, referme violemment la porte, s'assied à table et regarde d'un air absent le jardin, le visage rouge, respirant avec difficulté. Elle se calme lentement, puis se lève en replaçant des mèches de cheveux, vient examiner le nez et la bouche de Falk, lui pose la même question que son frère. Incapable de parler, il montre du doigt les fleurs, des marguerites et une pivoine rose, se jette sur sa mère en pleurant, entoure sa taille de ses bras. Elle chuchote : « C'est la dernière fois, cela n'arrivera plus. Je te le jure. Calme-toi. C'est fini. » Au même moment, le *bourreau* apparaît, prend son chapeau et siffle d'une voix blanche : « Vas-y, protège-le, ton pleurnicheur, ta lavette qui fait dans ses culottes dès qu'on *la* regarde ! Chez moi, on ne pleure pas sans raison. Elle n'a pas de colonne vertébrale, ta fillette déguisée en garçon. J'espère que ton rejeton ne ressemble pas à ton frère, cette poule mouillée, ce serait le comble. Regarde Henning ! Et toi, tu couves *ça* ! Je vais prendre l'air. »

Les affinités apparentes

Pendant un temps, le père ignore totalement le cadet. Quand ils se trouvent dans la même pièce, le tortionnaire prétend être seul. À la mi-août, Falk maîtrise parfaitement la lecture des contes, tant en caractères romains qu'en lettres gothiques. La mère l'a même initié à lire des mots écrits de sa main, en *sütterlin*. Puisqu'il n'ose pas en informer le père, qui lui a pourtant promis un cadeau, il demande à la mère s'il peut lui lire « Raiponce ». Ce conte est un de ses préférés. Il y est question d'une belle jeune fille enfermée dans une tour pour que personne ne puisse la séduire. Mais elle a tressé sa longue chevelure et son amoureux y grimpe, comme si c'était une corde. Après la lecture, la mère rit de plaisir. Elle n'est pas étonnée par les progrès rapides de Falk. Elle sait que son fils est perfectionniste. Comme son parrain Reinhardt, il n'a commencé à parler qu'à l'âge de deux ans. Du jour au lendemain, l'un comme l'autre se sont exprimés en phrases claires, à la syntaxe correcte, ne commettant que rarement des erreurs de conjugaison.

Une semaine plus tard, Falk trouve sur son oreiller un coffret en cuir bleu foncé. Il contient un cachet en laiton, fixé au bout d'un manche en ébène, et un bâton de cire à cacheter. Sa mère lui montre comment la fondre et, après y avoir plongé le sceau, il voit apparaître les lettres *F* et *B,* élégamment enlacées. Ravi, il répète l'expérience, va à la vitrine où il a rangé son cactus de Noël, devenu si friable qu'il se désintègre sous ses doigts. La mère et lui mangent ce qu'il en reste, même si cela ne goûte plus rien. À la place, il met le coffret, dont il se servira souvent.

Pour le quarante-deuxième anniversaire du père, sa femme confectionne un gâteau, fait de farine de seigle, d'un œuf plutôt que quatre, de mélasse au lieu de sucre. L'extérieur est doré, mais la pâte est demeurée liquide au centre. Il est immangeable. Gabriel Bachmann jette un regard d'ironique compassion à sa femme et attend les cadeaux des enfants. Henning récite une longue ballade de Droste-Hülshoff*, « La vengeance », qui raconte comment un passager sans scrupules a noyé, lors du naufrage de son navire, un pauvre malade ; le criminel sera pendu après un procès en bonne et due forme. C'est un très long poème ; Henning y met toute l'emphase dont il est capable, avec de grands gestes des mains et des bras, il *joue* le poème. Après cette performance qui laisse le jeune barde pantelant, le père applaudit. Son visage n'est qu'un immense sourire quand il se tourne vers le cadet. Ce dernier récite par cœur un conte de son cru, une curieuse histoire où un enfant ne se rend pas compte que le grand-père du diable lui a volé son âme. Quand il a terminé, le père déclare Henning grand gagnant, le félicite d'une cordiale poignée de main. De bonne humeur, il annonce que le temps est venu de devancer les futurs camarades de classe de Falk et de l'initier aux opérations arithmétiques : compter, additionner, soustraire, multiplier, diviser. Il s'écrie que les mathématiques élémentaires seront trois fois rien pour un enfant

---

* Annette von Droste-Hülshoff (1797-1848), poète et écrivaine du réalisme poétique, célèbre pour ses ballades visionnaires et sa prose d'une rare intensité.

aussi intelligent, qui a maîtrisé en quelques mois deux alphabets et écrit déjà sous dictée. Il a oublié sa promesse d'un cadeau, mais Falk ne la lui rappelle pas.

L'inspecteur des écoles primaires avait admiré l'invention d'un instituteur dont les élèves répondaient correctement à ses questions. S'il demandait « combien font neuf fois huit ? », toutes les mains se levaient avec enthousiasme. Les enfants jetaient un regard sur une longue feuille de papier, collée à côté du tableau noir. Le maître d'école y avait dessiné une tour de dix étages, chacune liée aux autres par des escaliers comportant dix marches, au bout desquelles étaient inscrites les dizaines. À la demande de Bachmann, l'enseignant se dit honoré de copier son invention pour monsieur l'inspecteur, qui lui promet de la montrer à d'autres collègues.

À la maison, le dessin de la tour est déroulé et accroché dans la chambre des garçons. Le père explique, fait des démonstrations. Bientôt, il voit que le regard de son fils demeure vide. Quand il se rend compte que Falk ne sait pas ce que veulent dire 30, 100 ou 1000, les taloches ont déjà été distribuées. L'inspecteur appelle sa femme : « Bravo, à son âge, ton fils ne sait pas compter jusqu'à 100 ! Le fils de l'inspecteur est un imbécile ! » Elle promet de s'occuper de cette lacune et sort de la chambre, suivie de Falk. Apprendre au petit les chiffres lui prend plus de temps que prévu. Parfois, elle croit qu'il a tout compris, il fait lui-même des essais des quatre opérations et, tout à coup, il s'arrête, devient rouge, puis pâlit. La mère soupçonne ce qui se passe dans sa tête, mais ne pose pas de questions. Elle le surprend souvent, assis derrière son pupitre, à fixer la tour de chiffres, la bouche ouverte dans l'effort mental. Après un temps, son regard indique qu'il a l'esprit ailleurs. Elle regrette qu'il ait hérité de ce trait récurrent dans sa famille, celui d'un rêveur incorrigible qui peut, en plein milieu d'un travail, d'une rédaction, d'un raisonnement, d'une explication, s'arrêter et *être ailleurs*. Reinhardt agissait de la même manière. Si elle répétait à son mari que Falk se comporte comme son parrain, il se mettrait en colère et lui reprocherait de nouveau sa famille « artistique, décadente, embourgeoisée jusqu'à la moelle ».

* * *

Pour Anne Bachmann, le prénom Gabriel ne signifie pas tant le messager de Dieu, une sorte de Mercure chrétien, que l'ange de la punition et de la destruction, l'archange exterminateur. Comme tout le monde, elle connaît ces anges en chair et en os, jeunes, beaux, blonds, habillés de noir, arborant l'emblème argenté de la tête de mort, qui avaient juré à Hitler de lui rester fidèles jusqu'à la fin. Depuis l'ouverture du procès de Nuremberg, en novembre 1945, le monde entier prend lentement connaissance des exactions du régime nazi et des horreurs commises dans certains camps de concentration. Mais une partie de la population allemande refuse d'ajouter foi à ces révélations choquantes. Un jour d'octobre 1946, Anne croise Nelly Berger, bouleversée par ce qu'elle vient d'entendre à la radio sarroise.

« L'année dernière, on a pendu les chefs du parti, c'est révoltant, vous ne trouvez pas ? Ils formaient tout de même le *gouvernement* ! Peut-on pendre, comme ça, les dirigeants d'un peuple simplement parce qu'il a perdu la guerre ? Pourquoi alors n'ont-ils pas pendu notre empereur, en 1918 ? Et ses généraux ? Ou les deux Napoléon, je vous le demande ? Dieu merci, ils sont arrivés trop tard pour Ley et Göring ! Ils leur ont fait un joli pied de nez, Robert Ley en se pendant dans sa cellule et Göring en prenant du cyanure juste avant son exécution ! J'ai été outrée, madame, par l'arrogance des Alliés, à Nuremberg, pas vous ? »

Anne secoue la tête pendant que sa main droite joue nerveusement dans les cheveux de son fils. Elle dépose le panier d'emplettes à ses pieds et prend une profonde inspiration pour répondre, mais Nelly est lancée : «Nous avons tort parce que nous avons perdu la guerre. Ils disent avoir la preuve que, dans les camps en Pologne, des millions de juifs ont été gazés ou ont servi de cobayes pour des expériences médicales. Ils peuvent nous passer les pires bobards, maintenant qu'ils sont au pouvoir, les Amis*, les Français, les Anglais et les Russes. Mais ils ont commis des crimes de guerre, eux aussi ! Lâcher des bombes atomiques qui ont provoqué des centaines de milliers de morts au Japon, vous ne pensez pas que c'était aussi un crime de guerre ? Non, mais ! Personne ne les accuse, ils l'ont gagnée, la guerre.

«Les Amis prétendent que les juifs, les gitans, les invertis du genre de Röhm et ses SA**, les prisonniers politiques et les opposants au régime ont été systématiquement supprimés, mais je n'en crois pas un mot. À la radio, ils ont dit que le Führer avait prévu, dès son arrivée au pouvoir, de débarrasser la société des indésirables. Il l'a écrit en toutes lettres dans *Mein Kampf****, paraît-il. Moi, je ne l'ai jamais lu, ce livre, pas eu le temps, avec les enfants, mon Gerhard et la maison. Après la guerre, nous avons brûlé notre exemplaire, et sa photo aussi. Au moins, ils

---

   * Expression courante en Allemagne pour désigner les Américains.

  ** En 1934, Ernst Röhm, l'un des membres les plus proches du cercle de Hitler, a été exécuté à la prison de Stadelheim (Munich), officiellement pour ses relations homosexuelles. En réalité, Hitler avait craint un complot de la SA (*Sturmabteilung,* «section d'assaut»), dont Röhm était le chef.

*** Hitler a écrit *Mein Kampf* pendant son emprisonnement à Landsberg, à la suite du putsch raté contre le gouvernement de la Bavière, le 9 novembre 1923. Condamné à cinq ans de prison, il a été libéré en décembre 1924.

n'ont pas pu mettre la main sur lui, il a décidé de mourir dans la dignité, comme le grand homme qu'il était ! »

Anne Bachmann sait que, sous couvert d'« hygiène raciale », bon nombre de gens sont disparus du jour au lendemain. Les enfants affligés à la naissance d'un défaut physique ou montrant des capacités mentales limitées étaient pris en charge par les services de santé. Peu après, les parents recevaient une lettre de condoléances pour la mort de leur petit, qui avait succombé à quelque maladie infantile. Elle a entendu dire que son ancienne voisine, madame Grünstetten, avait souvent rapporté des cas aux fonctionnaires.

Anne ne l'a pas lu non plus, ce livre. Elle l'a ouvert une seule fois, longtemps avant son mariage avec Gabriel. Elle était tombée sur un passage où l'auteur compare le juif à un asticot qui se nourrit de la chair du peuple allemand. Partout où les choses vont mal, la cause est imputable aux juifs, immanquablement. Quand on ouvre un des nombreux furoncles, à coup sûr s'y trouve au fond un asticot gros et gras, qui a la tête d'un juif, il y en a partout, alors que le corps du peuple parasité s'affaiblit. Prise de dégoût, elle en avait parlé à son père et à Reinhardt pour savoir ce qu'ils en pensaient. Son père refusait de prononcer le nom du chancelier. Il s'était contenté de l'appeler *cet homme* avec une moue de dédain, alors que Reinhardt, fixant le plafond, prédisait des temps terribles. Jamais il ne pourrait adhérer aux idées de ce parti. Cette « clique » mentait effrontément aux Allemands. Le fou qui la dirigeait menait à sa perte un peuple connu pour sa culture, son humanisme, sa civilisation, ses chercheurs, ses contributions au progrès de l'humanité. Son refus d'être membre du parti, Reinhardt l'avait payé de sa vie. Il était mort sous les obus des orgues russes, à Stalingrad. C'est du moins ce qu'on avait écrit à son père, une belle lettre avec la croix gammée au centre de l'en-tête. En réalité, il avait succombé à l'infection d'une blessure superficielle, « crevé comme une pauvre bête, parmi des milliers d'autres. Vous savez où les prisonniers ont abouti, dans les goulags russes ou dans une fosse commune », lui avait raconté un soldat sous les ordres de Reinhardt, qui avait pu s'enfuir de cet enfer en février 1943. Pendant des semaines, monsieur Süter avait gardé un silence obstiné, occupé à remplir des cahiers qu'il cachait le soir parmi les notes et les livres de Reinhardt.

* * *

Au début de la guerre, Anne s'était félicitée que son mari fût affecté au service des renseignements, un simple observateur en civil se fondant dans la foule, d'apparence on ne peut plus française. « Autrement dit, un espion de petit calibre », s'était-elle répété jusqu'à y croire. Il avait eu la chance de ne pas avoir été envoyé au front de l'est, où il serait mort en pleine boucherie. Toutefois, il ne lui avait jamais expliqué ce qu'il faisait réellement à Paris, et elle ne lui avait pas posé de questions.

En 1947, elle ne se demande plus si elle l'aime. Les doutes sur le caractère véritable de son mari, exprimés par son père et son frère, se sont confirmés, pendant cette nuit d'hiver où il était arrivé à l'improviste et l'avait confrontée avec ses « informations de source sûre ». Il l'avait accusée d'avoir commis des actes infâmes à son égard, des actes contre nature. Depuis, ces instants la hantent. Avec le temps, le poison s'est répandu dans son cœur et dans son corps. À l'occasion, elle souffre de migraines qui la clouent au lit pendant des jours. Il lui faut lutter pour ne plus sentir sur sa peau le fiel sorti de la bouche tordue de Gabriel. Elle pense à l'enfant dont elle connaît la mémoire, à ses questions, le lendemain, à son propre empressement à nier. Falk n'a pas oublié, elle est persuadée qu'il se rappelle cette nuit-là, même s'il n'en parle jamais. Dès sa petite enfance, il accumulait des bribes d'événements, alors que Henning ne semble pas avoir de souvenirs de ses premières années, comme les fréquentes visites de Reinhardt, un an après le début de la guerre.

Gabriel était un bel homme, cheveux noirs aux reflets bleus, svelte et musclé, de haute stature. Études brillantes, carrière fulgurante, mondain, urbain, excellent joueur de tennis et d'échecs. Amant expérimenté, il séduisait toutes les femmes – et ces yeux, mon Dieu, quels yeux, capables de faire fléchir même la plus réservée. La voix s'adaptait à toutes les circonstances, redoutable quand elle baissait jusqu'au chuchotement, mais intelligible encore à vingt mètres. Son murmure, coulé dans l'oreille de sa partenaire en dansant, était irrésistible. Un orateur-né. L'ampleur de son baryton dominait le bruit d'un marché en plein air, aussi puissant que la voix d'un chanteur baroque. Il se savait magnifique, séduisant, habile. Le père et le frère d'Anne l'avaient jaugé et trouvé carriériste, léger, trop impliqué dans le parti de *cet homme* qu'ils exécraient. Pour les Süter, Gabriel était fuyant, insaisissable, une anguille, un superbe félin aux griffes bien cachées, pour le moment du moins. Anne n'en démordait pas. Gabriel Bachmann était son choix et sa passion, tant pis s'ils ne l'appréciaient pas.

Elle avait organisé des soirées aux frais du parti, rien que le fin du fin, alors que les invités lui faisaient des compliments sur la qualité des mets. Elle notait les sourires entendus entre Gabriel, les ministres et les délégués de Berlin. Dans la rue, les chauffeurs attendaient en bavardant et en fumant à côté des limousines noires. On remarquait la présence de Claudine, alors âgée de quatorze ans, presque une enfant, jolie comme une poupée. Il y avait du champagne, du foie gras truffé, du canard à l'orange, des légumes importés d'Alsace, des fromages français, des tartes aux fruits, du café, introuvable sur le marché. Puis, les messieurs, le cigare à la main, le ballon de cognac dans l'autre, se rendaient au *Herrenzimmer* pendant que les dames discutaient de l'organisation des prochaines réceptions, en buvant des liqueurs vertes ou dorées tout en jouant avec leurs bijoux, comme pour s'assurer que cette richesse n'était pas un rêve. Elles feignaient un ton, un comportement, exécutaient des mouvements à la manière d'actrices qui répètent leur rôle pour la prochaine représentation d'une comédie de boulevard.

Anne savait de quel milieu elles sortaient, qui étaient ces hommes, comment et pourquoi ils montaient en peu de temps l'échelle menant aux honneurs. L'avidité de ces gens lui répugnait, leur désir de vivre dans un monde où tout était possible, leur précipitation à rafler ce qui se trouvait sur leur passage : villas luxueusement meublées, chefs-d'œuvre aux murs, argenterie, tapis d'Orient, bibliothèques fabuleuses qu'ils ne consultaient jamais, jardins d'hiver aux plantes exotiques. Ils se sentaient comme dans un musée au milieu de ces bibelots précieux, ces sculptures, ces porcelaines de prix, ces escaliers et ces salles de bains en marbre. Le personnel stylé venait à peine de changer les draps des lits encore chauds des anciens propriétaires, qui avaient filé à l'anglaise, sans dire adieu à leurs voisins, qu'ils connaissaient pourtant depuis des dizaines d'années, clients de leurs cabinets, études, magasins. L'exil les attendait à Paris, Bruxelles, Londres ou Zurich, si ce n'était Hollywood, Boston, New York ou Rio de Janeiro.

Anne a passé en revue la fin de ce règne absurde, infâme, meurtrier, qui devait durer mille ans, alors qu'aucune dynastie égyptienne n'avait connu une telle longévité. Après le retour de Gabriel du camp de prisonniers de guerre, elle a joué à l'épouse comblée par le bonheur d'avoir son mari sain et sauf auprès d'elle. Mais elle n'a jamais eu l'étoffe d'une comédienne, le poids des mots de Gabriel a pesé trop lourd. En une nuit, sa passion – peu expérimentée dans les affaires du cœur, elle avait confondu coup de foudre et amour – s'est éteinte, à la manière d'un feu de théâtre, sans dégager de chaleur, sans la blesser. Le retour de son mari l'a incitée à se rapprocher de son père, aussi seul qu'elle. Elle reprendra ses visites à la villa sur les hauteurs de Wiesbaden. Ils causeront dans la bibliothèque, d'où le regard embrasse la ville et une partie de la vallée du Rhin. C'est une pièce lumineuse, orientée vers le nord-ouest, où le soleil couchant touche les objets rapportés de ses fouilles en Turquie, en Syrie, en Lybie. Au début de sa vie en Sarre, où elle était entourée de gens à l'esprit étroit, bornés ou incultes, ses voyages au Proche-Orient manquaient à Anne, les couleurs des tissus, l'odeur du feu au réveil, le travail dur, la chaleur, la poussière, l'examen méticuleux de chaque pièce, chaque tesson. Son père ne lui avait jamais reproché d'avoir épousé Gabriel et abandonné son doctorat en archéologie. Dans ses lettres, il ne posait pas de questions sur sa vie conjugale, mais s'intéressait à Henning et à Falk. Elle taisait le comportement de Gabriel, ne soufflait mot de sa haine envers le cadet, de sa brutalité inconcevable. Par contre, elle ne laissa aucun doute quant aux capacités de son mari à reconquérir la place qui lui « revenait de droit dans la société », disait-il. Par son charme, il réussirait à faire oublier qu'avant son affectation à Paris, il était chargé de « réorienter l'enseignement de l'histoire des peuples aryens, en particulier des ethnies germaniques, sur la réalité du Reich à construire », comme le lui avait précisé le gouverneur Josef Bürckel, *Gauleiter* de la nouvelle entité administrative, la Saarpfalz.

Peu après sa libération du camp américain, Gabriel avait proposé à Anne de faire chambre à part. Ses arguments : il toussait, cherchait sa respiration, souffrait d'un râle persistant. Il marmonnait pendant son sommeil, se réveillait, se levait, faisait les cent pas dans le corridor, allait à la cuisine pour manger une pomme cuite. En réalité, elle lui avait dit qu'elle était « désormais incapable de faire l'amour avec lui ». Cependant, elle avait exigé qu'il ne quittât pas la chambre. « Tout se sait dans cette ville. Nous faisons partie des notables. Tu es habile, tu as davantage d'alliés que tu ne le penses. Sous peu, nous allons réintégrer les rangs. Sais-tu ce que notre Esslin peut raconter à ton collègue X ou à mon amie Y chez qui elle travaille aussi ? Une brave femme, Esslin, mais elle ne comprendrait pas que je dorme dans notre chambre et toi dans une autre. Tu n'es pas naïf ! »

Ils savaient parfaitement que chaque mot, phrase et geste entre eux n'étaient que de la comédie. Depuis son enfance, elle détestait le mensonge. Pour elle, mentir signifiait manquer de courage. Au début de sa vie avec Bachmann, devant tout le monde, elle avait corrigé sans ménagement telle ou telle huile du parti. Gabriel réagissait par des colères blanches. Au printemps de 1938, Albert Speer, devenu l'architecte le plus célèbre du Reich, avait honoré les Bachmann de sa présence à l'occasion d'un bref passage pour voir le chantier de construction du théâtre municipal, cadeau du Troisième Reich après le retour de la Sarre à l'Allemagne. Ce n'était qu'un souper intime, auquel elle avait invité une douzaine de personnes, la « crème de la crème sarroise, ce qui signifie autant d'arrivistes », avait-elle commenté. Speer, assis à sa droite, la complimentait : plats succulents, choix des vins judicieux, convives agréables, les maîtres de la maison étaient à l'image même de ce que le Führer exigeait. Après un regard sur Anne, enceinte de Henning, il la félicita pour sa robe exquise, une composition en soie noire, de coupe droite, avec des appliques rouge feu sur les manchettes et le col, ainsi que des boutons d'or, les couleurs du drapeau national sous la république de Weimar. Elle lui posa des questions sur ses projets. Il lui parla de son premier chantier d'envergure, le Zeppelinfeld à Nuremberg*. Ils discutèrent de ses intentions, qu'elle qualifiait de « théâtrales », ce qui le blessa. Le ton monta. Bientôt, ils étaient les seuls à parler, les convives les écoutaient. Anne insistait : « Vous êtes un artiste de l'éphémère, un illusionniste. Vous projetez de démolir des milliers de maisons à Berlin afin d'édifier des salles de spectacles ou d'aménager d'immenses lieux de rassemblement pour des parades d'un soir. Permettez à une archéologue de qualifier votre architecture d'obscène. Les générations futures vous jugeront sévèrement. » Il avait pâli, puis affiché un sourire où perçait de l'angoisse. Avec difficulté, il avait cité le dicton latin selon lequel les goûts et les couleurs ne se discutent pas. Quelques minutes plus tard, il avait pris congé.

Une fois seuls et le personnel d'appoint disparu, Gabriel était devenu tout pâle, lui avait mis la main sur la bouche et l'avait entraînée dans la salle de bains. Après avoir ouvert un robinet, il l'avait mise en garde : la maison pouvait être truffée d'appareils d'écoute. Il ne fallait mentionner aucun membre du parti ni lui poser de questions sur ses fonctions au ministère. Anne l'observait d'un air amusé. « Tu ne riras plus s'il se lève demain de mauvais poil, siffla son mari. Il peut tout, lui, c'est le chouchou du Führer, tu comprends ? Un mot de lui et tu disparais, toi et notre enfant ! Es-tu devenue inconsciente au point de mettre en danger ta vie, celle que tu portes et la mienne ? M'as-tu oublié ? Une architecture obscène ! Il n'oubliera jamais, ce type est trop orgueilleux, tout le monde est à genoux devant lui, et tu traites son travail d'obscène ! Je n'en reviens pas de ta bêtise ! Tu n'es qu'une bourgeoise

---

* Il s'agit de la célèbre « cathédrale de lumière », pouvant accueillir plus de 300 000 personnes. Les organisations nazies y défilaient dans la deuxième semaine de septembre.

idiote, arrogante, ignorante, condescendante, comme ton frère et ton père, qui ne peuvent pas me sentir parce que je me suis fait moi-même, parce que mon père était mouleur à la fonderie de Neunkirchen. Pour eux comme pour toi, je serai toujours le prolétaire, l'arriviste venu de nulle part, qui s'est enrichi sur le dos des juifs en leur achetant pour une bouchée de pain des maisons, des appartements, des terrains. Oui, j'ai bénéficié des circonstances, mais si je ne l'avais pas fait, un autre se serait empressé d'en tirer profit. Quoi que je fasse, je ne serai jamais de ton monde ! Le clan des Süter me méprise. N'est-ce pas ?

– Je ne supporte pas les fanfarons comme Speer, qui jettent de la poudre aux yeux. Je te reproche de te servir d'eux, ce qui est indigne de toi, tu vaux mieux que cela. Dans cinquante ans, rien ne subsistera de ce que cet architecte adulé aura bâti. De l'esbroufe. Un décorateur, un scénographe de talent, rien d'autre. Et maintenant, cessons cette querelle. Elle ne nous mène nulle part. »

Il serra les dents, ferma le robinet, sortit. Elle avait toujours le dernier mot. Le jour viendrait où il materait cet orgueil.

* * *

Anne n'avait jamais fait la moindre allusion à cette soirée. Y revenir lui aurait paru mesquin, une revanche de bas étage. La visite de Speer avait été mise *ad acta,* avec ses commentaires à l'effet qu'il fallait être fou pour croire aux mensonges du régime, proférés par un leader à la bouche écumante, un tribun cinglé et mégalomane.

Elle avait eu envie d'éclater de rire devant la mise en scène de son mari, digne d'un film d'espionnage. Puis, elle s'était ravisée et avait suivi ses ordres. Cependant, elle n'avait jamais oublié l'exposé de Speer évoquant le *Volkshalle* et le *Triumphbogen**, de gigantesques bâtiments, plus hauts et plus grands que tout ce qui existait au monde. Hitler voulait que Berlin ravît à Paris, à Vienne, à Rome le titre de la plus belle capitale européenne.

Ce soir-là, elle avait cru pendant un instant que Gabriel allait la frapper, alors qu'il lui avait couvert la bouche pour l'empêcher de continuer. Une peur subite l'avait saisie, maîtrisée non sans difficulté. Après quelques jours insupportables, un aimable mot de remerciement était arrivé de Berlin, priant Gabriel de transmettre ses plus cordiaux souvenirs à sa ravissante épouse, si brillante, qui devrait reconnaître dans ses travaux les vestiges des monuments grecs et romains. La seule fois où elle avait vraiment craint pour sa vie avait été lors de la visite nocturne de Gabriel, où ses mots trahissaient une tension mentale voisine de la folie.

Anne ne pouvait envisager de reprendre la vie commune comme si la guerre n'avait pas englouti six ans de leur existence. Après l'armistice, chaque jour représentait pour elle un défi à relever : survivre, physiquement et mentalement. Elle souffrait d'arythmie cardiaque. De plus en plus fréquemment elle avait la sensation que sa tête se vidait de son sang et qu'elle allait perdre connaissance. L'apparence de ses fils lui fendait le cœur. Les yeux de Henning étaient éteints, alors que le retour de Gabriel les avait fait étinceler de plaisir. Falk s'était créé son monde à lui et s'inventait des histoires. Elle lui avait expliqué pourquoi il n'y avait rien d'autre à manger que les mêmes légumes, ce même pain difficile à avaler. Il ne s'était plus jamais plaint, tout comme Henning.

---

* « Le palais du peuple » et « L'arc de triomphe », pour lesquels il aurait fallu raser un quartier entier de Berlin.

De cette époque, elle avait gardé trois photos, prises par un « artiste ambulant », qui impressionnait par l'attirail qu'il déchargeait d'une voiturette attachée à sa bicyclette : un écran extensible, un parasol en soie jaunie, un trépied, un appareil photo ayant l'air d'un harmonica, un flash, un siège pliant.

Sur la première, on voit Henning, le sourire forcé, la peau tirée sur les pommettes, le visage hâve et, malgré les artifices du photographe, notamment la forte lampe placée derrière le parasol, les ombres sur son visage d'une effrayante maigreur. Il a l'air de porter un masque. Le col de sa chemise est boutonné, mais il ne réussit pas à cacher le cou si fluet. Quand on compare ce cliché à d'autres pris deux ou trois ans plus tard, on croit à une méprise, tant cet enfant émacié, marqué par la famine, est différent de celui au visage arrondi.

La deuxième photo montre Falk, dans la même position, assis droit sur le siège. Contrairement à son frère, il ne sourit pas, mais fixe sévèrement l'objectif, les commissures des lèvres baissées, comme s'il se méfiait de l'homme caché sous le morceau de tissu noir. Ses yeux sont immenses et sans expression, on dirait ceux d'un mannequin. Ils sont profondément cernés ; du visage de cet enfant de cinq ans et demi se dégage une choquante tristesse doublée d'un désespoir comme on en voit peu à cet âge.

Sur la troisième, Falk est assis devant une petite table du salon des Bachmann, un gros livre ouvert devant lui. Il est à parier qu'il s'agit de l'exemplaire illustré des contes des frères Grimm. Son père se penche par-dessus lui. Le dos de l'enfant est courbé, la tête rentrée dans les épaules. Sa main gauche s'agrippe au bord de la table. Le docteur Bachmann montre de l'index un mot sans que Falk suive le mouvement du doigt, au contraire : il est ailleurs, plus loin, sa main droite est levée et semble prête à tourner la page. Ce cliché illustre on ne peut mieux la relation entre le père et le fils : la peur manifeste de l'un, la position dominante de l'autre, dans un mouvement en apparence bienveillant, révélant l'acteur expérimenté qui prend la pose pour la postérité. Au-dessus de l'enfant chétif et crispé, il exsude l'assurance tranquille de celui qui a raison en tout.

D'Anne, rien. Elle a toujours soutenu que les membres de sa famille supportaient mal l'œil de l'appareil photo. De temps en temps, elle examine un cliché de son frère Reinhardt, en uniforme de lieutenant, un sourire à peine esquissé. Il y en a d'autres, prises lors de fouilles en Syrie, au Liban, en Palestine, mais elle se cache derrière les membres de l'équipe. Un album contient uniquement des images de la villa familiale à Wiesbaden, sa collection d'artéfacts, mais pas une seule présence humaine. Sur d'autres, on reconnaît Gabriel en pleine action sur le court du club de tennis auquel elle appartenait. C'était là qu'elle l'avait rencontré. Invité par des amis à elle, il était de passage et partait le lendemain pour Hambourg ou Brême. « Aucune importance, Wiesbaden est sur mon chemin de retour », avait-il dit.

Depuis son mariage, en 1936, elle est allée voir son père deux fois seulement. Il la presse de lui rendre visite, avec ses enfants. Il veut rencontrer Falk surtout, qui ressemble tant à Reinhardt. Sa fille sait qu'il ne viendrait pas à Saarbrücken.

Elle a détruit toutes les photos de son mariage excepté celles où elle n'apparaît pas. Pendant le retour de la Sarre au Troisième Reich, de 1935 jusqu'au début de 1945, elle a été mortifiée de figurer sur le passeport de son mari. Maintenant, elle possède le sien qu'elle enferme dans le coffre-fort, dissimulé dans son bureau. Plus tard, Falk lui demandera pourquoi elle fuit les appareils photo. Elle lui répondra que, dans la mémoire des survivants, l'image d'un mort s'embellit avec le temps, et que seule la famille et quelques amis se rappellent le disparu. Quand ils mourront à leur tour, l'être aimé disparaîtra, lui aussi. «Je ne souffre pas du syndrome de Dorian Gray», dira-t-elle. En secret, elle nourrit une autre obsession.

* * *

Selon la mère, la tour des chiffres est un parfait échec. Dès qu'elle et Falk sont seuls, ils «jonglent avec les chiffres», activité beaucoup plus amusante que ce dessin idiot. Leur jeu favori se fait à l'aide du livre des frères Grimm. D'abord, l'enfant apprend les chiffres en tournant les pages pendant la lecture. Ensuite, il prend note du nombre de pages du conte, calcule les pages avant et après le texte par rapport au livre. La mère avait imaginé un moyen pour stimuler l'enfant :

«Imagine Claudine de retour et tu ne sais compter qu'en allemand !

– D'accord. J'apprendrai en français aussi. Tu crois qu'elle va revenir ?

– Je l'espère. Elle m'écrit qu'elle s'ennuie de nous, et surtout qu'elle a fait beaucoup de progrès en cuisine. Ses parents gèrent un restaurant, tu te rappelles cela ? C'est elle qui m'a montré le peu que je sais. Avant d'épouser ton père, je n'avais jamais touché à un légume ou à un morceau de viande. Tu as vu mes gâteaux et mes biscuits ! Durs comme la pierre !

– J'aime beaucoup Claudine. C'est drôle, je sais qui elle est, mais je ne me rappelle plus à quoi elle ressemble, sauf qu'elle est longue. Comment cela se fait-il ?

– On ne dit pas d'une personne qu'elle est longue, mais grande. La réponse à ta question est simple : tu étais trop petit quand elle est partie.

– Mais j'ai parlé français avec elle, n'est-ce pas ? Je peux te chanter encore « Frère Jacques », « Sur le pont d'Avignon » et « Alouette, gentille alouette ». Tu vois que je me rappelle les *mots* et les *mélodies,* mais pas elle. Sauf qu'elle sentait bon. Henning les a complètement oubliés, elle et le français.

– Ah ? Je ne savais pas qu'elle se parfumait. En tout cas, je l'aimais bien, moi aussi. Une fille efficace, jolie, toujours de bonne humeur, une grande cuisinière en herbe. Je l'attends dans quelques mois, si tout va comme prévu. »

Falk apprend les fonctions mathématiques en s'interrompant dès qu'une nouvelle idée lui traverse la tête. Sa mère le laisse faire, le ramène doucement au calcul. Avec un « Ah oui ! », il continue là où il s'était arrêté. La multiplication et la division lui paraissent si faciles qu'il montre ses nouvelles connaissances à Mechthild et à ses autres amis. « Simple comme chou », dit-il, une des locutions préférées de Claudine, qu'il traduit ensuite, fier d'être le seul à connaître des phrases en français. C'est Anne qui lui a appris l'expression.

Quand le père rentre à la maison, et s'il n'est pas trop fatigué de sa semaine de travail, il fait valoir ses capacités pédagogiques. Il a adopté le rythme de l'immédiat après-guerre, celui d'avancer rapidement, sans regarder en arrière. Pour l'instant, on évite de mentionner « ces années-là ». Les morts, il faut les laisser reposer en paix, les vivants ont du mal à traverser le présent, le gouvernement de chaque land a la responsabilité de leur survie. Il ne reste pas beaucoup d'ouvriers valides pour reconstruire les usines et y travailler. Les Russes ont démonté dans l'est ce qui ne tenait pas à fer et à clou. Ils ont vidé les gigantesques complexes industriels et tout installé chez eux. Au moins, les autres vainqueurs ne sont pas des voleurs aussi effrontés. Depuis longtemps, dans les territoires sous la juridiction des Alliés, les rues sont dégagées. Du matin au soir, des hommes, des femmes entreprennent la récupération des matériaux. Il faut nettoyer les briques, les pierres encore utilisables. La production du ciment recommence. Les maisons que l'on construit ont l'air de grandes boîtes carrées, laides, mais on se bat pour y obtenir un logement. Le bois trouvé dans les ruines a été brûlé pendant les deux hivers sibériens. Chaque fois qu'on prononce ce dernier mot, un silence s'installe, on pense aux soldats tombés aux mains des Russes. Bon nombre d'entre eux croupissent dans les goulags de Sibérie, jusqu'à la côte du Pacifique. Staline en a fait fusiller quelques milliers, mais pire encore sont les purges parmi les Soviétiques. On parle de millions de victimes, de procès sommaires, d'exécutions en série.

Moins de deux ans après l'implosion du Reich, sous l'œil attentif des invisibles autorités françaises, Gabriel Bachmann a remplacé la modeste plaque en laiton au-dessus de la sonnette par une autre, plus grande, arborant son titre académique : « Il suffit de dire que j'ai étudié à Göttingen, la ville de Lichtenberg*. Et puis, une thèse sur Frédéric le Grand, ce n'est pas mal non plus. Au contraire, il n'y a rien de déshonorant à analyser cet immense génie stratégique, pas seulement sur le plan des guerres qu'il a menées, mais aussi de sa politique étrangère. » Il est le seul des inspecteurs à posséder un beau parchemin encadré dans son minuscule bureau gouvernemental, malheureusement orné d'un svastika. Mais il n'y est pour rien, il a soutenu sa thèse en 1934, à l'âge de vingt-huit ans. Au fond, ne comptent que le superbe sceau rouge de la vénérable institution, les signatures

---

* La Georg-August-Universität, fondée en 1736, est célèbre pour compter un nombre très élevé de récipiendaires du Prix Nobel en comparaison avec d'autres universités allemandes, tout en étant la plus ancienne des « jeunes » universités. Le physicien, philosophe et écrivain Georg Christoph Lichtenberg, figure phare des Lumières en Allemagne, y a enseigné à partir de 1769.

du recteur, du doyen de la faculté, de son directeur de thèse et la note obtenue, *magna cum laude*. Il a été déçu, il s'était attendu à un *summa cum laude,* mais, lors des épreuves orales préliminaires à la soutenance, il a eu maille à partir avec l'un des examinateurs, raconte-t-il à ses fils. Il leur explique qu'il lui a fallu peiner durement pendant plusieurs années pour obtenir ce titre académique, dorénavant et selon la loi indissociable de son nom. « C'est un peu comme au temps des monarchies : on est anobli à vie pour ses mérites, mais le titre disparaît avec le porteur. » Il fait la moue en parlant d'anciennes familles qui se reposent sur les lauriers d'un lointain ancêtre. « Devant les autorités universitaires, il faut montrer de quel bois on se chauffe. Si on flanche dans une matière, eh bien, c'est fini, on coule, et on n'a rien du tout. Des années de travail perdues. » Il ne mentionne pas la famille de leur mère, mais les enfants n'ont pas oublié qu'il leur a déjà parlé de « cette fortune ancienne pour laquelle le père Süter n'a pas fait grand-chose ». Il aime donner à ses fils, à Henning surtout, « des leçons de vie, car ce n'est pas tout de se bourrer la cervelle et d'apprendre bêtement par cœur la matière enseignée ».

Pour vérifier si Falk a bien appris le système de la tour, il le place devant le dessin et entre dans ses colères habituelles quand il interroge cette « tête de mule, car il n'est pas idiot, il se braque pour me braver ». Il ignore que le garçon est terrorisé de le savoir derrière son dos, à la distance de moins d'une main. Quand la mère sort de la pièce pour préparer le souper, l'homme peut brutaliser l'enfant à loisir. Il connaît des façons de lui faire mal sans laisser de marques : la phalange centrale du majeur frappe l'arrière du crâne de Falk, assez fortement pour que l'enfant hoche la tête dans un geste absurde. Il a l'air d'être en accord avec les méthodes d'enseignement du pédagogue alors qu'il est plongé en pleine panique. Il sait qu'en l'absence de sa mère, il subira inévitablement toutes sortes de sévices. Dès que le petit s'installe à table et la regarde, elle sait ce qui s'est passé, mais garde le silence.

Anne Bachmann a beaucoup de patience, mais elle en a assez de ces séances devant la « tour infernale », comme elle l'appelle. Un jour, elle arrache les « escaliers de gémissements », les « gémonies ». Des années plus tard, Falk apprendra ce que signifient ces mots. Le soir, le père semble à peine remarquer la disparition du dessin, car il a une nouvelle importante à annoncer : le nouveau ministre de l'Éducation, Emil Straus, l'a relevé de ses fonctions d'inspecteur d'écoles primaires et lui a proposé un autre poste, infiniment plus prestigieux, « un poste de décisions », souligne le docteur Bachmann. Il est chargé d'élaborer les nouveaux programmes d'enseignement destinés aux *Gymnasien,* orientés sur le modèle français. On ouvrira un lycée de langue française à Saarbrücken, avec un cursus calqué directement sur celui des lycées français. Il a appris que Paris procédera sous peu à la fondation de l'université sarroise, une première pour le pays, parrainée par l'université de Nancy. Son emplacement se trouvera en pleine forêt, à trois kilomètres du centre-ville. Pour commencer, elle sera logée dans six casernes désaffectées. « Un premier pas vers l'indépendance intellectuelle de l'Allemagne, avait dit le ministre à la fin de l'entrevue. Notre mère patrie ne nous a pas porté chance, après le plébiscite de 1935, n'est-ce pas ? Le nom du lycée est déjà choisi : le collège Maréchal-Ney. La France s'affirme, mais sans trop appuyer. »

Le père répète chaque mot du ministre, qu'il décrit comme un être remarquablement intelligent, élégant, parfaitement bilingue, bref, qui pourrait passer pour un diplomate. Quand la mère lui demande à qui il doit cet avancement, il répond, en haussant les épaules, qu'il n'en sait rien. « Ce sera quelqu'un du passé, une vieille connaissance, un membre de ma fraternité*, peut-être. » En fait, ils ont été trois à forcer la main du ministre, homme imprudent qui fréquente des bars compromettants de la Mainzer Straße. Mais tout est bien qui finit bien : dès l'entrée en fonction de son nouveau bras droit, Emil Straus en apprécie les capacités intellectuelles.

Un matin, à huit heures, une Citroën 15 CV noire arrête devant le portail. Afin de leur faire la surprise, le père n'a pas annoncé le retour de cet ancien symbole de son standing. Le chauffeur le conduit à son bureau, qui n'est qu'à vingt-cinq minutes à pied de la maison. Une douzaine de fonctionnaires travaillent pour lui, une trentaine de secrétaires tapent les rapports, classent les informations, écrivent les curricula, veillent à leur impression, à la distribution. Le ministère choisira les librairies où les élèves devront acheter leurs livres. Le seul supérieur du Dr Bachmann est le ministre. Celui-ci rend des comptes à un haut fonctionnaire de Metz, qui reçoit ses ordres de Paris. Devant les enfants, la mère a lancé en souriant : « Tout vient à point à qui sait attendre. Je t'avais assuré que tu allais réintégrer les rangs, mieux qu'au temps de ce régime… fiévreux auquel tu as semblé croire. »

---

* Les fraternités (*Verbindungen* ou *Korporationen*), issues des universités de langue allemande pendant le Moyen-Âge, se sont organisées surtout au milieu du XIXe siècle. Elles exercent une grande influence sur les membres dès leur adhésion. Presque toutes disposent de maisons d'accueil pour les étudiants soutenus financièrement par la génération précédente. De 1933 à 1945, ces fraternités étaient interdites et furent remplacées par une seule, contrôlée par le régime.

La meute

La lettre de convocation pour la première journée à l'école indique une grande salle, déjà bondée quand arrivent madame Bachmann et Falk. Il trouve une place au troisième pupitre de la rangée du centre, à côté d'un garçon plein de boutons qui a l'air malpropre. Le directeur, car ce ne peut être que lui puisqu'il parle avec autant d'autorité, porte ses cheveux gris coupés en brosse, une nouveauté américaine et française, murmure-t-on. Son veston noir, sa cravate rayée blanc et noir, son pantalon gris sont du dernier chic. Ce monsieur informe les parents, debout au fond de la salle, que dès le lendemain les garçons – la classe en compte cinquante-quatre, pendant la guerre il en est né davantage que de filles – seront assignés à un autre local, mieux adapté à leur âge, avec des pupitres plus petits et plus bas. Suivent quelques précisions nécessaires : l'enseignement est dispensé de huit heures à une heure de l'après-midi, du lundi au samedi. À cause des égouts détruits, les écoliers doivent utiliser des toilettes primitives, installées de façon temporaire au fond de la cour, où ils font la file, même si le besoin est pressant. Pas de bousculade, ce serait indigne. « Des fosses comme à la campagne, sans eau courante, mais ventilées. Pour vous laver les mains, il y a deux lavabos à votre disposition, dans les corridors de l'école », annonce-t-il. À dix heures, trente minutes de pause, pour manger sa tartine et sa pomme, s'il y a lieu, puis les jeux, sans trop crier toutefois, ensuite la formation en rangs pour rentrer en classe, deux par deux, en se tenant par la main. Et en silence, bien sûr.

Pour l'instant, les accessoires se résument à l'ardoise, à une boîte pour les styles, sans oublier une autre, étanche, contenant l'éponge humide, et, pour finir, un chiffon propre. Les plumes et l'encre viendront plus tard. Pendant les leçons, défense de s'agiter sur le banc, de parler, de regarder par la fenêtre. Les garçons doivent suivre l'instituteur à tout moment. Faire les devoirs tous les jours, ne pas se coucher avant de les avoir terminés. La liste est longue.

Déjà, Falk se sent inconfortable sur ce banc dur, plus haut que les chaises de la maison. Trouvant le discours du directeur ennuyant, il soulève le couvercle du pupitre pour voir ce qu'il y a en dessous, mais la grande planche est trop lourde, elle lui échappe et cause un bruit ressemblant à un coup de fusil, juste au moment où le directeur reprend son souffle. Falk se demande pourquoi le boutonneux d'à côté n'a pas réagi, ce doit être un imbécile. « Le petit blond, là, une fois pour toutes, défense de jouer avec les couvercles ! » tonne le directeur, un pli sur le front. Falk rougit. L'école n'a pas encore commencé, et déjà il fait honte à sa mère. L'homme aux cheveux en brosse demande si quelqu'un a une question. Falk lève l'index : « C'est quand les vacances ? » Les parents rient et se montrent le petit futé aux cheveux bouclés, celui du coup de tout à l'heure, qui les a fait sursauter.

Le directeur fait un geste comme s'il demandait le silence. Cependant, il descend de l'estrade, sort, revient avec une fée. « Je vous présente votre maîtresse, mademoiselle Volkmer. Et voici monsieur le curé, qui vous enseignera les prières que tout enfant catholique doit connaître. » Falk est ébloui par la beauté de cette femme, jeune, grande, svelte. Il regarde aussi le curé et décide que ce dernier ne vaut pas la peine qu'il se le rappelle. Un homme sans âge, la peau cireuse, en soutane, qui affiche un sourire bienveillant. Il a une canine en or et s'appelle Schöffel, ce qui sonne comme Scheffel, « boisseau ». Quand le curé lève la main pour prendre la parole, il surprend tout le monde par sa petite voix haut perchée. Elle répand des mots sucrés, leur rappelle qu'il faut aimer celui qui est mort sur la croix, pour eux ainsi que pour toutes les générations précédentes et à venir. Ensemble, ils vont marcher sur les pas du fils de Dieu et de la sainte Église. Falk s'embête.

Mais mademoiselle Volkmer ! Elle le renverse, le mot n'est pas trop fort, avec son chemisier vert forêt, son tailleur gris clair qu'il trouve très chic, sans savoir pourquoi. Elle est maquillée, ses yeux sont immenses, de vrais miroirs, ses lèvres brillent d'un rouge intense, et puis, elle est rousse. Rousse ! Il n'a jamais vu de si beaux cheveux et pense à la couleur de ceux de sa mère, qu'il trouve fade sur-le-champ. Il se sent également insignifiant à côté de cette magnifique rousseur et regarde autour de lui : des blonds, il y en a plusieurs dans la classe, l'un d'eux a les cheveux presque blancs et semble ne pas avoir de sourcils ni de cils. Falk le trouve laid. La fée dit quelque chose qu'il n'entend pas, trop absorbé qu'il est à l'admirer. Elle descend de l'estrade et s'approche du petit peuple à ses pieds. Falk remarque ses souliers aux talons aiguille. Sa mère n'en porterait jamais parce qu'elle les trouve « communs ». La démarche de la jeune femme fait bouger tout son corps de manière irréelle, il croit rêver. Elle lui rappelle une image dans le gros livre des frères Grimm, mais ici, la reine est mille fois plus belle que celle du dessin.

Et voilà qu'elle s'arrête devant lui. Il ferme les yeux et sent, miracle ! une main doucement s'appuyer sur le sommet de sa tête tandis que l'autre se glisse dans une caresse sous le menton. Du coup, c'est la chair de poule, de la tête aux pieds. Du tissu gris émane une odeur de fleurs, pas très forte, elle donne juste envie de s'approcher et de la humer dans une inspiration profonde. Au même moment, cette si douce paume lui ferme la bouche. « Veux-tu me montrer ta maman ? susurre mademoiselle. J'aimerais lui parler plus tard. » Il tourne la tête, se demande pourquoi elle a enlevé ses mains tièdes. Il veut parler, en est incapable, les larmes brouillent tout. Il ne sait pas pourquoi il a envie de pleurer, une boule est déjà montée dans sa gorge. Pourtant, personne ne l'a frappé, et sa maîtresse est la plus belle du monde. De plus, il la verra tous les jours de la semaine, de huit heures à une heure. Il connaît bien la position des mains sur l'horloge et sait que cinq heures peuvent être longues devant la tour des chiffres, disparue, Dieu merci. Avec mademoiselle, il ne sentira pas le temps passer. S'il le pouvait, il resterait auprès d'elle jusqu'au soir, sans manger ni boire. Il ne rentrerait chez lui que pour dormir. Sa mère, il ne la trouve pas parmi tous ces adultes, jusqu'à ce qu'elle lui fasse signe. Au-dessus de lui, il entend : « Bonjour, madame, je vous verrai plus tard, entendu ? » Il aimerait qu'elle lui dise ce mot exprimant la connivence, ce *einverstanden*. Il donnerait avec enthousiasme son assentiment, *ja-ja-ja*. Quand elle parle plus fort, sa voix est exactement celle qu'il espérait, claire, résonnante. Son timbre l'émeut profondément. Si elle le touchait de nouveau, de bonheur il éclaterait en sanglots.

Du coin de l'œil, il remarque le regard de son voisin. Il baisse donc la tête et se calme pendant que mademoiselle Volkmer fait lentement le tour des rangs, pose des questions en passant : « Que veux-tu devenir quand tu seras grand ? Sais-tu déjà compter ? Qu'est-ce que tu aimes faire le plus ? As-tu envie de dessiner ? Je t'aiderai ! Ton père est-il avec toi ?

Oh, je ne savais pas qu'il n'était pas encore revenu, il ne faut jamais perdre espoir. Et toi, quel est ton jeu préféré ? » Quand elle revient au troisième pupitre, Falk sourit, ses yeux brillent. Il attend une question de sa part, mais elle ne dit rien du tout, le regarde de ses yeux cerclés de noir. Cette fois, il remarque l'iris, d'une drôle de couleur que sa mère appellerait « caca d'oie ». Il est le seul à ne pas avoir droit à une question. Sur le front de mademoiselle apparaissent même des rides. Elle le regarde sévèrement, se penche, lui ferme de nouveau la bouche, cette fois d'un coup assez sec, ce n'est plus la caresse de tout à l'heure.

De sa démarche aérienne, la fée se rend au tableau noir, s'empare d'un morceau de craie et dit que, aujourd'hui, elle leur offre en cadeau un dessin. Qu'on lui nomme un sujet et c'est comme si c'était fait. Des cris s'élèvent. Certains veulent des fruits, du pain, des fromages, des saucissons, d'autres réclament des vaches, un cheval, tandis que Falk lève la main et chuchote, pendant qu'un ange passe : « Le paradis ! » Ce qui suit est incroyable. Tout ce qu'ils ont souhaité naît devant leurs yeux. Même ceux des parents sont grands ouverts. En un rien de temps, ils assistent à la naissance du paradis, peuplé de lions, de girafes, de chiens, de chats, de moutons, de brebis, d'agneaux, d'un cheval et d'une vache. Sur une table se trouvent des corbeilles pleines de fruits, de légumes, de pain, de mottes de beurre, tout ce qu'ils ont nommé il y a quelques minutes. Des quantités incroyables de bonnes choses, comme dans le conte où la table magique ploie sous les nombreux mets dès que son propriétaire la couvre de sa nappe. Mademoiselle Volkmer demande s'ils sont contents. Les enfants applaudissent à tout rompre, les parents les imitent. C'est un chef-d'œuvre. Les animaux sont parfaits, les victuailles appétissantes et, même si elles sont dessinées avec de la craie blanche, aussi vraies que nature. Les arbres, les buissons jettent des ombres et on découvre Adam et Ève, cachés à moitié dans l'herbe haute. L'artiste incline la tête en guise de remerciements et déclare que, dès demain, ils auront beaucoup de plaisir ensemble, elle et eux, les enfants. Ceci marque la fin de leur première rencontre.

Les parents sortent et attendent les enfants dans le couloir. La maîtresse parle à madame Bachmann. Leurs mines sont sérieuses et elles se taisent à l'approche de l'enfant qui vient d'entendre le mot « opération ». Sur le chemin du retour, il demande ce que mademoiselle voulait dire. « Rien de grave. Elle confirme quelque chose dont je me doute depuis que tu es petit. N'en parlons pas. C'est une simple intervention, trois fois rien. »

* * *

À la maison, ils trouvent une lettre de Claudine qui annonce son retour pour le printemps, « avec impatience et dans l'espoir de vous retrouver tous en bonne santé ». Elle promet d'apporter quelques délicatesses qu'on ne peut pas encore acheter à Saarbrücken, bien que la Sarre soit devenue un protectorat français. Elle est encore isolée des autres régions occupées par la France et aux prises avec le « Saar-Mark », mais bientôt – personne n'en doute – circulera le franc français, « de l'argent véritable, celui d'un grand pays », a dit le ministre au docteur Bachmann. Et de poursuivre : « Vous comprenez qu'avec nos mines de charbon et la production d'acier, sans compter la faïencerie de Villeroy et Boch, à Mettlach, dont la direction songe à établir une autre usine au Luxembourg, la France nous réserve un rôle important. Imaginez : la Lorraine, la Sarre, le Luxembourg, une seule économie ! Le début d'une Europe unie ! Avec nos richesses naturelles, nous tiendrons le haut du pavé.

Quel avenir extraordinaire ! Mais ne nous emballons pas tout de suite, restons attentifs. »

Il ne faut pas rêver en couleurs, pas encore. À l'instar de la France, le pain, l'huile et le beurre sont rationnés. Le café, le tabac de qualité demeurent introuvables. La frontière avec la Rhénanie-Palatinat, le land encerclant la Sarre, est fermée depuis peu, empêchant les Sarrois de faire des réserves de nourriture. Seuls la Lorraine et le Luxembourg restent ouverts, mais les paysans y demandent des prix scandaleusement élevés, indice que la pire phase de la famine se terminera sous peu : c'est la course aux derniers gains avant l'épuisement de la bourse des clients. Les mois précédant le quinze janvier 1948, date à laquelle la monnaie française devient la devise officielle en Sarre, resteront inscrits dans le souvenir de la population comme les plus durs après l'armistice. Au début, les Sarrois espéraient être placés sous l'autorité des Américains, qui avaient chassé les nazis lors de leur arrivée en mars 1945. Ils n'ont jamais voulu des Français, détestés depuis l'invasion de Louis XIV et la fondation de Sarrelouis par ce monarque mégalomane. De plus, ils se méfient depuis des siècles des cousins mi-allemands, mi-français, les Lorrains et les Alsaciens, conquis et francisés par ce même roi. Assoiffé de grandeur, celui-ci voulait s'approprier la Moselle, le Neckar ; ses troupes avaient détruit tous les châteaux et forteresses érigés le long de ces fleuves. La Sarre avait été ballottée entre la France et différents princes allemands, au gré des défaites et des victoires des parties adverses.

Parfois, le père dit sur le ton de l'ironie qu'il a changé de passeport comme de chemise. À sa naissance, en 1906, il était sujet du dernier empereur, Guillaume II. En 1920, il est devenu citoyen français, pour changer de nationalité en 1935, après le référendum auquel avait fait allusion le ministre Straus lors de son premier entretien avec le docteur Bachmann. «La situation actuelle, même si elle est encore désastreuse sur le plan de la survie, sera plus prometteuse pour nous qu'ailleurs dans le Reich.» Pendant quelque temps encore, Gabriel Bachmann n'appellera l'Allemagne jamais autrement que par ce terme, d'un ton respectueux, laissant fondre lentement le *ch* comme un praliné au goût incomparable. «Me revoilà chapeauté de bleu-blanc-rouge, alors que je préférais de loin le noir, le rouge et l'or de la république de Weimar. Nous n'avons jamais voulu être un appendice de la France. Un jour, nous ferons de nouveau partie de l'Allemagne, malgré toutes les manigances françaises. Les Français devinent que nous sommes au courant de leurs véritables intentions. C'est pourquoi ils se font discrets. Je les connais pour les avoir fréquentés. »

Pourtant, il demeure muet sur la façon dont il a personnellement contribué à rendre le Reich si puissant que celui-ci écrasait la Pologne et la France en quelques semaines. «Pour nous, Allemands, les mots gloire et mémoire sont indissociables », dit-il chaque fois que Henning lui pose des questions à la suite d'un de ses cours d'histoire. L'instituteur, monsieur Lindemann, leur a parlé longuement de l'issue de la guerre, et Henning veut savoir ce que le père en pense. Mais ce dernier est maître dans l'art de se sortir élégamment de l'embarras : impossible de le faire parler de ses années parisiennes.

C'est Falk qui, douze ans plus tard, trouvera les morceaux du casse-tête.

* * *

Le lendemain de cette première journée d'école, Anne Bachmann emmène Falk chez le médecin, un homme à peine plus haut que l'enfant, bossu, portant autour de son front dégarni un large bandeau sur lequel est fixé un miroir. Il dit : « Ouvre grand la bouche, sors ta langue et dis *Aaaaa !* » Il regarde longtemps dans la gorge de l'enfant, émet des « ts-ts-ts », lui demande de respirer par la bouche, le nez, finit par lâcher : « Hum ! Ramenez-le-moi après-demain, ce sera l'affaire d'une demi-heure. »

À la maison, Anne explique à son fils que ses amygdales sont trop grandes. « Il faut en réduire la taille. Après, tu auras mal à la gorge pendant deux ou trois jours et tu ne pourras manger que de la crème glacée. Je me suis renseignée au café Bärmeier de la Bahnhofstraße. Ils peuvent t'en préparer, juste pour toi ! Tu ne mangeras que cela, te rends-tu compte ? Quelle chance ! Cela t'aidera à guérir plus vite et ensuite, tu vas beaucoup mieux respirer. » Elle se rappelle la visite de madame Grünstetten, la voisine d'en face, qui habitait la villa des Blumberg, disparus après la nuit de Cristal*. Anne était en train de donner un bain à son fils qui, ne connaissant pas la visiteuse, l'observait attentivement. Sa mère l'avait couché et avait offert une tasse de café à la dame qui lui dit, avec son plus beau sourire, que Falk lui donnait l'impression d'être un enfant mentalement retardé, une insinuation terrifiante de la part d'une femme notoirement proche du régime. Falk, qui ne parlait pas encore, avait toujours respiré par la bouche, ce qui lui donnait un air absent. Cependant, Anne n'avait pas eu la visite d'un médecin du Service de la santé publique, peut-être à cause

---

* Lors de la « Kristallnacht », la nuit du 9 au 10 novembre 1938, les SA et les SS ont incendié les synagogues, cassé les vitrines des magasins appartenant à des juifs, détruit les étalages, incité la populace au pillage, pénétré de force dans les maisons et les appartements occupés par des familles juives. Des 500 000 juifs allemands, plus de 300 000 ont émigré. À partir du 31 juillet 1941, ceux qui n'en avaient pas eu la possibilité ou les moyens ont été déportés et tués dans les camps d'extermination (*Vernichtungslager*).

de la position de Gabriel. Elle ne sait pas ce que sont devenus les Grünstetten, disparus immédiatement après l'armistice. Mademoiselle Volkmer avait également remarqué la bouche ouverte de l'enfant et soupçonné la cause du problème.

Falk passe deux jours à la maison, jusqu'à l'intervention. Le médecin insiste pour que madame Bachmann tienne l'enfant sur ses genoux pendant l'opération, «parce que le chloroforme rend les patients agités, et nous ne sommes pas dans un hôpital où je pourrais l'attacher sur la chaise d'opération. Il doit être assis pour que le sang ne l'étouffe pas.» Après une hésitation, elle accepte. Le médecin applique un masque sur le visage de l'enfant, qui perd rapidement connaissance. À son réveil, un taxi attend devant la porte. Quand Falk aura moins mal à la gorge – «le médecin t'a enlevé une bonne partie des amygdales», raconte sa mère –, il parlera de son rêve. Ses parents s'affrontaient sur un terrain de tennis. Le père faisait le service, mais il frappait violemment les balles qui laissaient des trous sur le court. La mère les attrapait et les renvoyait si doucement qu'elles franchissaient le filet comme au ralenti. Le père était énervé, il ne gagnait aucun set. Chaque fois qu'il perdait, Falk riait très fort, il en avait mal aux côtes. C'était un rire de triomphe, le perdant se démenait comme un enragé pour ne pas manquer les balles diaboliquement molles que lui envoyait la mère. Quand il se réveilla, sa gorge lui faisait encore mal d'avoir tant ri.

Jamais il n'oubliera ce rêve, tout comme la réponse de sa mère, comprenant une question cachée et inquiète : «Tu as fait un rêve, mais moi, j'ai cru que tu souffrais terriblement. Tu as hurlé comme quelqu'un qui subit une opération à froid. Le sang sortait à flots de ta bouche, il a fallu changer plusieurs fois le drap ciré que le chirurgien t'avait placé sur les épaules. Le même soir, j'ai remarqué mes premiers cheveux blancs. Pendant que tu t'es amusé, j'ai souffert le martyre… Tu fais parfois des rêves étranges. Tu vois des gens qui ne sont pas là et après, tu n'en démords pas, tu restes persuadé que tu les as vus… »

Falk a tout le temps pour réfléchir à ce qu'elle vient de dire, car il garde le lit, même s'il ne fait pas de fièvre. Sa mère sait qu'il aime jouer au malade, cela lui donne droit à certains égards, comme le plateau sur lequel, pendant trois jours, sont placés des bols remplis de glaces variées : vanille, chocolat, fraises et framboises qu'il mange avec une cuiller en argent fin marquée de son monogramme, identique à celui du sceau, et un bonbon dur comme un caillou, enveloppé dans un papier scintillant, et qui fond lentement dans la bouche. Il provient de la réserve de sucreries que le père a rapportées de son plus récent passage à Forbach où il se rend de nouveau une fois par mois pour laisser ses chemises à sa blanchisserie favorite. Il a raconté que la propriétaire avait failli lui sauter au cou, tant elle était contente de le revoir. Il est l'un de ses plus anciens clients. Ses chemises amidonnées, repassées et pliées d'une manière particulière sont aussi agréables au toucher que les chemisiers en soie de sa mère, pense Falk, qui aime les caresser en l'absence des parents.

Il a donc eu de brèves vacances au tout début du premier trimestre, prolongées de quelques jours pour ménager sa gorge, car il avait encore du mal à avaler de la nourriture solide et parler lui était difficile. De retour à l'école, il doit se rendre dans une autre partie du bâtiment où l'attend un local sombre et exigu dont les fenêtres donnent sur l'arrière d'une maison en brique rouge, à demi cachée par un grand arbre. Il y règne une lumière glauque. Mademoiselle Volkmer, plus belle que jamais, lui demande s'il va bien. Il fait un signe rapide de la tête et elle dit comprendre son mutisme, sa gorge est sans doute râpeuse encore. Comme s'il était un personnage important, elle le conduit à sa place, un des derniers bancs, à côté de ce blond presque blanc qu'il a trouvé si laid le premier jour. Il s'appelle Dieter, sent le lait caillé et est couvert de taches de rousseur. Quand Falk s'assied, l'autre lui sourit et découvre un râtelier chaotique. Devant son voisin se trouve une ardoise sur laquelle Dieter a tracé quelques lignes où les *g* et les *h* alternent, suivies d'autres avec des mots comprenant les lettres de *a* à *h,* souvent absurdes ou abscons. Son écriture est maladroite et ne ressemble en rien à celle de mademoiselle, d'une perfection absolue. Rapidement, Falk couvre de lettres et de mots son ardoise, la neuve, car celle héritée de Henning est réservée aux exercices d'écriture qu'il doit reprendre jusqu'à ce que le père se déclare satisfait.

Dieter fait les yeux ronds en voyant la main de son voisin former des lettres parfaites et lui pose des questions où Falk croit comprendre les mots « compter », « par cœur », « papier… découper ». Falk lui demande de répéter chaque question. Dieter parle le dialecte souvent entendu, chez les Berger par exemple, mais qu'il n'a jamais appris. De plus, son camarade a un rhume dont il ne se débarrassera pas du reste de l'année ; son nez est bouché. Il aspire bruyamment sa morve qui s'échappe en alternance de la narine droite ou gauche. Falk examine ce liquide visqueux qui laisse, après l'aspiration, une trace brillante sur la lèvre supérieure, semblable à l'empreinte d'une limace. Comme toujours, quand quelque chose le fascine, Falk oublie ce qui se passe autour de lui et se concentre sur l'espace entre la narine et la lèvre. L'examen des dents en désordre doit attendre. Même quand il commence à vraiment écouter ce que l'autre lui dit, il n'y comprend rien. La règle de la mère, que le père appuie de toute son autorité, celle de ne jamais utiliser le dialecte local mais de s'exprimer uniquement en *Hochdeutsch**,

---

* L'allemand « international » ou standard, utilisé à la radio, à la télévision, dans les gares, etc.

érige entre eux une barrière infranchissable, pour le moment du moins. Comme il répond en allemand standard, Dieter est si surpris qu'il se déplace jusqu'à la limite du siège, provoquant l'approche de mademoiselle. À cause de sa démarche ondulante, sa jupe se balance comme un faux-bourdon en pleine action et Falk l'attend, le visage illuminé par son plus beau sourire, le cœur battant la chamade. Elle examine les deux ardoises, son jugement tombe : « Votre ami Falk a la plus belle main de la classe, il est votre exemple à tous. » Cinquante-trois paires d'yeux fixent le petit Bachmann. Dès ce moment, il est le chouchou déclaré de mademoiselle. Derrière un certain nombre de ces yeux, le dessein prend forme de faire la peau à ce modèle d'intelligence et de propreté. On va les lui arranger, ses jolis cheveux, sa frimousse de fille, ses chemises, son cartable.

* * *

Les disputes entre les frères se multiplient. Ce ne sont plus de simples bousculades, un coude dans les côtes de l'autre, une claque sur les fesses. D'après Falk, Henning le frappe sans raison. Mais il se défend : le petit lui fait des grimaces, l'insulte, a arraché des pages de son cahier d'exercices pour en faire des boulettes qu'il lui lance lorsqu'il étudie. À dix et presque sept ans, et malgré la mauvaise nourriture, ils ont des altercations de plus en plus sérieuses. Comme les forces ne sont pas égales, Falk se défend bec et ongles, griffe, frappe, mord. Ce qui fait rire le grand. Alors le cadet devient sournois, cherche les moyens de se venger sans que les soupçons pèsent sur lui. Par les contacts avec le père, il a appris à figer son visage ; impossible de savoir ce qu'il pense. Après la traditionnelle soirée de Noël, pendant laquelle Henning a récité une immense ballade de Schiller, *Die Glocke,* « La cloche », le cahier dans lequel se trouvent consignés les poèmes et les ballades, soigneusement copiés et annotés pour la diction, l'emphase sur des mots, des syntagmes, ce précieux cahier a disparu. Le concierge croit qu'un camarade l'a volé. Deux semaines après le jour de l'An, on crie au feu dans les toilettes. La température dans ces affreuses fosses d'aisance est à moins trois degrés, « la merde gèle dans les trous », se plaint le concierge qui y a trouvé la couverture à motié brûlée du cahier de Henning. Le reste a flambé « dans la chiotte, peut-être pour réchauffer le cul d'un gars », soutient l'homme.

En rentrant de l'école, quelques jours après l'affaire du cahier brûlé, le grand dépose son cartable dans l'entrée, se rue à la cuisine. Il a faim, il faut être rapide pour devancer le petit qui court comme le vent. Déjà, Falk est en train de pêcher les plus gros morceaux de rutabagas, de carottes, de pommes de terre de la soupe. Le reste du bouillon n'est pas particulièrement nourrissant, il faut donc compenser en buvant beaucoup. Enragé, Henning finit son assiette, prend son cartable, se rend dans la chambre pour faire ses devoirs, alors que son frère s'attarde à table, se lèche les babines et envoie un regard reconnaissant à la mère. Un cri, puis une longue plainte : suivie du cadet, la mère se précipite auprès de Henning, dont les doigts sont pleins de fines aiguilles, il y en a par douzaines. Le garçon étend les bras, il a l'air du martyr d'un tableau reproduit dans un des livres de sa mère, le sang dégoutte sur le plancher. Elle lui enlève les plus douloureuses, celles sous les ongles, puis retire les autres, désinfecte les blessures, assez superficielles. Ensuite, elle vide le cartable. En tombent deux aimants, hérissés d'aiguilles. « Qui peut t'en vouloir à ce point ? » demande-t-elle. Il hausse les épaules. « Personne de ma bande, en tout cas. Peut-être un envieux, parce que je suis premier de classe. »

En juin, avant les examens de fin d'année, Falk est tranquillement assis devant son pupitre, dans sa chambre. Avec des ciseaux empruntés à sa mère, il découpe des fleurs destinées à orner un long rouleau de papier, déjà accroché au mur de sa classe. Chacun doit produire cinquante morceaux, tous de formes différentes. Quand il fait quelque chose demandant beaucoup de concentration, il sort un peu la langue pour la promener entre ses incisives. Il n'entend pas son frère se lever et s'approcher. Henning lui ferme brusquement les mâchoires, use de toutes ses forces, contrairement au geste de «la vache Volkmer» – c'est ainsi qu'il l'appelle –, avec l'effet escompté : le frère se mord violemment la langue. En quelques secondes, sa bouche est remplie de sang, qui coule par les commissures des lèvres. «Un vampire ! crie Henning en riant, mon frère, un vrai vampire ! Une photo !»

Il n'a pas le temps d'aller chercher l'appareil. Le visage de Falk est immobile, mais devant ces yeux, Henning recule, lentement. Ils ne sont plus bleus, mais noirs, à cause des pupilles dilatées. Le sang continue de couler. Falk fixe son frère, qui a cessé de rire, et lève le bras pour planter les ciseaux dans la tête de l'agresseur. Instinctivement, celui-ci tente de se protéger avec les mains. Son avant-bras est fortement entaillé, une pointe glisse le long du cuir chevelu qu'elle ouvre sur plusieurs centimètres. En quelques secondes, le front de Henning est en sang. Il s'écroule, alors que Falk reste debout, chancelant.

La mère est sortie. Ils n'entendent pas l'arrivée de la Citroën. Soudain, le père est là. Il sort en courant, retient le chauffeur, prend une couverture, installe les garçons sur le siège arrière : «À la clinique, vite ! Ils ont eu un accident.» Le médecin de garde secoue la tête : «À première vue, rien de grave, mais celui-ci aurait pu perdre un œil.» Il nettoie les plaies de Henning, les recoud. Quand il s'occupe de Falk, il s'exclame : «Ça alors ! Quelle morsure ! Je vais voir ce que je peux faire. Si l'infection se déclare, ce sera grave. » Huit points de suture sous la langue. « Voici un désinfectant. Rincer une fois l'heure. Cracher. S'il fait de la fièvre, revenez immédiatement. »

Quand la mère rentre à la maison, son mari l'accuse d'avoir manqué à ses devoirs les plus élémentaires. Elle reconnaît ses torts ; à cet âge, il faut surveiller les enfants à tout moment et elle promet que cela ne se reproduira pas.

Falk se remet plus lentement que le grand. Il gardera un petit « cheveu sur la langue » que d'aucuns trouveront charmant. Pendant dix jours, Henning porte son bras en écharpe et un turban blanc. Il est le héros de sa bande.

* * *

Le premier lundi du mois d'octobre 1948, quelqu'un appuie longtemps sur la sonnette. Henning ouvre, mais ne reconnaît pas la dame. Elle lui demande de la conduire auprès de sa mère. Elle est jeune, porte un manteau gris agrémenté de boutons noirs, un foulard sur la tête, des gants, des bas de nylon et des chaussures aux talons presque plats, car elle est grande. Elle tient une petite valise en plus de son sac à main.

Madame Bachmann est assise dans son fauteuil au salon, un grand livre sur les genoux, rempli de dessins compliqués. Comme l'après-midi achève, elle a allumé une lampe et lève les yeux en haussant les sourcils quand Henning ouvre la porte. Après quelques instants d'hésitation, elle se lève, tend les mains en riant, saisit celles de la jeune femme et s'exclame : « Mais, Claudine, vous auriez dû m'avertir, me faire parvenir un télégramme, m'appeler au téléphone ! Comme je suis heureuse de vous voir ! Venez, asseyez-vous, racontez. Comment s'est passé le voyage ? Bar-le-Duc ? Votre famille ? » Elle s'excuse pendant un moment, et demande à Henning de porter la valise à l'ancienne chambre de Claudine, au rez-de-chaussée, qu'il occupe depuis « l'événement », car les parents ont décidé que la dernière bataille avait été de trop. Elle lui demande de libérer sur-le-champ la pièce, de changer les draps et les taies d'oreiller, de nettoyer la salle d'eau. « Tout doit être très, très propre avant que tu réintègres la chambre que tu devras partager de nouveau avec ton frère, compris ? Nous trouverons une solution pour vous garder séparés. » Rayonnante, elle retourne au salon. Le docteur Bachmann arrive, salue l'ancienne fille au pair, lui fait des compliments : « Comme vous avez grandi, Claudine, une vraie femme, pardon, dame ! Vous avez toujours été jolie, mais là, excuse-moi, Anne, elle est simplement renversante, tu ne trouves pas ? Et chic comme tout dans cette belle robe rouge. » Il lui demande si ses parents sont vraiment d'accord avec sa décision de travailler dans une maison où elle parlera allemand. Elle n'a pas eu de problèmes avec les autorités françaises pour un séjour prolongé en Sarre ? Et les ressentiments après l'occupation militaire ? La mère coupe court à l'interrogatoire et le prie de les laisser seules encore ; elle lui fera le résumé.

Au souper, les garçons demeurent silencieux. Les adultes parlent allemand. Parfois, Henning regarde rapidement Claudine, que Falk observe, la bouche de nouveau légèrement ouverte, la lèvre inférieure molle. Sa mère lui souffle à l'oreille qu'il est impoli de dévisager ainsi quelqu'un, surtout que cette jeune dame fera désormais pratiquement partie de la famille. Toutefois, il reste incapable de s'en détacher et finit par sourire à Claudine, qui porte maintenant un joli chemisier rayé, un tricot et une jupe aussi belle que celles de mademoiselle. Une fois dans leur chambre, Henning lui lance :

« Ensemble, hein ? Pas pour longtemps, maman me l'a promis.

– À qui tu parles ?

– Tu changes pas, crétin. Tu lui as souri en idiot que tu es, comme avec la Volkmer, à ce qu'on dit. Maintenant, tu lui fais de l'œil, à Claudine ?

– Aucune idée de ce que tu racontes. C'est qui, on ?

– Tu connais même pas les potes de ta classe. Y en a un dont le frère est dans la mienne.

– Qui ?

– Ceux qui parlent de toi et de la grosse vache de Volkmer. » Le ton devient agressif.

« C'est pas une grosse vache.

– Si. Elle couche avec qui la veut. C'est une horizontale, un paillasson. »

Falk ne sait pas ce que ces mots veulent dire, coucher et horizontale, sauf paillasson, mais personne n'oserait se nettoyer les chaussures sur mademoiselle. Pour ne pas donner l'avantage au frère, il émet un « Pfff ! », signifiant qu'il se moque de ce que Henning dit, se roule sur le côté, face au mur, et s'endort, mémorisant « horizontale », qu'il cherchera demain matin dans le dictionnaire, quand il sera seul. En glissant dans le sommeil, il sourit : avec Claudine dans la maison, le père et le frère auront moins d'occasions de le battre et de le harceler.

Le lendemain, tout le monde est attablé quand il descend pour le petit-déjeuner. Cette fois, Claudine s'adresse en français aux parents : « Encore du café, monsieur ? Voulez-vous que je vous prépare un autre toast ? Et madame ? Un peu de confiture de groseilles ? Préparée par ma mère et moi. Dans notre jardin, il y a des tas de baies, myrtilles, fraises, framboises, nous avons fait des tonnes de conserves. » Madame Bachmann est gênée : « Mon français est si rouillé. Votre allemand est parfait, pour ainsi dire. Mais je tiens à ce que vous parliez uniquement français avec les enfants. »

Il est temps de partir pour l'école. Les tartines étaient délicieuses, il y a eu plusieurs sortes de confitures, du beurre, de la crème dans le succédané de café. Claudine lève l'index : « Les garçons, il vous faut attendre un peu, le vrai café est réservé aux adultes. » Dans la rue, Falk court, il ne veut pas discuter avec Henning, qui lui casserait encore les oreilles avec mademoiselle Volkmer, et il dirait peut-être des choses méchantes au sujet de Claudine. Il n'entend presque pas le « crétin », crié loin derrière lui. Dans le dictionnaire, il n'a pas trouvé le mot de la veille. Il lui a fallu se glisser dans la bibliothèque du père et consulter plusieurs livres avant de tomber sur la définition. Toutefois, il ne sait pas ce qu'est une « femme facile ».

* * *

Ses devoirs, Falk les expédie rapidement, tout comme son frère. Ils évitent de se parler mais s'accusent mutuellement : l'un montre ses cicatrices, l'autre sort la langue. Depuis l'arrivée de Claudine, il n'y a qu'une chambre libre, sacro-sainte, réservée aux amis et aux collègues du père qui viennent régulièrement de l'Allemagne occupée et sont curieux de voir ce qui se passe en Sarre.

Falk réfléchit à ce que Henning lui a dit au sujet de ses potes. Dieter ne lui a plus parlé. Il s'assied le plus loin possible de Falk. Ce dernier est persuadé que son isolement est dû au fait qu'il ne parle pas le dialecte. Il veut l'apprendre. Quand il mentionne cela à Claudine, la seule à l'écouter attentivement, car depuis l'arrivée de la jeune femme, de nouveau sa mère s'absente souvent – « à la bibliothèque scientifique », dit-elle quand Falk lui demande où elle va si régulièrement–, la Française pense que les autres le croient peut-être snob puisqu'il parle aussi bien que la maîtresse d'école. Savoir s'exprimer en dialecte pourrait l'aider. Elle ne peut pas le lui enseigner, mais lui conseille de jouer davantage avec ses camarades.

Werner et Georg sont des champions de ballon chasseur. Falk veut entrer dans l'une ou l'autre des équipes dirigées par eux. Ils ne répondent pas, l'ignorent et s'apprêtent à jouer. Juste avant le début du match, Werner, le plus grand de la classe, lui lance : « *Härgeloffena* !* » sans le regarder. Pendant les pauses, seuls Max, Willi, Raimund ou Harald restent avec lui dans un coin, mangent lentement leur tartine, bavardent et attendent la cloche.

Bien entendu, Falk n'en parle pas à Henning, mais à Claudine. « Les chouchous, personne ne les aime. Viens t'asseoir et écoute-moi bien. Dans les écoles du monde entier, c'est la même chose. Tu as déjà vu un poulailler ? Où ? Ah ! Chez Mechthild, oui, la petite Berger, n'est-ce pas ? Tu la vois encore ? Enfin, peu importe. Regarde : une classe fonctionne comme un poulailler. Le coq, c'est l'enseignant, il règne sur des douzaines de poules. L'une est la plus forte de toutes. Quand elle est nerveuse ou de mauvaise humeur, elle donne un coup de bec à celle qui est plus faible qu'elle. À son tour, celle-ci se venge sur une autre, et ainsi de suite, jusqu'à la dernière, la moins forte, que toutes peuvent torturer. Tu comprends ? Ils t'isolent parce que tu es différent, tu as des longueurs d'avance sur la classe. Ils veulent que tu sois comme eux. Tu es très intelligent, mon petit, je crois qu'ils ne t'aiment pas à cause de cela. Il se peut aussi qu'ils aient entendu parler de toi par Henning, qui ne t'aime pas beaucoup, d'après ce que je vois. Ou parce que ton père occupe un poste important au gouvernement. Je ne sais pas, moi… En tout cas, tu n'es pas comme eux. Je crains que tu doives accepter les choses telles quelles sont, avec ce que cela implique. »

---

* En haut allemand : *Hergelaufener,* « type venu on ne sait d'où ».

Falk devient l'ombre des équipes de ballon chasseur. Les joueurs dessinent des lignes sur l'asphalte avec de la craie subtilisée à mademoiselle. Le jeu commence. Falk enregistre les cris : « Wolfgang est mort ! », « Rudi est mort ! » Il est installé sur les marches d'une entrée et écoute, la bouche ouverte, comme s'il avait les amygdales trop grandes encore. Il boit les sons, mémorise la mélodie des phrases, très différente du haut allemand, les exclamations, imprécations, jurons (c'est ce qu'il y a de plus difficile, il n'en connaît aucun). Sur le chemin du retour, il répète mentalement un phonème, le prononce à mi-voix, s'écoute ensuite. Il se tient près d'eux, qui le tolèrent sans lui parler. Ils jouent jusqu'à ce que les parents appellent leurs fils, et même s'il fait nuit noire à quatre heures de l'après-midi et s'il n'y a pas un seul réverbère, ils ont des yeux de chats et savent à tout moment qui est où. La veille de Noël, Werner, le chef incontesté dont l'équipe a gagné la majorité des matchs, annonce qu'on reprend au printemps. À ce qu'on dit, l'hiver sera froid, mais moins que l'année dernière. Avant qu'il s'en aille, Falk prend son courage à deux mains et lui demande : « *Jetza kann isch awwer met oisch schpiele, newwaa* ?* » Werner lui lance un regard aigu puis émet un grognement qui semble signifier qu'il fera peut-être un essai.

Les météorologues ont eu tort, l'hiver est différent, mais aussi dévastateur que le précédent. Sur des kilomètres, la Sarre est gelée. Deux garçons, qui voulaient la traverser à pied, se noient à Burbach où l'aciérie a été remise en état par les Français, tout comme les usines Röchling à Völklingen, et Stumm à Neunkirchen, la ville natale du père. Elles déversent de l'eau chaude dans le fleuve, rendant ainsi la glace dangereusement

---

*   « Mais maintenant, je peux jouer avec vous, n'est-ce pas ? » (En haut-allemand : « Jetzt kann ich aber mit euch spielen, nicht wahr ? »)

mince par endroits. Le père dit que, de mémoire d'homme, on n'a pas vu la Sarre ainsi. Un silence bizarre enveloppe la ville. Après les premières chutes de neige, les enfants sont sortis en criant de plaisir, ils ont organisé des batailles rangées, ce qui a immédiatement été interdit par les autorités municipales. Les rues sont dangereusement glissantes et les voitures capables de rouler freinent avec difficulté puisque la production de pneus d'hiver n'a pas encore repris. Au ministère, le père met la main sur des articles de journaux : de Hambourg à Munich en passant par Cologne, Berlin et Francfort, partout les problèmes d'approvisionnement sont inimaginables. Les gens ne trouvent rien à manger, même au marché noir. Ils meurent par centaines de milliers. En Sarre, la situation est moins grave puisqu'on profite déjà d'un statut particulier à cause de la politique française, qui se précise de plus en plus. Chez les voisins lorrains et alsaciens, les récoltes ont été limitées par une nouvelle sécheresse estivale. Les Sarrois se procurent de la farine, de l'huile, des œufs, un peu de viande, du lait, des légumes. À la cafétéria du ministère, on se donne des tuyaux pour mettre la main sur du chocolat belge – le célèbre *Côte d'or* –, du tabac et du café, raretés qui atteignent des prix stratosphériques. On ne mange peut-être pas encore comme « Dieu en France », comme on dit de l'autre côté de la frontière allemande, mais en Sarre, personne ne ressemble plus aux squelettes de l'an dernier.

* * *

Les repas se déroulent donc en français, ce qui rend Henning muet, pendant quelques semaines du moins. Depuis que le père a parlé de sa certitude qu'un jour, la Sarre « secouera le joug de la France et retournera à la mère patrie », il dit à qui veut l'entendre qu'il n'aime pas les Français. Il exclut Claudine parce qu'elle « n'est pas vraiment Française, mais quasi Allemande, comme tous les Lorrains ». L'instituteur responsable de sa classe, monsieur Lindauer, est un ancien émigré ayant échappé de justesse aux rafles des soldats allemands. Henning rapporte : « Il nous a dit qu'il ne voulait pas se battre contre la France et qu'on l'aurait fusillé ou déporté dans un camp de concentration s'il n'avait pas eu de la famille en Alsace pour le cacher. Ce sont eux qui l'ont sauvé. Papa pense aussi que c'est un lâche qui n'a pas voulu aller au front. Lindauer revient sans arrêt sur la guerre, il n'y a que ça pour lui. Il voit qu'il nous embête, alors il parle français et se fâche quand on ne comprend pas ce qu'il dit. Il crie que, même si nous sommes jeunes, notre comportement est celui de barbares qui refusent de parler une des plus grandes langues du monde, celle de la civilisation, de la diplomatie et de l'élégance, oui, de l'élégance, a-t-on jamais entendu une connerie pareille ? Nous la massacrons, il en a mal à la tête. Il répète qu'il va nous *forcer* à parler français ou les oreilles vont nous chauffer. Quelle barbe ! Je l'emmerde, ce type. »

* * *

Comme l'avait prévu Claudine, même en maîtrisant le patois local, Falk ne réussit pas à se faire des amis. Werner et Georg lui lancent toujours des regards mauvais. C'est évident, ils complotent un coup. Pendant une semaine, ils rassemblent autour d'eux les équipes de ballon chasseur. Son voisin de banc, ce Dieter qui pue le lait sur, fait partie de leur groupe. Ils ricanent entre eux, tandis que Falk reste seul avec deux ou trois camarades.

Un matin, Werner lui arrache son sandwich, l'ouvre, appelle les autres : « Regardez-moi ça ! Il y a du salami ! Qui peut se permettre le salami ? » Personne ne répond. « Tu partages ton

salami français avec nous ? C'est votre bonne qui l'a apporté,
c'est ça ? Dis à ta *Waggese** qu'elle aurait dû penser à nous
aussi ! » Il enlève les tranches, une à une, les donne aux autres
qui les mangent en levant les yeux au ciel. Puis, il lèche le beurre
sur une tranche de pain : « Mmm ! Du beurre ! Nous, on n'a rien
que de la margarine ! Voulez-vous y goûter ? C'est bon ! » Pour
finir, il déchire les tranches de pain qu'il jette aux pieds de Falk,
geste sacrilège après ces années de famine : « Tu diras à ta bonne
de mettre beaucoup plus de salami, on aime son salami, même
s'il vient de *F r a n c e !* » Le dernier mot est étiré et prononcé
« Fronze », avec la nasale déformée parce que Werner se pince
le nez. Les autres crient « Fronze, Fronze », et entourent Falk qui
sent monter une boule dans sa gorge. Dans quelques instants,
il va pleurer, de honte, de rage, d'impuissance. Il n'a rien fait
de mal, leur haine est palpable, le cercle se resserre, il a peur,
il peine à retenir une envie d'uriner comme chaque fois que
le père s'approche pour lui donner une raclée. L'envie se fait
impérieuse, il serre les dents. S'il se laissait aller, ici, devant
tout le monde, ce serait sa fin. Au même moment, la cloche
sonne. Ils forment les rangs, deux par deux, vingt-sept paires
de gamins, Werner et Georg en tête, silencieux tout à coup,
main dans la main, Falk et Dieter parmi les derniers. Avec un
sourire de triomphe qui découvre ses affreuses dents, son voisin
l'observe de ses yeux jaunes, lui prend la main, moite malgré le
temps gris et froid. Ils entrent dans l'édifice, un-deux, un-deux,
comme l'exige le règlement.

Falk ne comprend pas ce que dit mademoiselle Volkmer, il
ne pense qu'à ce qui vient de se passer. Il lève la main, l'index

---

* Appellation sarroise des Lorrains et des Alsaciens dont l'étymologie est
douteuse. Il s'agit peut-être d'une déformation de *Wackerstein – Wagges,*
en dialecte –, pierres qu'on se lançait par-dessus la frontière.

en l'air : « Veuillez m'excuser un instant », formule officielle quand un élève sent le besoin d'aller aux cabinets. « Accordé », répond-elle. En longeant l'étroit couloir entre les bancs, on lui pince les mollets, l'arrière des cuisses. Les ongles s'enfoncent. Il court presque quand il franchit la porte.

Il s'enferme dans une cabine, ouvre la petite fenêtre en face de lui à cause de l'insupportable odeur, se soulage. Quand il a terminé, les larmes coulent, de dépit, de peur, de rage. Pleurer le calme. Il s'essuie le visage avec son mouchoir. Tous les matins, Claudine lui en donne un propre, blanc, parfaitement repassé et plié, qui sent légèrement la lavande. Ce parfum lui redonne de l'assurance. Au souvenir d'avoir brûlé le cahier de Henning ici même, des doigts en sang du frère, il sourit de satisfaction. Il faut se lever tôt pour l'attraper, lui, Falk, la main dans le sac.

Après avoir asséché son visage et épongé ses yeux, il retourne en classe, où mademoiselle l'accueille en souriant : « J'ai un devoir pour toi. Viens me voir après l'école. » Un murmure parcourt les bancs. « Silence ! Puisque Falk est bien plus avancé que vous, il vous lira demain une histoire que lui et moi allons travailler ensemble pendant quelques minutes. »

Le plancher ne s'ouvre pas, Falk ne dispose pas d'une cape ou d'une bague le rendant invisible comme dans les contes. Pour la première fois, il exècre mademoiselle. Du coin de la bouche et en découvrant ses dents encrassées de *ses* tranches de salami, Dieter murmure sur le ton du plus profond mépris : « Chouchou ! » Falk a du mal à maîtriser sa colère, il aurait aimé taper sur cette bête puante et la pousser hors du banc. Cependant, ses bagarres avec Henning lui ont appris à ne pas céder sous le coup de l'émotion. Mieux vaut attendre la bonne occasion et sauter sur l'adversaire quand il s'y attend le moins. Toutefois, l'insulte reste plantée sous sa peau, elle l'irrite comme une écharde, trop profondément enfoncée pour qu'il puisse la retirer. L'attitude de presque toute la classe, ses ennemis Werner et Georg en tête, lui semble résumée dans ce mépris. Que peut-il contre eux ? Ils vont faire de lui « de la viande hachée », expression favorite du père quand il s'apprête à tancer un de ses collaborateurs.

À ce moment précis, Falk prend une résolution. Il leur damera le pion et deviendra exactement ce qu'ils lui reprochent. Il est le premier de classe et fera tout pour le rester. Ils ne veulent pas de lui ? Tant pis pour eux. Ils le boudent ? Lui aussi sait croiser les bras et faire comme s'ils étaient de l'air. Qu'ils aillent se faire voir ! Il jouera avec qui il veut, quand il veut, où il veut !

Il a appris seul à chercher un mot dans le dictionnaire, « horizontale », par exemple. Il a lu tous les contes des frères Grimm, alors que les autres ne savent même pas qui sont ces Grimm. Tiens, Claudine sera un atout pour lui. À partir d'aujourd'hui, lui et elle parleront uniquement français. Jamais plus un mot d'allemand. Ainsi, il les dépassera, sans exception. Il leur donnera des raisons d'être jaloux. Bande de salauds ! Ils connaissent tout juste l'alphabet et transpirent sous l'effort quand mademoiselle donne une dictée, alors que lui peut compter ses fautes sur les doigts d'une main, et encore. Il n'est vulnérable que pendant la récréation et sur le chemin de l'école à la maison.

En ce moment, Falk a l'air d'un garçon en colère et déterminé à ne pas se laisser faire. Depuis quelques secondes, mademoiselle l'observe, lui pose une question qui le fait revenir sur terre. Il s'excuse et la prie de répéter la question. On est dans le calcul, les multiplications ; au moins, ici, les séances devant l'horrible tour sont payantes. Il ne commet pas une seule erreur et mérite une belle image sur laquelle sont dessinées des fleurs.

* * *

Le lendemain, au coin de la Scheidter Straße et de l'Ilsestraße, au bout de laquelle se trouve l'école, ils l'attendent, Werner, Georg, Dieter et sept ou huit autres. Ils l'entourent sans dire un mot et se pressent contre lui. Pendant un instant, Falk regrette de ne pas avoir emprunté le Neugrabenweg, parallèle à la Scheidter Straße, mais ce n'est pas le moment de penser à un meilleur moyen pour sauver sa peau. Ils vont le tabasser, c'est certain. Le *Härgeloffena* aura ce qu'il mérite. Il est poussé dans ce qui reste du jardin d'une maison dans l'Ernst-Wagner Weg, une rue étroite. Ici, il n'y a que des façades en brique jaune, aux fenêtres vides par lesquelles on voit le ciel. Derrière, se trouvent des monceaux de décombres. Personne n'y a encore touché, des poutres en bois à moitié calciné se mêlent à des grillages d'acier tordu, aux tuiles de céramique brisées, aux débris de meubles, aux matelas pourris. Une grande haie entoure le jardin. Au fond se dresse une remise, apparemment intacte. Georg en ouvre la porte, mais n'entre pas.

Falk recule jusqu'à la haie, il préfère ne pas avoir un de ces types dans son dos. Bonne tactique : ils lui font face. L'un d'eux, Günther, Bertold ou Otto, peu importe, fait un saut en avant, ce qui déclenche l'attaque générale. Dix contre un. Falk s'est défait de son cartable, qu'il a lancé sous la haie, un cadeau que son grand-père lui a envoyé. Il a les mains libres. Les coups commencent, il riposte. Au début, ils visent sa tête, sa poitrine. Quand il utilise les poings et distribue des coups de pied, il voit que plusieurs saignent : c'est qu'il a des chaussures solides, les semelles sont en cuir épais. Le tibia de l'un d'eux, Karl, la tête de carotte, est sérieusement entamé, il s'est recroquevillé à côté du tronc d'un arbre déraciné et se masse la jambe. Falk enregistre sa première victoire puis continue. Ses échanges de coups avec Henning le servent grandement. Il sent que sa colère vient d'atteindre la bonne température, comme dans les fours pour faire fondre le métal. Dans sa tête, il se répète qu'il va leur montrer « comment je m'appelle », « de quel esprit je suis l'enfant », expressions que le père utilise volontiers, ou encore « de quel bois je me chauffe ». Tous contre lui. Au moment où ils viennent si près qu'il ne peut presque plus bouger, il frappe dans une furie nourrie par la vue de ces visages rougis, déformés par la haine. Pendant quelques minutes, il réussit à les repousser, mais ils reviennent comme des chiens, silencieux et bavant. S'il avait un bâton, un bout de bois, une cravache, tiens, il leur taperait dessus comme l'avait fait le père. Le souvenir le fige pendant une seconde seulement. C'est là qu'ils lui tombent dessus, l'atteignent où ils peuvent, jusqu'à ce qu'il s'écroule et ne bouge plus. Avant de le quitter, ils lui donnent des coups de pied dans le dos, la poitrine, le ventre, la tête, les jambes. Werner prend une brique pleine de mortier, il la lui passe en appuyant sur le revers de la main. Après quoi, sous les cris des autres, il s'empare du cartable, le vide, casse l'ardoise, le plumier avec les stylos, déchire son bloc de papier à dessiner, brise les crayons de couleur, une rareté encore, cadeau de Claudine. Pour finir, ils jettent Falk dans la remise, ferment la porte et mettent le loquet. Ils ont tout planifié, jusqu'à lui arracher la peau avec la brique.

Ils s'en vont en courant, il ne faut pas être en retard. Passer à tabac leur camarade a pris une dizaine de minutes. Ceux dont les blessures ou le nez saignent se précipitent aux deux lavabos de l'école, se nettoient comme ils peuvent. Quand ils se présentent dans la cour, ils ont l'air à peu près convenable, sauf Karl, qui boitille. Dieter a la lèvre inférieure enflée, il va se cacher derrière Günther, qui n'a rien. De toute façon, mademoiselle n'interpelle pratiquement jamais Dieter. Elle demande si leur camarade est malade. Cinquante-trois paires d'yeux l'interrogent à leur tour. La leçon commence.

Falk arrive peu avant la récréation. Il n'est pas beau à voir.

Son œil gauche est presque fermé et noirâtre. Son visage est parsemé de blessures, comme des coupures. Quant à sa main droite – « qu'est-ce qui est arrivé à ta main, grand Dieu ? demande mademoiselle, toute pâle. Tu dois voir un médecin, immédiatement. Qu'est-ce qui s'est passé ? Qui t'a fait ça ? Je vais appeler chez toi, tout de suite ». Il secoue la tête. « Tes vêtements ! Seigneur, tu as été attaqué par des chiens ? » Il fait signe que oui. « Tu t'es défendu ? Tu n'as pas appelé à l'aide ? Pourquoi ? » Falk ne dit rien, se rend jusqu'à sa place, ouvre son cartable, le vide. Après le bruit des débris sur le plancher, on pourrait entendre tomber une aiguille. Dieter ne bouge pas, observe mademoiselle. « Tu t'es défendu avec ton cartable et tout s'est brisé, c'est cela ? Je vais alerter la police pour qu'elle arrête le propriétaire de la meute. Ils étaient combien ? Tu ne sais pas ? Tu ne te rappelles plus ? En tout cas, je te jure que les choses n'en resteront pas là. À l'avenir, tu ne viendras plus seul à l'école, tu as compris ? » La cloche sonne. « Je n'ai jamais vu une chose pareille ! Quelqu'un qui lâche ses chiens sur un enfant ! C'est criminel, criminel ! Il ira en prison, je vous promets qu'il ira en prison. Ah oui, la pause, allez-y. Et toi – elle désigne Falk –, tu viens avec moi à l'infirmerie. »

* * *

Seule Claudine saura ce qui s'est passé.

En rentrant, il a causé toute une commotion. Sa mère l'a emmené chez le médecin, qui les a référés à l'hôpital. Deux côtes et la clavicule droite fracturées, partout des ecchymoses, des plaies. Quand le médecin examine la main droite, il dit : « Ce n'est pas un chien qui t'a fait ça.

– Non.

– Un couteau, une bêche ?

– Une brique.

– Qui ? » Silence obstiné.

« Il peut recommencer si tu ne le dénonces pas.

– Je sais.

– Je vois. Tu ne veux ou ne peux pas me le dire. Je t'assure que ça restera entre toi et moi. »

Falk lui demande pendant combien de temps il doit porter ces bandes serrées autour de la poitrine et le bras droit dans une écharpe. « Deux semaines, peut-être trois. À ton âge, les os se ressoudent vite. Tu ne veux toujours pas me confier… ? »

Quand Falk revient une semaine plus tard à l'école, les traces de la raclée se détachent en rouge sur la peau de son visage, très pâle. Il a maigri et ne salue personne, même pas ceux qui l'aiment bien, ou font semblant. La classe le suit du regard, silencieuse. Avant d'entrer, il a parlé brièvement à mademoiselle. Comme d'habitude, dans la cour, en formant les rangées, il réintègre sa place à côté de Dieter, qui s'apprête à prendre la main gauche de Falk, comme d'habitude. Mais celui-ci la met dans sa poche et regarde droit devant lui.

Une fois tout le monde assis dans la salle, mademoiselle Volkmer dit : « Nous sommes soulagés de savoir que notre ami, attaqué par des chiens, va mieux. » En fait, elle ne dit pas *Hund,* mais *Köter,* terme fortement péjoratif en allemand, signifiant « clébard mité », ce qui sonne étrange dans sa bouche. « Malheureusement, nous n'avons pas encore trouvé le propriétaire de ces chiens, mais la police est informée. En attendant, Falk va nous lire une petite histoire de mon cru qu'il était censé vous présenter, juste avant… l'incident. »

111

Son bras droit dans l'écharpe fait de l'effet, le dos de sa main est couvert d'une mince peau rose. Comme toujours, il est bien habillé : culottes grises, chemise bleu clair aux extrémités du col effilées selon la mode, tricot assorti, chaussettes blanches, chaussures impeccables. Sur les jambes, des sparadraps, et un bandage au-dessus du genou gauche. Il jette un regard sur les cinquante-trois têtes et mademoiselle, qui s'appuie sur le mur du fond. La voix claire de Falk s'élève :

« Un garçon de votre âge et son grand-père se sont cachés pendant cinq ans dans le grenier d'une propriété appartenant à un ami de la famille. Elle se trouve à Faulquemont, près de Saint-Avold, à quelques kilomètres d'ici... »

Il connaît le texte par cœur. De temps en temps, il baisse les yeux pour vérifier s'il n'a rien oublié. Tout le monde le fixe ; pendant un long moment, il ressent l'intensité de la centaine d'yeux comme une menace. Les cicatrices sur les jambes se réveillent, il manque d'air, la feuille dans la main gauche commence à trembler. Jusqu'à l'instant où il voit Werner, assis à côté de Georg dans la rangée du centre, quatrième banc, qui lui tire la langue, louche, fouille dans son nez, bâille, grimace. Falk baisse la feuille, fixe l'ennemi, fronce les sourcils, serre les dents. L'autre arrête son manège, le silence est trop long et, intriguée, mademoiselle pourrait surgir à côté de lui. Falk poursuit :

« ... Le proverbe dit : *L'ami sûr se révèle dans l'incertitude.* En ces temps difficiles, il faut s'entraider. Vous n'avez qu'à regarder notre ville pour savoir que les guerres font sortir la bête chez l'être humain. »

Mademoiselle arrive du fond de la classe, remercie Falk d'avoir si bien lu, le laisse retourner à sa place. « Cette histoire sur des réfugiés que des Lorrains ont accueillis est vraie. Je l'ai résumée pour vous. Avec leur aide, nous allons reconstruire notre ville, elle sera plus belle et plus moderne qu'avant les

bombes et l'incendie. Qui d'entre vous n'a plus de maison ? »
Une vingtaine de mains se lèvent. « Où vivez-vous ? » Les
uns chez des voisins, d'autres ont loué et mis en état un vieil
appartement, d'autres encore vivent dans un abri temporaire,
et l'un campe avec sa famille dans les loges du théâtre. « Il
n'y a pas de fenêtres, mais le soir, on joue dans les couloirs,
c'est extra », raconte-t-il. Werner regarde par la fenêtre.
Mademoiselle lui demande : « Et toi ? » Il hausse les épaules :
« Comme avant, au-dessus de l'épicerie Dietrich. Une bombe
leur aurait fait du bien. Les… cabinets sont au fond de la cour. »
Rires dans la salle. « C'est pas drôle. En été, ça pue, il y a plein
de mouches, pire que les chiottes de l'école. Essayez pour voir,
vous ne rirez plus. »

Depuis ce jour, les membres de la meute évitent tout contact
avec Falk, s'écartent dès qu'il arrive. Pour ses jeux, il choisit
avec soin ceux qui se prêtent volontiers à ses scénarios, issus
de contes allemands ou français.

Pendant le reste de son passage à l'école primaire, il n'adressera plus la parole à aucun de ceux qui l'avaient enfermé,
inconscient, dans la remise derrière la maison aux fenêtres vides.

Depuis l'arrivée de Claudine, il n'y a pas eu de moments où
le père aurait pu le battre, car elle est toujours là, ou presque.
Elle sort faire les courses tôt le matin. Les après-midi, le frère
part vers trois heures et demie pour vagabonder avec sa bande.
Falk donne rendez-vous aux « siens » – ils ne sont pas plus que
trois ou quatre – avant l'arrivée de la Citroën noire. Souvent,
ils se retirent dans le vaste espace du grenier et continuent à
explorer les mansardes. Là, ils inventent et jouent des pièces
de théâtre de leur cru. Mechthild a voulu se joindre à eux, elle
n'a pas abandonné son rêve d'un Falk chevalier. Mais lui et
ses camarades la trouvent trop jeune. Après un temps, elle ne
vient plus.

Quand ils sont prêts à partir, un petit goûter les attend, du pouding, une tranche de tarte, un fruit. Claudine est devenue presque une amie pour la mère, même si elle est son employée. Peu à peu, Henning et Falk s'habituent à accompagner la « bonne » – personne ne l'appelle ainsi à la maison, sauf les visiteurs, les voisins – à la cuisine. « J'appartiens à la dernière génération qui peut se payer encore le luxe d'employer du personnel, leur répète la mère. Je suis nulle aux fourneaux ! Vous rappelez-vous mes biscuits de Noël ? Qui ne sont mangeables qu'à Pâques ? Voilà ce qui arrive quand on ne s'est jamais intéressé à la préparation d'un plat. Apprenez ce qu'il me manque, vous me remercierez plus tard. Pour moi, c'est sans espoir, et j'aurais trop honte devant Claudine. »

Le père ne se mêle plus de l'éducation de ses enfants, c'est du moins ce qu'il dit. Aussi est-il étonné quand Henning lui apporte une omelette au jambon et aux herbes fraîches. Il la trouve bonne, mais doute qu'un jour ses fils aient besoin de cuisiner : « D'abord, ils seront mariés et leur femme préparera les repas. Dans le cas contraire, l'Allemagne dispose de six cents sortes de charcuteries et de trois cents variétés de pain. De quoi se nourrir, non ? Et nous avons déjà autant de fruits que nous voulons, en provenance des départements français d'outre-mer. »

Vacances d'amour

Pour exprimer l'acte de franchir la frontière de l'Allemagne, on dit *nach drüben fahren,* « aller de l'autre côté ». C'est pendant l'été de 1948 que Falk foule pour la première fois « le sol du Reich », comme l'appelle encore le père, en compagnie de sa mère qui s'est procuré des billets pour Wiesbaden. Henning ne peut pas les accompagner : « La maison de ton grand-père est trop endommagée pour que tu viennes, toi aussi. Ce sera pour une autre fois, dans deux ou trois ans. Il faut en reconstruire toute une partie. » Le père s'est dit heureux de passer un mois en compagnie de Claudine, « incomparable cuisinière et gouvernante exemplaire », ainsi que de son aîné : « On s'entend bien, lui et moi. Ne te fais pas de soucis, va chez ton père, et salue-le de ma part. »

Anne a rempli sa valise de toutes sortes de bonnes choses que les Allemands n'ont pas encore : conserves de foie gras truffé ou au cognac, jambon de Bayonne, salami, bouteilles de bourgogne que monsieur Süter affectionne, quelques livres d'auteurs français, Bost, Morand, Bove (ce dernier est un de ses écrivains favoris, mort quelques mois après la fin de la guerre), chocolat, thé et plusieurs presse-papiers de Baccarat pour la gouvernante de son père, des objets d'une exquise délicatesse. Tout a été enveloppé dans les vêtements pour éviter les chocs. Peu avant Trier (Trèves en français), le train s'arrête, des douaniers fouillent les bagages des passagers. Ils parlent en dialecte, prononcent « Saarbrigge » et « Frong » pour « Franc ».

À Trèves, il faut changer de train. Le porteur demande : « Mais qu'est-ce que vous avez mis dans votre valise ? Du plomb ? » Celui de Coblence fera la même remarque ainsi que son confrère de Wiesbaden.

Pour Falk, voyager est un rêve. D'abord, il a la mère pour lui seul ; il n'y a pas d'autres voyageurs dans le compartiment. Assis en face l'un de l'autre, ils occupent les places à côté de la fenêtre. En première classe, on entend à peine le bruit des roues, l'épais velours rayé étouffe le bruit. Les sièges moelleux, larges, la moquette sur le plancher, l'espace généreux entre les deux rangées de fauteuils, la tablette escamotable, les appuis-tête réglables, tout invite à la détente et au sentiment de sécurité. Quand les contrôleurs entrent pour vérifier les billets, ils sourient poliment avant de demander les documents de voyage, sortent en s'inclinant devant la belle dame blonde et son fils. De jeunes hommes en livrée passent régulièrement : « Thé, café, limonade, eau minérale, petits pains au jambon, au fromage ? » Ils s'excusent qu'il n'y ait pas encore de wagon-restaurant.

De Trèves à Coblence, les paysages de la Moselle éblouissent Falk. À tout moment, il découvre de nouvelles forteresses. Seul le château de Cochem est demeuré intact, et la mère lui promet d'aller le visiter un jour, avec lui. Il lui demande pourquoi il n'y a que des ruines. « Quand les troupes françaises ont occupé la rive gauche du Rhin, qu'elles considéraient comme la frontière naturelle entre la France et l'Empire germanique, elles ont suivi les ordres de Louis XIV. Pour les Allemands, ce roi a été la plus grande calamité, si on exclut Napoléon Ier et Hitler, bien entendu. Les Français ont ravagé les régions de la Moselle, du Rhin, ils ont même brûlé le château et la ville de Heidelberg. »

À la gare de Coblence, un triste bâtiment vétuste en grès rougeâtre, ils mangent vite et mal. Sur une colline derrière eux se dressent les vestiges de la citadelle. « C'était une jolie ville, dit-elle. Dans un parc au confluent de la Moselle et du Rhin, se trouvait un ensemble de statues d'un style assez… pompier, tu sais, aux poses de mauvais acteurs. Il a été détruit, m'a-t-on dit. De toute façon, c'était une horreur du temps du dernier empereur, Guillaume II, un parfait imbécile qui a jeté, lui aussi, l'Allemagne dans l'abîme. L'un stupide, l'autre fou. Et chaque fois, le peuple suit, bien dressé comme une bête de cirque, habitué à respecter les ordres et la hiérarchie, aveugle devant les erreurs, crédule devant le mensonge. C'est à se demander pourquoi Dieu punit les Allemands si durement. Au cas où il existe, Dieu. Je n'en suis pas convaincue. »

Falk lui jette un regard étonné qu'elle ne remarque pas. À l'école, mademoiselle a appris le *Pater* à ceux qui ne le savaient pas encore, tant en allemand qu'en français. Elle leur a dit que, s'ils ont un grand souci, ils peuvent demander à Dieu de les aider, et prier Jésus, Marie, Joseph ainsi que le Saint-Esprit d'intervenir en leur faveur auprès de Dieu, le Père tout-puissant. C'était au début du carême. « Ne demandez pas l'impossible, comme si vous vouliez vivre au pays de cocagne où tout vous tomberait rôti dans le bec ! » Werner, Georg et les autres n'avaient pas encore ourdi leur complot contre Falk. Celui-ci s'était agenouillé devant son lit, comme le fait Henning tous les soirs, et avait demandé à Dieu que son père ait un emploi l'éloignant pour toujours de la maison. En demandant cela, il s'était trouvé merveilleusement magnanime. L'année précédente, il avait souhaité ardemment que le père mourût lentement, souffrant des douleurs pires que celles qu'il avait endurées, sous la cravache, les coups du majeur, les innombrables gifles. Mademoiselle leur avait également raconté qu'après la mort, une méchante personne se voyait tout de suite expédiée en enfer où les démons s'occupaient d'elle, ou plutôt de son âme. Conformément aux péchés commis, ils la tortureraient éternellement. Cela lui avait grandement plu. Il sait comment mesurer l'éternité : si un oiseau venait tous les cent ans sur un énorme diamant de la taille d'une montagne et y aiguisait son bec, quand la montagne serait réduite à rien, une seconde de l'éternité viendrait de s'écouler. C'est dans un conte qu'il a lu ça.

Pendant qu'ils roulent en direction de Wiesbaden, il répète à sa mère les dires de mademoiselle et lui demande si c'est vrai, l'enfer et les tortures. « Au lieu de me poser ce genre de questions, tu ferais mieux de regarder les vignobles de la vallée du Rhin, répond-elle. Je n'ai jamais vu Dieu ni une âme, je ne crois pas aux fantômes ni aux visions. Ce sont des choses inventées par des humains qui ont besoin de béquilles pour vivre. Il se peut que Dieu se trouve dans tout. Je connais plusieurs civilisations qui tendent vers ce principe. Mais le Dieu de la Bible et moi, nous nous évitons. Cela ne devrait pas t'empêcher de croire en Dieu, si tu en as besoin. » Falk n'est pas satisfait, sa mère vient de s'esquiver, car elle assiste à la messe tous les dimanches avec le père, alors que Henning et lui vont à la messe suivante.

La gare de Wiesbaden est aussi poussiéreuse, brune, déprimante, vieille et décrépite que celles de Coblence, de Trèves et de Saarbrücken. Partout, les locomotives à vapeur, nourries de charbon, encrassent les vitres, les pierres, les bancs. La suie est omniprésente, on respire mal, c'est pire qu'à Burbach, le faubourg où se trouvent les hauts fourneaux crachant des tonnes et des tonnes de saletés dans l'air. Pendant la nuit, il voit les gerbes de feu monter des convertisseurs Thomas – tout le monde en Sarre sait ce que c'est, même si peu ont assisté au moment où l'on verse le fer et l'acier à l'état liquide dans les formes. « L'enfer, c'est ça », s'était-il dit. Une chaleur intenable. Les rails des chemins de fer viennent de la Sarre ou de la Ruhr. Il ne peut s'empêcher de ressentir une fierté certaine en pensant qu'ils roulent sur ce que les pères de ses camarades ont fabriqué.

Ils sont attendus par le grand-père. « Te voilà enfin ! dit-il au petit-fils, après avoir embrassé sa fille. Je te connais par quelques photos prises avec ton parrain, alors que tu n'étais qu'un poupon, et par les rares informations que me donne ta maman quand elle trouve le temps de m'appeler. Tu devrais te faire photographier tous les deux mois, je ne t'aurais pas reconnu, tu as tellement grandi ! » Falk l'écoute. Ce ne sont pas tant les mots qui le surprennent que le rythme, la mélodie des phrases qui chantent, l'accent rhénan, avec les *l* mouillés qui semblent écraser un praliné contre le palais, les fins de mots avalées, ce qui le porte à rire. C'est un homme grand, de forte carrure, au visage rougeaud. Il porte bien son embonpoint. Ses cheveux blonds aux mèches blanches sont soigneusement entretenus. L'élégant complet est froissé, taillé dans un tissu clair, assorti d'une chemise bleu pâle, et il porte, malgré la chaleur, une cravate noire. Il se penche et embrasse sa fille encore, ensuite son petit-fils qui n'aime pas l'odeur de cigarette lui rappelant son père. Il regarde les dents de l'homme. Elles sont grandes, fortes, parfaitement blanches. En même temps, il remarque les mains étonnamment délicates, aux doigts fins, aux ongles soignés. Sa première impression du grand-père est celle d'un vieillard agréable, pas trop repoussant – il a en horreur les mains parcourues de veines bleues, couvertes de duvet ou d'une peau rêche ressemblant à celle d'un poisson. Il le trouve même amusant et aime sa façon de parler rapidement, comme si rien n'avait d'importance.

En quittant la gare, le grand-père achète un journal ainsi qu'une rose jaune qu'il offre à sa fille : « Le jardin est complètement fichu, il n'y a que des fleurs ordinaires, toutes les roses sont mortes l'hiver dernier. Il a gelé à pierre fendre. » Il hèle un taxi. « Galileistraße, s'il vous plaît. Je vous suggère de suivre la Rheinstraße, ensuite la Platterstraße. Longez le vieux cimetière, je vous dirai quand tourner à droite. Arrêtez-vous dès que vous voyez l'église russe, d'accord ? » La Mercedes grise, aux ailes courbées, le modèle préféré des nazis, s'ébranle. Ils quittent le centre-ville, s'engagent sur une route dont les nombreux virages provoquent des nausées chez Falk, assis sur la banquette arrière, entre sa mère et son grand-père. « On arrive », dit ce dernier pendant qu'ils montent le flanc d'une haute colline.

Le chauffeur arrête devant une villa entourée d'arbres. Il ouvre la portière du côté de la mère, l'aide à descendre et dépose sa valise devant la porte d'entrée. Il remercie le grand-père en s'inclinant profondément, remet sa casquette et part. Sur le couvercle en laiton de la boîte aux lettres est gravé dans une belle calligraphie gothique « Arno Süter* ». Falk est fier de pouvoir déchiffrer les caractères.

Le garçon est impressionné par les dimensions de la maison, plus grande que la leur. Il prend la main de sa mère et s'avance lentement. Ils entrent dans un vaste hall au carrelage en marbre noir et blanc, comme un jeu d'échecs, duquel part un escalier en bois rouge foncé. Une petite femme assez âgée surgit, en robe de coton fleuri et tablier blanc. « Bonjour, bonjour, madame Bachmann, absolument ravie de vous voir de retour !

---

* Le prénom vient d'*Arnulf,* une combinaison d'« aigle » et de « loup ».

Comme votre fils ressemble à monsieur Reinhardt, incroyable, monsieur Süter. Beau comme tout. Rappelez-moi son nom, je vous prie. » Le grand-père ouvre la porte du salon : « Falk. Pense à la chasse au faucon, le sport préféré des nobles au Moyen-Âge. Maintenant, pourrais-tu nous apporter de quoi nous sustenter à la bibliothèque ? Ce jeune homme meurt de faim, j'en suis certain. » La mère, faussement sévère : « Paschenny, ne m'appelle plus jamais madame, ni Bachmann, tu m'entends ? Ce sera comme toujours, laisse les formalités. Lui, c'est mon fils, pas l'empereur de Chine. Sinon, je dois te donner du comtesse. Ce serait ridicule, non ? Tu m'as donné la fessée dans le temps. »

Dans le visage ridé de la femme, les yeux brillent. Elle disparaît dans un couloir à côté de l'escalier. Falk pense que ce serait chouette s'il s'appelait comme le grand-père, il n'a jamais aimé Bachmann, signifiant l'« homme du ruisseau », un nom banal comme Berger, Grünstetten, Warken, Blumberg ou Lindauer, qui tous signifient quelque chose, mais Süter, c'est un nom à part, personne ne pourrait se moquer de Süter. Ils traversent le salon, grande pièce où sont disposés sofas et divans sur des tapis persans. Il y a des portraits, des artéfacts qu'il n'a pas le temps de regarder en détail. Au-dessus de la cheminée, un grand tableau d'où une dame habillée d'une longue robe bleu nuit l'observe d'un œil amusé. Ils passent par une salle à manger austère, aux meubles sombres. Le grand-père ouvre une porte en verre dépoli. Ils entrent dans la bibliothèque, qui donne sur l'arrière de la maison. La pièce est vaste, les murs sont entièrement couverts de rayons remplis de livres. La lumière du soir pénètre par la porte-fenêtre devant laquelle s'agitent des rideaux en tulle. Paschenny a mis la table pour un souper froid : verres, tasses, assiettes, serviettes, plats de service avec du jambon, du salami, du fromage, des fruits, une corbeille contenant du pain de seigle ainsi que du *Pumpernickel*, un pain dense et très noir dont Falk reconnaît immédiatement l'odeur sucrée. « Avez-vous besoin d'autre chose, monsieur ? » demande-t-elle en français. Arno Süter répond dans la même langue : « Merci. Ça ira, je crois. Pour le thé, je te ferai signe. Et attention, mon petit-fils parle le français aussi bien que toi et moi. »

Falk a droit à un doigt de vin blanc. Il ne dit pas que Claudine lui en a déjà versé, en cachette. Le pain est lourd et pas très bon, le jambon plein d'eau et gras. Cependant, il avale deux tartines. Il trouve étrange qu'en Allemagne, on mange du pain et de la charcuterie le soir. À la maison, ils prennent deux repas chauds par jour, ce qui ne se fait cependant pas chez toutes les familles sarroises. Certains camarades lui ont dit qu'ils ne mangent chaud que le dimanche et, parfois, le samedi. C'est que leur père est mort ou porté disparu ou encore emprisonné en Sibérie. La mère travaille et n'est pas de retour quand l'école est terminée. On les appelle *Schlüsselkinder,* des enfants portant la clé de l'appartement au cou. Personne ne supervise leurs travaux scolaires ni ce qu'ils font de leur temps libre. En grignotant, Falk se demande pourquoi sa mère a menti à Henning : la maison n'a pas été bombardée, elle lui semble si spacieuse que plusieurs familles pourraient y loger. Avant tout, il est étonné que son grand-père vive avec cette drôle de femme. Quand ils ont terminé le repas, elle apparaît comme par enchantement. Falk croit qu'elle les observe par un trou dans le mur de la bibliothèque. Il y a tellement de livres et de menus objets dans la pièce qu'il doit être facile de pratiquer quelque part une ouverture pour les espionner. Elle dessert, revient avec du thé et une tisane pour Falk.

En juillet, la nuit ne tombe que vers onze heures du soir. Une brise tiède passe par les fenêtres. Un merle livre à son rival un duel musical à couper le souffle. Le grand-père demande : « Veux-tu que je te montre ta chambre ? Paschenny et ta mère ont des choses à se raconter. Tu dois la trouver drôle, notre Paschenny. C'est une authentique comtesse qui a fui les bolcheviks en 1917, lors de la Révolution russe. Ils ont fusillé toute sa famille, elle a été la seule à se sauver. Mon père l'a engagée alors qu'elle ne savait rien faire. Mais elle a appris et n'arrête pas de la journée. Elle prétend que tout ce travail la garde en forme… »

En haut de l'escalier, qui les mène à une pièce ouverte, Falk aperçoit d'autres portraits. « Encore des Süter, et quelques membres du clan Krupp. Nous sommes originaires de Westphalie. Mon grand-père a travaillé aux côtés d'Alfred Krupp, le fils du fondateur de la dynastie devenue immensément riche et influente. Du coup, mon aïeul a fait fortune, lui aussi. Fer, acier, paquebots, ingénierie, industrie lourde, tout ça. Et mon paternel a continué, alors que moi, j'ai travaillé comme conseiller en mécanique, moteurs de toutes sortes. Je me suis retiré des affaires au début de la guerre, qui m'a toujours parue insensée, fomentée par… *cet homme.*

« Tu crois que la maison est grande ? Ce n'est rien à côté d'autres villas que tu verras dans les environs, de vrais châteaux. Les Romains ont découvert des quantités de sources chaudes ici. J'aime beaucoup le paysage, il y a des forêts à perte de vue. Le climat doux a attiré des aristocrates russes, des artistes des quatre coins du monde, et même le dernier empereur, Guillaume II. Un vrai désastre, celui-là, mais pas le mal incarné de l'autre – excuse-moi, je ne prononce jamais son nom, j'en suis incapable.

« Mais je parle, je parle, comme si j'étais un guide touristique. Demain, nous irons en ville voir la Kochbrunnen, une source qui mérite bien son nom, parce que l'eau, qui coule d'une fontaine, est bouillante. Son goût est affreux. Moi, je préfère le vin, mais toi, tu peux essayer l'eau de cette source-là. »

Ils longent le couloir, le grand-père ouvre une porte : « Ta chambre. J'espère qu'elle te plaira. » Après une pause, il ajoute :

« C'était la chambre de ton parrain. Anne t'a sans doute montré des photos.

– C'est beau ici ! dit Falk. J'aime beaucoup.

– Tu peux aller chercher ton havresac et t'installer comme tu veux. Prends une douche, mets des vêtements propres et viens nous rejoindre à la bibliothèque dans un quart d'heure. C'est plus intime qu'au salon. À tout de suite ! »

Havresac ! Il a vraiment dit « havresac », comme si son petit-fils était un soldat en permission.

Falk sort dans le corridor et découvre des chambres, dont une avec un lit tout simple, des étagères remplies de livres, un bric-à-brac d'artéfacts anciens. Ce doit être celle de sa mère. Il voit qu'elle a sa propre salle de bains. De retour chez lui, il est ravi de constater que lui aussi en a une, carrelée de vert tendre. En tirant le rideau autour de la baignoire dotée de pieds de lion dorés, il se dit qu'il aimerait rester ici pour toujours et oublier Saarbrücken. Il n'aurait aucun regret de ne plus revoir ni Henning ni le père, ils peuvent aller au diable. Le grand-père est gentil comme tout, il parle beaucoup et avec un drôle d'accent. Après la douche, le garçon fait vite : l'eau a été délicieusement tiède, le savon sent bon, la serviette est douce. Il rentre dans la chambre et voit sur la commode plusieurs photos encadrées : son parrain en tenue militaire, sa mère et Reinhardt, qui rient, pliés en deux. Il ne l'a jamais vue rire ainsi. D'autres clichés montrent toute la famille sur des chemins enneigés, avec des montagnes en arrière-plan, ou encore au bord de la mer assis dans des transats en forme de corbeille, sur une immense plage. En dessous, il peut lire : *Timmendorfer Strand, Ostsee, Sommer 1929*. Il est frappé par la ressemblance de sa mère et de son parrain. Sur l'une des photos, il croit se voir, lui. C'est presque une blague : les mêmes yeux mi-clos, perdus dans un rêve, les lèvres boudeuses, le nez droit et légèrement retroussé, les cheveux bouclés, blond clair. Falk s'assied sur le bord du lit et s'imprègne de chaque détail. Quand on l'appelle d'en bas, il revient à la réalité : « J'arrive ! »

Il descend quatre à quatre l'escalier, file droit à la bibliothèque. « Doucement », dit le grand-père. Il se tourne vers sa fille : « Quel bonheur d'entendre ce bruit, comme si une équipe de foot déboulait ! » Une bouteille de vin blanc rafraîchit dans un seau d'eau glacée. Pour Falk, il y a de la limonade, qu'il boit lentement. Les trois adultes se tutoient, le grand-père décrète que son petit-fils devra l'appeler par son prénom, comme l'avaient fait Anne et Reinhardt avec lui et leur mère, Mathilde. Ce soir, Falk se contente de les écouter ; bientôt, ils ont presque oublié sa présence. La conversation tourne autour des bombardements du centre-ville, de la famine et des deux derniers hivers. « Comme partout ailleurs, on m'a vendu des *Dachhasen,* des « lapins de toit », autrement dit de la viande de chat, raconte Paschenny. C'était infâme, j'aime tellement les petits félins ! » Le grand-père a été incapable d'entreprendre des razzias dans les campagnes hessoise et rhénane. Privé de son automobile, confisquée par l'armée, et trop fier pour marchander avec les paysans, il s'était complètement remis entre les mains de sa gouvernante-bonne-à-tout-faire. « Sans elle, je serais mort de faim », répète-t-il plusieurs fois. Anne ouvre un album et leur montre les clichés du photographe ambulant. Arno prend une loupe et examine longuement chaque image, passe le volume à Paschenny, qui le remet avec un soupir à Anne. « Tu nous a apporté des choses extraordinaires. Cela va nous durer des mois ! » Anne raconte comment elle a fait pour survivre. « Heureusement que tu n'as pas perdu ton piano ! dit Arno. Celui de Gabriel était un droit, tu m'as dit ? J'aimais beaucoup la sonorité de ton petit Steinweg. Tu joues encore, j'espère ? Et toi, Falk, aimes-tu la musique ? Il y a un Pleyel au salon… »

Au début, le garçon a du mal à tutoyer son grand-père et à l'appeler par son prénom. Quand il retombe dans le « monsieur Süter », cela provoque l'hilarité, sauf chez sa mère. Elle leur demande de se mettre à la place d'un enfant de sept ans qui vient d'arriver dans une ville inconnue, un autre pays, qui voit pour la première fois son grand-père et la gouvernante, sa vieille nounou.

À dix heures et demie, le merle a terminé son concert. « Prodigieuse, cette voix, dit Arno à Falk. As-tu remarqué qu'il n'a pas répété une seule fois la même roulade ? Je les adore, les merles, davantage que les rossignols. Maintenant, au lit tout le monde, vous devez être fourbus, vous deux, et demain, nous avons un programme chargé pour notre jeune homme. »

De retour dans la chambre, Falk reprend l'examen des photos. Dommage qu'il ne lui reste pas le moindre souvenir de Reinhardt, il aurait beaucoup aimé le connaître.

La chambre est divisée en deux parties : à gauche se trouvent un lit simple assez bas, une table de chevet couverte de revues d'architecture, une chaise et un drôle de cintre sur pied, comprenant des dispositifs pour le pantalon, la veste et la cravate. En tirant un long rideau blanc, il distingue à peine le bureau de l'autre côté, au dessus en cuir légèrement incliné, le fauteuil et les deux murs formant angle, couverts de rayonnages chargés de livres et de cahiers de dessin. Partout, le même bois clair. De l'ensemble se dégage une impression de confort et de luxe, accentuée par un petit tapis oriental aux couleurs fanées. Falk enfile son pyjama, se brosse les dents et se couche.

* * *

Paschenny a du mal à le réveiller. Il est dix heures passées.
«Tu en as besoin, on dirait. Ce soir, il faudra te coucher tôt.
Arno est au jardin, à faire de l'exercice en arrachant des
mauvaises herbes. À huit heures, Anne a pris l'autobus pour
le centre, moi, je suis levée depuis six heures alors que toi, tu
fais la grasse matinée! Debout, jeune homme! l'heure du petit-
déjeuner est passée! Si tu ne te lèves pas, tu n'auras qu'un lunch
léger – elle prononce *lonche* –, et avec tout ce que tu dois voir
à Wiesbaden, tu reviendras sur les rotules, garanti.»

Il a honte, mais le lit est tellement confortable et accueillant,
si différent du sien à Saarbrücken, qu'il s'étire longuement avant
de passer à la salle de bains. Comme d'habitude, il se peigne
soigneusement, se brosse les dents en se disant qu'il aura du
mal à appeler sa mère «Anne», et que diront le père, Henning
et Claudine de cette nouveauté? Cela sonne drôle quand ils
s'adressent entre eux par leurs prénoms, excepté la gouvernante.
«Paschenny» lui va très bien, ce serait bizarre de s'adresser à
elle en disant «Catherine», personne ne sait pourquoi. Comme
c'était l'usage dans l'aristocratie russe, le français était sa
première langue, le russe la seconde, l'allemand ensuite. Mais
elle parle aussi l'anglais, l'italien et l'espagnol. D'un attaché
culturel elle a appris le suédois; il l'aurait courtisée pendant
deux ans avant l'arrivée des bolcheviks.

Falk choisit la chemise à petits carreaux verts et blancs,
sa préférée, nettoie ses chaussures avec du papier hygiénique
et descend. Dans le hall, il croise Arno, qui lève la main,
forme un *o* avec le pouce et l'index en guise d'appréciation,
l'accompagne à la cuisine où attend un verre de lait frais. «Nous
mangeons léger à midi, dit-il, pendant que la comtesse s'affaire
devant l'évier. Sinon, on perd trop d'énergie à digérer par cette

chaleur. Et n'oublie pas la Kochbrunnen, qui est brûlante, elle aussi. Anne voit ses copines d'université, un cercle fermé auquel même moi je n'ai pas accès. Chaque fois qu'elles se rencontrent, c'est le grand mystère : où se réunissent-elles, qui viendra, quel sera le sujet de leur discussion. Ta mère est une drôle de femme ! »

Le *lonche* est pris sur la terrasse, à l'ombre. Le jardin est plus petit que ceux alentour. Devant la villa d'Arno, la pelouse est bordée d'hémérocalles orange vif. Une importante section de la partie arrière a été transformée en potager : « Nous avons récolté nos propres pommes de terre ! dit Paschenny. Et des choux, des raves, des carottes, des herbes. Arno n'a pas pu aider, il est spécialisé dans toutes sortes de moteurs, pas dans le jardinage, mais moi, j'ai le pouce vert. » Devant Falk, il y a un œuf mollet, des petits pains, du beurre, quelques tranches de viandes froides, des raisins, de l'eau minérale. Quand il a terminé son repas, Arno claironne : « En avant, l'aventure ! »

D'abord, il emmène son petit-fils sur la *Schlossplatz* voir la vieille mairie et la nouvelle, le palais des ducs de Nassau, occupé par Guillaume II quand il résidait à Wiesbaden, puis la Wilhelmstraße avec ses célèbres boutiques dont les propriétaires tentent de maintenir leur renommée d'avant-guerre. À proximité de la villa Söhnlein, un énorme édifice donnant l'impression d'avoir été dessiné par l'architecte de la Maison Blanche, à Washington, Arno entre avec Falk dans une bijouterie. La propriétaire, une dame sans âge, leur accorde un large sourire. « Auriez-vous quelque chose d'intéressant pour mon petit-fils, madame Freitag ? Un souvenir, pas grand-chose, un bracelet, peut-être, qu'il pourra porter plus tard. » Elle quitte les vitrines et s'approche de Falk, lui prend la main. « Oh, monsieur Süter ! La ressemblance, les mêmes attaches que… Pardonnez-moi, je n'aurais pas dû… » Arno secoue la tête. « Cela ne fait rien. Je me suis dit la même chose en le voyant. C'est extraordinaire, tout de même. »

La dame se tourne, on l'entend inspirer profondément. Elle se penche, sort quelques boîtes d'un tiroir, les ouvre. « Crois-tu pouvoir attendre encore dix, onze ans, garder le secret, cacher le bijou et ne le regarder que lorsque tu seras seul chez toi ? Je voudrais t'offrir ceci. » D'un coffret, Arno vient de sortir un bracelet en or dépoli dont chaque maille est sertie d'un saphir bleu, presque noir, émettant des éclairs. En hésitant, Falk le prend dans sa main. Le bijou est lourd, lisse, flexible, à la fois discret et séduisant. « Maman, pardon, Anne ne voudra pas. Et si le père le voyait, il le confisquerait. Henning me dirait des méchancetés, je le sais. C'est difficile à cacher. Chez nous, aucun tiroir ne doit être fermé à clé, sauf ceux des parents. » Arno l'observe en souriant. « J'en parlerai à Anne. Ce sera *ton* bijou qui te vient de *sa* famille, d'accord ? Tu l'aimes vraiment ? » Falk ne répond pas, regarde Arno. Cette fichue boule vient de lui monter dans la gorge, il veut remercier son grand-père, mais c'est raté, ses yeux sont déjà mouillés. Alors il hoche rapidement la tête qu'il détourne aussitôt. La bijoutière fait comme si elle n'avait rien vu, mais gratifie Arno d'un sourire entendu, emballe l'écrin pendant que le grand-père libelle un chèque, remet le petit paquet au garçon et lui demande de bien prendre soin de ce beau cadeau. Quand ils sortent, Falk a repris contenance. En s'éloignant de la boutique, et malgré la chaleur, il glisse sa main dans celle du grand-père, la serre et murmure « merci, je l'aime vraiment beaucoup ». Il ne sait pas si Arno l'a entendu. Il continue à regarder droit devant lui. Falk pense que oui, car il se racle la gorge.

Ils se promènent à l'ombre de l'interminable enfilade de colonnes, derrière lesquelles se trouvent les thermes, d'un faste fin de siècle qui amuse l'un et laisse l'autre bouche bée, le théâtre, le pavillon avec la Kochbrunnen, où Falk boit et déteste son premier verre des eaux miraculeuses de Wiesbaden. Sa grimace déclenche le rire d'Arno, qui lui offre une limonade et une des célèbres pâtisseries de la Kurhaus. À quatre heures de l'après-midi, la salle fleure bon le café, le chocolat, la vanille, avec des arômes d'alcools. Pour terminer la journée, un taxi les mène sur les hauteurs du Neroberg (bien que l'empereur ait peu fait pour mériter que la montagne porte son nom), d'où la vue sur la ville et les collines demeure imprenable. « À ta prochaine visite, j'aurai une voiture, le même modèle que le taxi d'hier. Qualité d'avant la guerre, indestructible ou presque. » Ils terminent l'après-midi devant les portes closes de l'église russe. « Ce sera pour une autre fois. Elle se trouve ici depuis presque cent ans, ne t'en fais pas, tu la verras autant de fois que tu le veux. »

Arno et Falk deviennent inséparables. Le grand-père est d'une patience d'ange, répond à toutes les questions, explique longuement, traite l'enfant avec le sérieux qu'il accorde aux adultes tout en demeurant drôle, ironique, avec un regard distant sur sa propre vie. Ils ne parlent jamais de la date de retour en Sarre et de leur séparation. Par contre, Falk apprend beaucoup de choses sur Anne et sur son parrain. Le plaisir que prenait ce dernier à dessiner des édifices, à étudier en compagnie de son père les ruines des forteresses sur les bords du Rhin, de la Moselle et du Main, son départ pour l'université de Hambourg, puis sa deuxième année en architecture à Bonn, son dégoût pour les mises en scène de Speer, l'architecte favori de *cet homme,* dégoût partagé par sa sœur. « Reinhardt avait le feu sacré pour cette profession. Toutes ses maquettes sont emballées dans des cartons et entreposées au grenier. Je ne peux pas les détruire, elles sont magnifiques. » Après une pause, il demande : « Et toi, qu'est-ce que tu aimes faire ? Dès son plus jeune âge, Reinhardt avait été attiré par l'architecture. Je lui résumais les chapitres d'un roman sur la vie à la cour d'un prince italien, il dessinait le château, et plutôt bien pour un enfant de cinq ans. Dès qu'il a su lire, il a fait comme toi, il s'asseyait dans un fauteuil, rêvait, se transportait là où se déroulait l'action du livre qu'il était en train de lire, en Chine, sur une plage de Bali ou en Amérique. Ensuite, il dessinait ce qu'il avait vu. »

Si Reinhardt était le rêveur évoquant sur papier des palais imaginaires, sa sœur aînée voulait résoudre les énigmes des civilisations mortes. Elle était convaincue que l'homme est le produit de tout ce qui l'a précédé, que l'humanité fait continuellement des progrès, même s'ils se révèlent parfois catastrophiques, comme les bombes atomiques ou les armes chimiques. « Il faut savoir sur quoi nous nous appuyons, disait-elle. Sans connaître le passé, il est impossible de comprendre le présent, et à plus forte raison de se préparer à l'avenir. Un travail immense, même pour une équipe soudée. » Pendant ses études, elle avait travaillé étroitement avec une douzaine de *Kommilitoninnen**, toutes originaires de la ville ou des environs. Après son examen d'État, elle voulut entreprendre un doctorat à la Humboldt-Universität de Berlin, une des meilleures en Allemagne, mais sa rencontre avec Gabriel Bachmann avait changé ses plans. Parfois, Arno pose des questions sur la vie à Saarbrücken. « Je me demande ce qu'elle mijote, je ne la vois presque pas. Elle doit organiser quelque chose avec ses copines, un vieux projet, je présume. Deux d'entre elles sont mortes pendant les bombardements, l'une à Dresde, l'autre à Münster, des villes atrocement pilonnées, en représailles pour Cantorbéry, entre autres, d'ailleurs une parfaite barbarie de *cet*

---

* Du latin *commilito*, « camarade d'études, condisciple » ; expression courante entre étudiants allemands.

homme aux prétentions d'artiste. Eh bien, il a eu l'art de nous jeter dans l'abîme... »

Un jour de canicule, en attendant Arno, qui avait décidé de prendre une longue douche, Falk s'est assis devant le Pleyel, beaucoup plus imposant que le Steinweg de la maison. Pour la première fois depuis trois ans, il joue ses propres compositions, hésitant d'abord, puis de plus en plus sûr de lui. Ses doigts défilent sur le clavier, les notes s'élèvent dans le salon, elles perlent, forment des accords desquels se détachent des mélodies simples. Il est étonné de voir ses mains jouer toutes seules. Il y a quelque chose d'irréel à entendre cette musique venue de lui et que personne n'a entendue, même pas sa mère. Il est en train de répéter un morceau quand Arno entre : « C'est joli, ça ! Et par cœur ! Anne ne m'a pas dit que tu prenais des leçons. » Falk est rouge de honte : il ne sait même pas lire la musique, a tout inventé « quand j'étais petit, pour passer le temps et ne pas avoir peur dans le noir, seul ». Arno s'est assis. « Veux-tu me jouer quelque chose ? N'importe quoi. » Pendant le morceau, il se lève, s'approche, observe les mains du garçon. « Tu dis qu'Anne ne sait pas que tu joues ? Je n'en reviens pas. Tu as beaucoup de talent. Si tu permets, je lui en parlerai. Il te faut un bon professeur. » Falk hésite, finit par donner son accord tout en se demandant s'il ne vient pas de commettre une erreur.

Falk aime son grand-père. Non, il l'*adore*. Dans la rue, les gens s'arrêtent pour lui parler, il est respecté et connu partout, même le gardien de l'église orthodoxe russe Sainte-Élisabeth lui serre la main et s'incline profondément. Ils s'y rendent souvent, toujours le long de la Lanzstraße, puis en suivant le Christian-Spielmannweg. Chaque fois qu'il aperçoit l'édifice au dernier détour de la rue, Falk croit rêver : cinq coupoles dorées, l'intérieur pas plus grand qu'une chapelle, des colonnes de marbre, du bleu ciel partout, au fond de l'abside six portraits d'apôtres, une profusion de marbre blanc finement ciselé, « des meringues », commente Arno. Au centre-ville, il y a beaucoup moins de ruines qu'à Saarbrücken. « Dans une dizaine d'années, tout sera restauré, tu verras. Moi, je serai probablement déjà avec Mathilde. Tu as vu son portrait au-dessus de la cheminée, au salon. Elle t'aurait scandaleusement gâté. Morte en trois jours de la grippe espagnole. Je ne suis certain de rien, mais j'espère que je la reverrai. Anne…, eh bien, elle s'est convertie au catholicisme pour épouser ton père. S'il avait été musulman, elle porterait le voile, ou s'en moquerait, cela dépend du pays. Elle n'accorde pas d'importance à la religion. Tout comme Reinhardt. Ils m'ont dit tous deux être panthéistes, ce qui n'est rien du tout. À chacun ses convictions, n'est-ce pas ? Et maintenant, on retourne à la maison pour se reposer sur la terrasse. Paschenny nous donnera quelque chose de bien frais à boire. »

Cependant, la question continue à tenailler Falk : si Anne ne croit pas en Dieu, pourquoi va-t-elle tous les dimanches à la messe ? Il n'ose pas lui en parler, pas plus qu'à Arno. Le garçon soupire profondément : à la rentrée, il devra subir de nouveau les onctuosités de monsieur le curé. Lors de sa première visite officielle à la basilique, un dimanche de la fin août 1947, il s'était installé avec sa mère du côté gauche, les hommes occupaient le côté droit. « Ne trouves-tu pas que l'organiste joue bien ? » lui a-t-elle chuchoté. De retour à la maison, elle a demandé au père : « Qu'est-ce que tu as joué pendant la communion ? » Sur un ton nonchalant, celui-ci répondit : « Une gigue de Bach. » Falk était atterré : *l'adversaire maîtrisait ce gigantesque instrument !* Son père, qui le battait comme plâtre, était assis au jubé et jouait divinement. Après de longues réflexions, Falk a compris que le diabolique bourreau était l'allié du curé, l'homme de Dieu. Qu'est-ce qu'ils pouvaient comploter, ces deux-là ?

Falk s'est promis d'être sur ses gardes quand le curé donnera ses classes. Le garçon a rapidement subodoré que de noirs desseins se cachaient sous la soutane et le chapeau de feutre. Il *sait* pourquoi le prêtre utilise souvent un écran de fumée d'encens au parfum détestable. Ses mouvements rapides de magicien sur l'autel quand il tourne le dos aux fidèles, les mots qu'il marmonne dans une langue inconnue, prouvent que le curé possède des pouvoirs surnaturels qu'il partage avec l'organiste. À eux deux, l'un devant, visible, l'autre derrière, caché, œuvrant de concert, ils peuvent tout. Dans trois ans, Falk avalera pour la première fois le corps du Christ, juste avant d'entrer au lycée, comme Henning. Pour ce jour-là, il se promet de mordre dans la chair du doux Jésus et de boire son sang, même si Henning lui a dit qu'il rôtirait en enfer s'il ne laissait pas l'hostie se dissoudre. « C'est pas la chair du Christ que tu avales, tout ça est une *image,* tu comprends ? Si tu la mâchouilles, l'hostie, tu peux tomber raide mort en pleine basilique, et les gens sauraient pourquoi. » Des images, Falk en a beaucoup, les unes plus cruelles que les autres : Jésus sur la croix, maigre comme Henning et lui, du sang coulant de sa couronne d'épines pendant qu'il lève les yeux au ciel, vers son père qui ne vient pas le sauver. Ou montrant du doigt son cœur duquel partent de nombreux rayons dorés. Les longs cheveux divins sont toujours frais lavés et impeccablement peignés. Cela, il le raconte à Arno, qui se tord, entraînant Falk dans son hilarité. De temps en temps, Arno roule des yeux et fait « Chut ! » en posant l'index sur ses lèvres.

« As-tu parlé de cela à Anne ? Je crois l'entendre, au même âge. Mais contrairement à toi, c'était une rebelle, toujours en opposition avec ses enseignants, dès le début de l'école : elle accumulait les réprimandes et nous les lettres la menaçant d'expulsion. De plus, au *Gymnasium,* elle faisait l'école buissonnière et disait qu'elle apprenait mieux par elle-même. Mais ne lui répète jamais ça ! Dis-moi, tes camarades doivent te détester parce que tu connais des choses qu'ils ignorent, non ? Et pourquoi te bats-tu si sauvagement avec ton frère ? C'est vrai qu'on ne choisit pas sa famille, mais de là à vouloir vous trucider… » Falk lui raconte ce qui est arrivé en classe depuis un an. « Je ne dis presque rien à Anne, c'est plus simple. Depuis le retour de Claudine, je la vois juste le matin et au souper, vers huit heures. L'après-midi, elle étudie ou participe à des réunions. Elle m'a dit que le gouvernement veut fonder une université à Saarbrücken. Elle aimerait bien finir son doctorat et enseigner la, l'arch…, enfin, tu sais ce que je veux dire. Comment fouiller correctement une vieille tombe, quelque chose comme ça. Avant mon entrée à l'école, elle et moi, nous étions souvent ensemble. Elle me racontait des histoires et, plus tard dans la journée, pendant qu'elle étudiait dans ses livres, je devais inventer la suite, une pièce de théâtre, par exemple. Depuis l'arrivée de Claudine, elle a beaucoup changé. C'est comme si je n'y étais plus, tu comprends ? Je ne peux pas parler à Henning, il m'a toujours traité de crétin. Claudine prend le temps de m'écouter, puis nous discutons. Je l'aime beaucoup. »

Arno croise les mains derrière la tête, confortablement calé dans son transat. « Pourquoi ton père te frappe-t-il ? Tu le provoques ? » Après une longue gorgée d'eau minérale, Falk lève sa main libre : « Ah, ça ! Laisse. Il n'y a rien à comprendre. Et puis, Anne lui parle, mais il recommence toujours son cirque. » Arno se tourne vers lui : « Quel genre de cirque ? Il te fait des reproches ? » Falk fronce les sourcils. « S'il te plaît, laisse tomber. Vois-tu, Anne m'a raconté que Henning était très jaloux quand je suis venu au monde. Il lui disait tout le temps de me jeter à la poubelle. J'étais laid, je sentais mauvais, il ne pouvait pas dormir parce que je pleurais. J'ai commencé à parler tard, à deux ans. Pour lui, j'étais un idiot. C'est ce qu'il répète encore. Tout le monde dit qu'il est beaucoup plus intelligent que moi, le père en premier. Henning a dix ans et il déclame cinquante longues ballades par cœur. Ça me laisse froid. Pour moi, c'est un perroquet. Apprendre quelque chose qui ne m'intéresse pas est une punition, mais devant une page de l'atlas, je ne vois pas le temps passer. »

Paschenny les avertit qu'un orage est annoncé pour le soir. Ils devront manger dans la bibliothèque. Alors ils se lèvent, plient les transats, les rangent et portent leurs verres à la cuisine. Ce soir, il y a du pain blanc fraîchement cuit, du beurre, de fines tranches de langue de veau fumée, des radis, de la salade, du camembert et du pont-l'évêque à l'odeur renversante. «Tout ça vient de la valise de ta mère, dit Paschenny. La farine est extraordinaire, mais je ne sais pas si j'ai réussi le pain comme les boulangers parisiens. Une question d'huile et d'eau. Les conserves, je les garde pour plus tard. » Au milieu de ces victuailles, d'un air gourmand, elle laisse fondre les mots.

Anne arrive tard le soir, épuisée. « Une rude journée » est son seul commentaire. Quand les autres lui demandent ce qui a été si rude, elle secoue la tête et demande s'il y a encore quelques restes, elle a une faim de loup après le travail qu'elles ont abattu. «On progresse, ça prend forme », mais pas un mot sur ce qui avance et se dessine. « Trop tôt pour en parler. Je n'aime pas vendre la peau de l'ours avant de l'avoir tué, vous me connaissez. Arno, tu bois trop. Verse-moi le reste de la bouteille, je l'ai mérité, je crois, en bonne protestante au fond de mon cœur si noir. » Après un regard sur son fils, elle ajoute : « Bien que, hum, les catholiques aient des avantages énormes. Ils murmurent leurs saletés à l'oreille du curé, jusqu'à la confession suivante. Regardez-nous !

Autour de la table, un protestant, deux catholiques dont une convertie, une orthodoxe. Impensable pendant la guerre de Trente Ans ! »

Arno écoute aussi attentivement que Falk, mais n'intervient que pour clore la soirée : « Demain est un autre jour. »

* * *

Les vacances tirent à leur fin. La valise d'Anne est aussi lourde que lors de son arrivée. Elle a emporté plusieurs de ses livres et ceux que ses copines lui ont passés en vue de faire avancer sa thèse portant sur des textes araméens, trouvés à Tell Mardikh, à la suite des découvertes de Max von Oppenheim. Ce fils et petit-fils de banquiers juifs avait sauvé les trésors déterrés à Tell Halaf, en Syrie, près de la frontière turque, avant et après la Grande Guerre. Ces trésors, constitués pour l'essentiel de statues, d'objets en or et en ivoire, il les avait offerts aux collections des musées berlinois.

D'après les renseignements de deux amies, sur place à Berlin, les fabuleux artéfacts ramenés par Oppenheim ont été réduits en miettes pendant les bombardements, qui n'ont pas épargné la célèbre île des musées, dans la Spree. Ute et Karin lui ont montré une centaine de clichés, pris lors d'une récente visite. Des tas de gravier et de pierres noircies, brisées. Ici et là, les structures d'acier refont surface sous forme de câbles tordus. Elles ont versé des larmes devant ce qui restait de la majestueuse porte du marché de Milet, amenée pierre par pierre de Turquie, une immense et luxueuse façade à trois passages, construite lors d'une visite de l'empereur Hadrien. Sans doute, les travaux de restauration seront le dernier souci des nouveaux maîtres de Berlin, russes, américains, français, anglais, qui ont divisé la ville en quatre parties. La plus grande est le secteur soviétique,

Staline ayant fait valoir les immenses pertes de ses troupes lors de la bataille de Stalingrad. Anne a décidé de terminer à tout prix la rédaction de sa thèse sur les inscriptions cunéiformes des Araméens qui avaient construit la première des cités trouvées sur le site des fouilles. Heureusement, elle a des copies ainsi que des photos. La matière est là, quelques chapitres sont rédigés, il lui faut poursuivre et terminer. Cela a l'air facile, vu de cette façon, mais elle est mariée et ses obligations familiales l'accaparent, de moins en moins, il est vrai, avec l'arrivée de Claudine. Depuis un mois, elle se sent libre comme autrefois, lorsqu'elle interprétait des édits, des règlements, des messages importants, écrits il y a plus de trois mille ans. Ils avaient été accessibles jusqu'à tout récemment. Maintenant, ils sont réduits en fragments si petits qu'elle se demande comment reconstituer les grandes tables de calcaire. Les statues monumentales araméennes d'Oppenheimer n'existent plus.

À Wiesbaden, elle a réussi à recréer l'ancienne équipe d'étudiantes. Elles sont entrées en contact avec leurs collègues archéologues à Berlin, qu'elles aideront à sauver ce qui peut l'être. Elles ont pleuré la mort de leurs amies victimes de la guerre, puis se sont longuement embrassées. Elles avaient survécu. Ute et Karin n'ont pas franchi « le Rubicon du mariage », comme elles disent. Elles sont d'ailleurs les seules à avoir rencontré personnellement Max von Oppenheim. Quand Anne avait sollicité un rendez-vous pour clarifier des questions concernant certains de ses textes, il n'avait déjà plus le temps de la recevoir, trop occupé par l'organisation de son musée à Berlin. Elle avait lu et relu tous ses livres. Cet homme était obsédé par ses fouilles, il avait un nez incroyable pour repérer les sites prometteurs. Un génie. Anne avait travaillé à Urfa et surtout à Viransehir, au début des années trente. Cette période avait été l'aboutissement de son plus grand rêve. Chaque matin, elle se demandait si c'était vrai, les fouilles, les amies, les deux professeurs, anciens assistants d'Oppenheimer, les ouvriers, les confrères de la Humboldt-Universität, qui travaillaient à leur doctorat, comme elles. Les après-midi consacrés à classifier, mesurer, photographier les objets, jusqu'au moindre tesson. Elle aurait tout donné pour être avec Oppenheim au site Bit-Hilani, où il avait découvert le palais de Kapara, avec ses sculptures superbes, massives, dont les autorités locales lui avaient fait cadeau et qui seraient offertes à l'État allemand. Malgré son ascension au rang d'*Ehrenarier**, les négociations entre lui et les grandes institutions archéologiques berlinoises s'étaient étirées de telle sorte qu'il décida d'ouvrir son propre musée dans une usine désaffectée. Le travail d'une vie fut anéanti par les bombes.

Anne et ses collègues n'ont pas perdu une minute à préparer un plan d'action. Karin travaille déjà à Berlin. Ute, fille d'un ancien député communiste pendant la république de Weimar, a hésité à quitter le Kunstmuseum de Bâle, qui l'avait accueillie après sa fuite devant les sbires nazis en 1933, mais l'urgence de la situation à Berlin l'a emporté sur sa reconnaissance envers la Suisse. Le travail de réassembler les collections détruites à Berlin, Anne le leur laisse. Elle n'a qu'un but : continuer ses fouilles. Pour y arriver, il lui faut obtenir sans faute le titre académique de *Doctor philosophiæ,* sans lequel elle ne peut espérer être acceptée dans une équipe d'universitaires et de professionnels. Par contre, Hannah, Sigrid, Oda, Hilde, Elfriede et Margit, toutes sont mues par la volonté de s'installer à Berlin.

---

* «Arien d'honneur», ce qui l'avait mis à l'abri des persécutions frappant les juifs. Le baron Max von Oppenheim est mort en 1946, âgé de quatre-vingt-six ans. Après des décennies de restauration, le musée de Pergame (*Pergamonmuseum,* Berlin) présente une partie des œuvres détruites lors des raids aériens.

Elles vont nettoyer, faire un premier tri parmi les décombres, reconnaître les lignes de rupture des pierres, mettre à l'abri les mosaïques, empêcher les occupants alliés de voler des pièces encore intactes, comme les statuettes sumériennes, égyptiennes, grecques, romaines, souvent en bronze, en ivoire ou, pour les plus petites, en terre cuite, enfouies sous les gravats.

* * *

Le paysage de la vallée du Rhin défile devant les yeux d'Anne, qui voient autre chose. Falk l'observe, le menton appuyé dans la main.

« Quand allons-nous retourner chez Arno et Paschenny ? Je les aime beaucoup, tu sais. » Il doit répéter sa question.

« Ça dépend de bien des choses. Je les aime aussi. D'abord, dis-moi : comment as-tu trouvé ta chambre ? C'est mon frère et moi qui l'avons arrangée, rien n'a changé. La salle de bains est mon œuvre… Ah oui, il faudra tricher un petit peu sur la vérité. Ce sera notre secret à nous deux. Ton père va te demander quels sont les dégâts à la villa. Tu diras qu'une partie de la bibliothèque a brûlé. C'est ce qu'on appelle un pieux mensonge ou un mensonge de circonstance. Avec tout le travail que je me suis tapé pendant ces semaines, je suis désolée de t'avoir abandonné, mais je n'avais pas le choix. Tu ne m'en veux pas trop ? » Il la regarde, sérieux :

« Mais non. J'ai appris à connaître Arno et Paschenny. Arno est vraiment formidable. Il sait tout, beaucoup de gens lui parlent dans la rue. Figure-toi que le gardien de l'Elisabethkirche, tu l'as sûrement rencontré, un très vieux Russe, lui prend la main et l'embrasse. Pourquoi fait-il ça ?

– En Russie, avant la révolution qui a renversé la monarchie, le personnel des aristocrates et les paysans baisaient la main du maître pour montrer leur reconnaissance. Arno a aidé Grigori quand il a découvert que le pauvre homme n'avait pas son permis de séjour. Il aurait pu croupir en prison ou, pire, on l'aurait renvoyé chez lui où on l'aurait fusillé sur-le-champ.

– Arno et moi, on s'est promis de se revoir aussi souvent que possible. Il m'a dit qu'il avait encore beaucoup de choses à me raconter, sur ma grand-mère, sa carrière, toi et ton frère, la famille, l'histoire de Paschenny.

– Il t'aime beaucoup, lui aussi. Vraiment beaucoup. Il te trouve très *éveillé* pour ton âge, mais un peu trop sérieux, pas assez… comment dire, enfant. Il m'a dit que tu as l'écoute aussi attentive que mon frère, que tu fais les mêmes mouvements que lui quand tu te laves les mains, que ta façon de manger, de te plonger dans le silence et puis, tout à coup, de sortir une question ou une réponse à laquelle tu as longuement réfléchi, évoquent Reinhardt. J'avais remarqué ces choses-là, mais je ne t'en ai jamais parlé. Il est injuste de chercher le double d'un être dont la disparition fait encore très mal. Je ne crois pas que toi et Arno devriez vous voir souvent. Il aimerait te garder pour lui. Il te gâterait complètement en t'offrant tout ce que tu veux. Arno est encore très fortuné. Il possède plusieurs immeubles en ville, des terres agricoles, des fermes, des vignobles. J'étais mécontente qu'il t'ait offert ce bracelet. Mais je lui ai promis de le garder avec mes bijoux, et que ton père n'en saurait rien. Pour le moment, oublie-le, ce cadeau. Je te le remettrai à tes dix-huit ans. Maintenant, je dois réfléchir pendant une demi-heure, je veux mettre de l'ordre dans mes idées. Bien entendu, une fois à la maison, tu m'appelleras *maman*. Les prénoms sont réservés à la Galileistraße, pas à la Rotenbühl. Quand tu m'as appelée la première fois par mon prénom, ça m'a fait un curieux effet. »

Elle se débarrasse de ses chaussures, pose les pieds sur le fauteuil voisin, sort un carnet et un crayon de son sac à main et ferme les yeux. Falk repense à ses adieux. Arno et Paschenny, à qui Falk a offert un beau bouquet de fleurs, les ont accompagnés jusqu'à la gare. Comme à l'arrivée, le chauffeur de taxi a maugréé à cause du poids de la valise, ainsi que le porteur à la gare et celui de Coblence. À Trèves, ce sera pareil. Falk fait revivre des souvenirs pour repousser la douleur de la séparation. « Arno est le père que j'aurais voulu avoir. » Il a réponse à tout, n'insiste pas quand il voit que son petit-fils s'est levé du mauvais pied ou qu'il est inquiet. Falk se souvient de son émotion à constater, dans la bijouterie, qu'Arno et lui avaient les mêmes goûts. Savoir que son grand-père l'aime est un baume. Il se sent moins anxieux, plus confiant, prêt à affronter Saarbrücken et la prochaine année scolaire.

Avant de monter dans le wagon, il a insisté pour glisser un mot à l'oreille de grand-père, qui l'a hissé et posé sur son ventre, en grognant comme un ours. Falk a posé sa tête contre celle d'Arno, les bras placés fermement autour du cou de ce dernier : « À l'an prochain, j'espère, a-t-il chuchoté. Je t'écrirai. » Il n'a rien pu dire d'autre, cette fichue boule lui a fermé la gorge, il était trop ému. Quand il s'est sauvé dans la voiture et a baissé la fenêtre pour saluer Arno et Paschenny, il a vu les yeux de grand-père. Cela a été suffisant pour lui donner la dernière preuve de l'amour que lui porte cet homme. Maintenant, assis en face de sa mère qui note de temps à autre quelques mots dans son calepin, il compte ses alliés : sa mère, Claudine, Arno et Paschenny, ses amis Harald, Peter, Martin et Max, une petite armée contre le père et Henning, qui n'auront qu'à bien se tenir, comme les autres ennemis. La maison de la Galileistraße lui va manquer.

Il est tard quand ils arrivent à Saarbrücken. Le père et Henning les attendent, tout sourire, tandis que Claudine a un air étrange, entre le soulagement et la tristesse. Quand ils sortent de la gare, une Peugeot 203 les attend, blanche, élégante, étincelante. « Surprise ! » claironne le Dr Bachmann, et Henning éclate de rire devant la mine consternée de sa mère. « Je l'ai achetée pour nos sorties les week-ends. Plus de taxis. Plus de train. De belles excursions où et quand nous le voulons. J'en ai eu assez de ne pas pouvoir me déplacer à ma guise. La voiture peut loger cinq personnes, tu verras. »

Anne ne dit rien, vérifie que Claudine ne manque pas d'espace entre les garçons. « Je vous assure, madame, nous ne sommes pas à l'étroit », dit-elle. Falk la regarde : quelque chose dans le ton de sa voix a changé. Une bonne humeur feinte. Pourtant, elle lui prend tranquillement la main comme avant et la caresse. « Vous avez fait bon voyage ? Madame nous a appelés tous les deux soirs. Il semble qu'elle et toi, vous avez bien profité du séjour chez monsieur Süter. Raconte un peu. » Elle est la seule à poser des questions. Henning et le père n'arrêtent pas de parler de leur « veuvage », des essais routiers. « Nous avons survécu grâce à Claudine. Elle nous a préparé des plats succulents. Mais tu ne dis rien ! Que se passe-t-il ? Tu souffres d'une migraine ? Je comprends, le voyage, te séparer de ton père… La villa a beaucoup souffert ? Tu as parlé de la bibliothèque. Fichue ? Ah, en partie seulement. Dommage, je l'ai bien aimée quand je l'ai vue. Dans le temps. Comment va-t-il ? Et la bonne ? »

Taciturne, Anne observe la circulation dans les rues, assez faible. Tout lui semble petit, sombre, sale, gris, délabré. Quand ils passent devant le théâtre de la ville, le Stadttheater, elle pousse un soupir devant la prétention du bâtiment, sa massive colonnade en demi-lune. Et cet immense lustre en cristal dans la grande salle, d'un vulgaire clinquant, cadeau personnel de *cet homme,* dirait Arno. C'est à regretter qu'une bombe n'ait pas défoncé le toit.

« Ils sont en bonne santé et te saluent, toi, Henning et vous aussi, Claudine, puisque je leur ai beaucoup parlé de ce que vous faites pour et chez nous. Mon père a toujours apprécié la cuisine française, et il a été ravi de goûter aux merveilles que vous avez trouvées à Forbach et à Thionville, sans parler de ce que vos parents ont eu la gentillesse de nous envoyer par la poste… »

Une fois à la maison, elle s'enferme avec le père dans le *Herrenzimmer*. Il en sort un quart d'heure plus tard, en colère, le visage rouge, prend les clés de la voiture et dit à Claudine, en sortant : « Ne m'attendez pas. Je dîne en ville. »

Anne se retire tôt. Après avoir répondu de mauvaise grâce aux questions de son frère, Falk frappe à la porte du bureau. Chaque fois qu'il y entre, il pense au Steinweg, caché ici pendant la guerre. Il trouve sa mère assise sur le petit canapé, le regard absent. « Que lui as-tu dit ? » Elle le fixe ; après un temps, elle tapote le coussin à côté d'elle : « Je n'en ai jamais parlé, ce sont des choses qui ne te concernent pas, ni ton frère. » Elle examine ses ongles et reprend en soupirant : « Depuis le temps de mes études, Arno me verse un certain montant, tu peux appeler cela une rente mensuelle, dans un compte bancaire. J'ai accès à celui de ton père pour payer les dépenses courantes de la maison. Alors il m'a demandé de pouvoir puiser dans le mien, au besoin. J'ai accepté. Quand ton père m'a épousée, nous sommes convenus de ne pas tout partager, comme le font beaucoup de couples, maison, meubles, argent en banque. Nous avons un arrangement différent, où les biens tenus par l'un et par l'autre sont séparés. » Elle marque une pause, se frotte nerveusement les mains.

« Avec la rente d'Arno, je paie le salaire de Claudine. Après quoi, il n'en reste pas beaucoup. Ton père a vidé mon compte pour acheter cette voiture, une grosse dépense qui vient au mauvais moment. Il a un salaire convenable, mais rien en comparaison de ses revenus sous le régime nazi. Il était un gros bonnet du parti. Il croit pouvoir dépenser comme bon lui semble, alors qu'il doit être prudent. Ce qui me vient d'Arno, j'espérais pouvoir l'utiliser pour me consacrer aux recherches et à mes études. Je vois que cela ne sera plus possible, du moins pas dans l'état actuel des choses. Je vais trouver une solution, mais en ce moment, je suis trop irritée pour penser clairement. »

Elle attire le garçon et lui caresse la nuque : « Je ne devrais pas te raconter cela. Mais tes questions demandent toujours des réponses, comme chez Reinhardt. Tu sais combien Arno est sous le charme. Il ferait n'importe quoi pour toi. Je sais qu'il poursuit un fantôme. Je lui ai dit combien je trouve cette obsession dangereuse, mais il n'en démord pas. Je ne veux pas profiter de sa faiblesse et obtenir par ton entremise les sommes dont j'aurai besoin pour atteindre mon but. N'oublie pas : ton père ne sait rien de mes plans. » Falk aime la main de sa mère. Il est fier qu'elle lui fasse confiance et lui confie des secrets. Quand elle arrête le mouvement, il se tourne vers elle : « Quand Arno me posait des questions, je lui disais toujours la vérité. »

Elle l'observe attentivement : « Toujours ? Il ne t'a rien demandé au sujet de ton père ? Si ? Qu'as-tu dit ? Qu'il te bat pour un rien et qu'il te déteste ? » Falk pose ses mains sur les genoux. « Oui, il m'a posé des questions sur le père, mais je lui ai dit que je ne voulais pas en parler. Que ça n'en valait pas la peine. Il n'est plus revenu sur le sujet. Il m'a même demandé si je voulais vivre avec lui et Paschenny. Je lui ai dit que je dois être avec toi. Là, il a arrêté. C'est pour ça que je l'aime, Arno, et je le lui ai dit. »

Anne grignote un bout de cuticule, puis : « Merci de ne pas me mentir. J'ai le mensonge en horreur. Et merci de garder tout ce que nous venons de dire pour toi. Motus et...

– ... bouche cousue », termine-t-il, en français.

145

* * *

C'est Anne qui brise le pacte du silence. Une phrase jetée pour meubler la conversation. Quelques mots qui auront des conséquences pendant huit ans.

Un matin, le père dit en mastiquant sa tartine : « Il paraît que notre Falk est pianiste ? Voire compositeur ? Que chez son grand-père il a donné des concerts de son cru ? Qu'il lui faudrait un professeur ? Je suis d'accord. » Il durcit le ton : « Dès ce soir, Henning et toi, vous serez mes élèves. Pas besoin de payer quand on a tout ce qu'il faut à la maison ! »

Le cadet appréhende la rencontre. Depuis plusieurs mois, il n'a presque pas eu de contact avec le père, et voilà que celui-ci a l'intention de travailler régulièrement avec lui. Pas moyen de refuser, il faut lui obéir, sur-le-champ, sinon, il sait ce qui l'attend. Il maudit le moment où Arno lui a demandé s'il pouvait parler à Anne de ses petites compositions. « Des riens, des tâtonnements sur l'instrument », avait insisté Falk. L'idée du père si près de lui l'horripile. « Il va me battre, c'est certain. Il n'a jamais raté une occasion. Faut laisser la porte ouverte, Claudine doit nous voir. Je ne peux pas compter sur maman, elle n'est jamais là. Pourquoi lui a-t-elle parlé ? » Dans son profond attachement pour elle vient de s'ouvrir une fissure, à peine perceptible et pourtant sensible, qu'il effleurera souvent.

Henning est nul. Quand le père joue la mélodie d'une vieille chanson folklorique et demande de la chanter, Henning fausse affreusement. De plus, à onze ans, sa voix commence à muer. Quand il joue sa première gamme, il frappe sur les touches comme s'il réglait une dispute avec l'instrument. Le père s'impatiente, lui montre une douzaine de fois comment tenir la main, enfoncer le doigt, un à la fois, sur une touche. Une heure plus tard, il s'écrie : « Tu es un incapable, un minable !

Recommence ! » Comme il en a l'habitude avec Falk, il lui donne deux bonnes chiquenaudes derrière la tête. « Tu me fais mal ! hurle Henning. Ce n'est pas ma faute si je ne sais pas chanter ! Je ne suis pas un singe comme lui ! » Il montre son frère. Le père n'est pas habitué à une telle rébellion de son fils préféré et lui donne deux gifles bien senties. Henning sort en pleurant du salon. « Demain, même heure, ici ! » crie le père, qui s'est déjà tourné vers le cadet. « Maintenant, montre-moi ce que tu sais faire, toi ! Le petit génie compositeur de grand-père Süter. Joue-moi quelque chose. »

Le père est demeuré assis à gauche sur le banc pour mieux voir les mains de Falk. Celui-ci commence à jouer, se trompe, recommence plusieurs fois. Tout à coup, il s'arrête et dit : « Pourrais-tu sortir pendant quelques instants ? S'il te plaît. » À sa surprise, le père sort, sans faire de commentaire. Falk se calme, rejoue sa pièce, puis en entame une autre. À la troisième, il perçoit la respiration du père derrière lui, cette façon d'inspirer quand les bronches sont partiellement obstruées, un peu comme Arno, qui fume trop, lui aussi.

Quand Falk a terminé, le verdict tombe : « Pas mal pour quelqu'un qui n'a jamais pris de leçons. Tu les as inventées, ces petites pièces ? Pour une fois, tu me surprends agréablement. Tu dois avoir hérité cela de moi. Les Süter ne sont pas doués du tout pour la musique. Ils vont aux concerts ou à l'opéra sans comprendre ce qu'ils entendent. Ta mère a pianoté dans le temps, comme toute fille de *bonne famille*. Moi, j'ai appris par moi-même, sur le tard, avec un camarade que j'aidais à faire ses travaux. Assez bavardé, commençons tout de suite. » Il ouvre le couvercle du banc, sort deux cahiers, le premier *Für Kinder* (« Pour les enfants ») de Béla Bartók et le *Kleines Spielbuch I und II* (« Petit livre de jeu I et II ») de Carl Orff. « C'est simple. Tu dois d'abord apprendre les notes. » Il prend une feuille, inscrit et nomme celles d'une octave. « Bon ! On commence avec ça. Pour le moment, occupe-toi seulement de la clé de sol. Les basses, nous les verrons plus tard. Vas-y, et nomme-moi les notes que tu joues. Puis, je t'indique celles que je veux entendre. »

La leçon avance rondement, le garçon se détend. « C'est facile, pense-t-il, je ne comprends pas que Henning bloque devant des choses aussi simples. » Il identifie les notes indiquées par le père, les situe correctement sur le clavier, reconnaît une mélodie après avoir enfoncé les touches blanches. Il veut savoir à quoi servent les noires. « Viens. Assez pour aujourd'hui. Claudine nous attend pour servir le souper. Elle est extraordinaire, cette fille. Capable de faire quelque chose de succulent à partir de rien. Les miroirs n'ont jamais été aussi propres qu'avec elle. Notre Esslin ne l'aime pas. Par jalousie, elle m'a dit que la Française nous jetait de la poudre aux yeux. Et Claudine est vraiment *très* jolie ! As-tu remarqué ses jambes ? » Falk n'en revient pas : il lui *parle* et lui accorde un regard *bienveillant*. À table, le père s'adresse à Henning : « Je n'aurais jamais imaginé que tu sois aussi bouché, côté musique. Demain, toi et moi, nous allons réessayer. Tout être normalement constitué peut chanter et faire de la musique. » Le frère pousse un soupir, il fait sa grimace d'ennui absolu, commissures des lèvres pointant vers le bas, paupières closes. Au même moment, il reçoit une gifle : « Une fois pour toutes, c'est moi qui commande, tu fais ce que je dis. Termine ton assiette et va dans ta chambre. » L'aîné repousse l'assiette, s'apprête à quitter la table, mais le père est plus rapide, il l'attrape par l'oreille, le rassoit sur sa chaise : « *Tu suis exactement mon ordre* », crie-t-il, alors que sa femme, Claudine et Falk ne bougent pas. « Tes simagrées, tu peux les faire quand et où tu veux, mais pas quand tu ne te crois pas surveillé. Je vois tout, moi. » Henning serre les mâchoires, il a les larmes aux yeux. Il vide son assiette, se lève en murmurant « Veuillez m'excuser », comme l'exige l'étiquette, sort de la salle à manger. On entend la porte de la chambre des garçons claquer d'un bruit sec. Le père dresse le torse, prêt à bondir. Anne lui touche la main, il se détend. « Où en étions-nous ? demande-t-il. Ah oui, que tout le monde peut chanter. Vous êtes d'accord avec moi ? Claudine, je me rappelle les chansons que vous avez apprises aux enfants, *Frère Jacques* et *Sur le pont d'Avignon.* Henning les a bien chantées, il me semble, non ? »

Il n'attend pas la réponse, s'enferme dans son bureau. Il a des dossiers à terminer avant une réunion avec ses collaborateurs, le lendemain matin. Depuis un an et demi, le Dr Gabriel Bachmann est redevenu un fonctionnaire important. Le ministère de l'Éducation compte sur ses talents, son intelligence, son habileté de médiateur dans des questions épineuses. On murmure qu'il est l'éminence grise dont le ministre ne peut plus se passer. Le docteur s'est refait une image : il épouse le discours du gouvernement, sa femme est très belle, un peu distante, une Rhénane, catholique et d'une bonne et riche famille, deux garçons, une grande maison sur la Rotenbühl, une autre dans la rue Am Staden. Il a saisi les bonnes occasions, il n'y a pas de mal à ça, acheter des maisons de marchands juifs qui ont quitté le pays du jour au lendemain. Il les a même aidés à s'enfuir, à ce qu'on dit. Il est vrai qu'il ne lui reste pas grand-chose de ses appartements de la Bahnhofstraße, mais qui sait combien vaudront les terrains dans quelques années, lors de la reconstruction ? Une fortune, sans doute, car cet homme a le sens des affaires. Pour le moment, la ville est dans un état effroyable. On va recommencer à la bâtir avec l'argent des Français…, et le docteur parle un français impeccable.

* * *

« Il est fou, le vieux. J'ai toujours faussé. À l'école, Lindauer m'avait mis au triangle, c'est ce que je faisais à peu près correctement. T'as vu les baffes ? J'aime pas ça, le piano, ces touches me donnent le vertige, je ne saurai jamais laquelle frapper. Il m'a jamais attrapé, moi. C'est toi son souffre-douleur de service. Maintenant, il s'en prend à moi parce que je comprends rien à la musique. Complètement cinglé. Et ça, parce *toi, crétin,* tu lui donnes pour une fois ce qu'il veut ! » Henning, enragé, se rue sur Falk et le tabasse dans un combat muet. Le cadet ne voit plus dans l'aîné le préféré du père, mais son adversaire descendu au même niveau, furieux de ce qu'il a subi. « Enfin tu sais ce qu'il me fait ! » aimerait-il crier au grand, mais il ne faut pas faire de bruit, sinon le père viendra les punir tous les deux. Et puis, le bout de sa langue lui brûle comme chaque fois qu'il s'énerve.

Le lendemain soir, Claudine s'est donné beaucoup de mal à la cuisine et a insisté pour que la leçon ait lieu après le souper. Elle a préparé du bœuf à la Stroganoff, absolument délicieux. Le père et les garçons en redemandent et elle doit réserver une portion pour madame, qui se trouve encore à la bibliothèque scientifique, destinée à former le fonds des collections de l'université qui ouvre ses portes en novembre. Le père fait semblant de s'inquiéter : « Votre mère est très occupée ces derniers temps. Elle prépare un important article pour une grande revue. Il paraît que l'archéologie renaît de ses cendres. » Ces mots sont accompagnés d'un sourire sceptique. Il fait signe à ses fils de le suivre au salon, pointe du doigt Henning : « Toi d'abord. » Il lui donne les instructions de la veille, sans plus de succès, se fâche rapidement, a recours aux coups du majeur. « Vous pouvez le frapper toute la soirée, monsieur, cela ne changera rien, dit Claudine, qui est entrée discrètement. Il n'a jamais su chanter correctement. Croyez-moi, il n'a pas le moindre talent pour la musique, mais il en a beaucoup d'autres. »

Le père la regarde, sans voix. La veine sur sa tempe bat, il est rouge et, nouveau miracle, baisse les yeux devant la jeune femme, fait signe à Henning de quitter la pièce, se tourne vers le cadet. «Mais toi, tu es doué. »

Ils travaillent. Dorénavant, Falk ne se couche pas avant d'avoir terminé ses devoirs et ses exercices d'une heure et demie au piano. Le père ferme les portes du salon. Comme personne n'assiste aux leçons, il revient à ses anciennes méthodes : une fausse note mérite un coup derrière la tête, ou l'oreille tordue, ou les cheveux tirés sur les tempes, ou le pouce et l'index enfoncés dans les épaules, à côté des clavicules, ou encore un coup de poing sur le genou. Parfois, les séquelles disparaissent lentement, ecchymoses, enflures, éraflures. Mademoiselle l'interroge à l'école. Lentement, Falk s'immunise contre la douleur, mais pas son frère, qui lui lance un soir : «Depuis l'affaire du piano, j'emmerde le vieux. J'ai treize ans ! Toi, tu suis en imbécile ses ordres. À l'automne, je gage que tu vas entrer au lycée français. Si j'étais toi, je ferais tout pour ne pas y aller. À la maison, on parle presque toujours français. Claudine est gentille, mais je déteste les autres, ils ne sont pas chez eux en Sarre. Au moins, là, papa voit clair. Quand il n'y aura plus de charbon ni d'acier, ils vont partir et nous laisser crever dans la misère. Je me prépare à m'en aller, loin, tu verras. Toi, t'es trop accroché aux jupes de maman et de Claudine. Tu resteras toujours le bichon. T'es rien qu'un petit chien ! Tu dis *mamaaan*, mais *oui, père*. Comme il y a cent ans. *Fils à maman, fils à maman !* »

Falk le regarde froidement. «Tu ne vaux même pas que je me batte avec toi. Si jamais tu finis ton *Oberrealschule* de trois fois rien, tu seras une nullité. Je le sais. Tu rêves d'aller en Amérique, mais tu ne partiras jamais, froussard. Maintenant, fiche-moi la paix. »

Henning ne répond pas. Il est couché sur le dos, la couverture et le drap tirés jusqu'aux aisselles, les bras le long du corps, immobile. Il se force à ne pas cligner des yeux, jusqu'à ce que les larmes viennent et inondent son visage.

Peur et confidences

Ce sont Claudine et le père qui préparent Falk pour l'examen d'entrée au lycée franco-allemand. Paschenny a appelé la mère au chevet d'Arno, malade. Falk est déçu. Il comptait beaucoup sur sa présence, il aimerait la savoir près de lui pour se rassurer, faire disparaître le trac. Il lui demanderait des nouvelles d'Arno. Anne appelle rarement le grand-père. Au bureau de poste, obtenir la ligne est souvent un cauchemar. L'Allemagne de l'Ouest, la République fédérale d'Allemagne, fait partie de l'étranger. À la fin de chaque lettre qu'elle lui écrit, Falk ajoute quelques phrases qu'il termine par « *ton Falk* », la signature et le pronom chargés de fioritures, imitant les incunables qu'il a vus dans le Brockhaus, dont il manipule les gros volumes avec aisance et y trouve ce qu'il cherche aussi rapidement qu'un bibliothécaire.

L'examen l'effraie, les camarades de sa classe qui s'y présentent, surtout Harald et Martin, ont raconté des horreurs sur le degré de difficulté des questions dans toutes les matières. Ils se sont renseignés auprès d'élèves qu'ils connaissent. Pendant cinq heures, les candidats sont enfermés dans des salles, chacun dispose d'un pupitre à lui. Les explications, les règlements sont donnés en français, puis en allemand : une dictée de trois cents mots dans chaque langue, deux brèves compositions sur un thème de leur choix, cinq questions en algèbre, une feuille sur laquelle il faut démontrer ses connaissances générales en histoire, en géographie. Ils doivent indiquer de quel instrument de musique ils jouent et depuis combien d'années, quel est leur sport favori, s'ils ont voyagé en France, en Allemagne ou ailleurs, s'ils sont orphelins de père ou de mère, combien ils ont de frères et sœurs, s'ils disposent d'une chambre à eux. Ceux qui ne connaissent pas suffisamment le français sont dispensés de la dictée et de la composition dans cette langue, mais font automatiquement partie des classes de « raccordement », qui peuvent durer deux ans, parfois trois.

Même le père ne connaît pas l'examen. Celui-ci a été élaboré à Paris, il vaut pour toutes les écoles de langue française au monde. Le docteur travaille très fort avec Falk, simplement parce qu'il s'appelle Bachmann. Le petit doit se trouver parmi les premiers, comme il l'avait exigé de Henning, trois ans auparavant, lors de son entrée à la *Staatliche Oberrealschule* de la Landwehrplatz, autrement dit, un *Gymnasium* allemand comme les autres en Sarre, confessionnel, qui sera appelé plus tard Otto Hahn Gymnasium, en souvenir du physicien qui a reçu en 1945 le Prix Nobel pour ses travaux dans le domaine de la fission de l'uranium. Mais pour Henning, c'était plus facile : le ministère, c'est-à-dire le père et ses collaborateurs, avait préparé les questions, salées par ailleurs. Il avait remporté l'épreuve haut la main, avec 18 sur 20. Depuis, il a déchanté. À la Landwehrplatz, il n'a pas reçu ce qu'il attendait d'une école censée lui apprendre à *penser*.

Les résultats de l'examen du lycée sortent vers cinq heures. Père et fils retournent à la maison. Chaque fois que Falk pense au grand-père, il ressent une douleur aiguë dans l'estomac, comme s'il avait perdu Arno. Depuis trois ans, ce dernier lui envoie des mots gentils, mais ne dit pas qu'il l'attend. Falk répète, encore et encore, qu'il lui manque, lui et leurs promenades. En comparaison avec les semaines passées en sa compagnie, il n'apprend rien ici. Arno est une encyclopédie ambulante, et Wiesbaden une belle ville, Saarbrücken un sale bled d'une rare laideur. Il n'y a rien sauf les ruines, des bâtiments rafistolés, noircis, ainsi que les hauts fourneaux de Burbach. Après quelques pas dans la rue, on a le visage couvert de points noirs. Cette saleté flotte nuit et jour dans l'air et est si acide que la laque des voitures devient mate. Il faut cirer la carrosserie au moins trois fois par an. Puis, il y a la boue versée dans la Sarre à Brebach et, plus loin, à Völklingen. C'est un fleuve noir comme de l'encre. Depuis la reprise de l'activité minière, l'eau ressemble à de la mélasse. Aucun poisson n'y survit.

Du matin au soir, Anne est à la bibliothèque. Falk a toutes sortes de questions à lui poser, mais elle n'est jamais là, toujours dans ses livres ou en train de taper à la machine, de dessiner, activités qu'elle suspend dès que le chauffeur dépose le père devant la porte, en début de soirée. À la fin de chaque lettre, Falk demande à Arno quand ils se reverront. Une fois, il lui a reproché de ne plus l'aimer : « Je suis triste d'avoir si peu de nouvelles de toi. J'ai tant de choses à te dire. Parfois, j'ai envie de tout plaquer, l'école, les devoirs, le piano, et de prendre le train pour Wiesbaden. Mais je suis trop jeune pour passer seul la frontière. Entre-temps, je travaille beaucoup pour te faire honneur, même si personne ici, sauf la famille, ne sait que tu existes. Écris-moi que nous nous verrons l'an prochain. J'espère être accepté au lycée français. » Arno répond : « Anne m'en parlera. La santé va couci-couça, le docteur me dit de boire moins de vin et davantage d'eau de la Kochbrunnen. Tu m'imagines avaler cette horreur brûlante ? Non, j'aime mieux mourir le nez dans un bon verre. » Il ne demande jamais des nouvelles d'un autre membre de la famille et le prie de saluer Anne.

Pour Henning, le passage de l'école primaire au secondaire a été un choc. La discipline de fer à la *Oberrealschule* lui répugne. Les leçons commencent à huit heures pour se terminer à une heure, du lundi au samedi, ce dernier jour réservé normalement aux expériences de laboratoire, à l'enseignement religieux, au dessin et au sport. Protestants et catholiques ont chacun leur professeur ; le prêtre est énorme comme une baleine. « S'il te pose une question et que tu réponds : *la grâce,* il est content-content. » Le pasteur est marié et a engendré sept filles portant toutes des noms de walkyries, auxquelles elles ressemblent d'ailleurs, blondes, grandes, athlétiques. « Un prof pour chaque matière, tous très calés. Mais énervés, tu peux pas savoir. Si tu piges pas tout de suite, t'es cuit. » C'est seulement trois ans après son entrée au *Gymnasium* que Henning a emmené Falk pour lui faire visiter le vieil édifice en grès rouge foncé, dans le style de Guillaume II, pompier, massif, construit au début du siècle. Falk s'était exclamé : « Cette boîte a l'air d'un vieux palais moche transformé en prison. » En entrant dans la salle de classe désertée, il avait reniflé l'air, reconnu l'odeur, celle de la sueur marquée par la peur physique. Il s'était cru dans une salle d'audience, avec la grande estrade devant le tableau noir, le bureau et les étagères pour les livres de référence à l'usage exclusif des professeurs. Falk était monté sur l'estrade pour proclamer : « Accusé, je vous condamne à six années d'études supplémentaires, latin, français, allemand, maths et anglais avec des profs dingues. » Henning a pouffé de rire et lui a couvert la bouche de sa main :

« Si on t'entendait ! Ici, on sait jamais… les murs ont des oreilles. Le concierge, sa femme, un de ses mioches… Depuis le début du trimestre, chaque lundi matin, je fais des crises avant d'aller à l'école. Je vomis tout le petit-déjeuner.

– Pourquoi tu ne demandes pas au père de changer d'école ? Il peut t'arranger ça. »

Contrairement à son habitude, Henning n'a pas répondu tout de suite.

« Les profs sont durs, très durs. Les élèves qui sortent d'ici sont parmi les meilleurs quand ils entrent dans une université allemande. » Après une pause, il a ajouté : « Au moins, moi, je n'aurai pas trahi mon pays comme tu vas le faire avec ton lycée, construit par les Français, nos oppresseurs qui nous exploitent. Non, je vais pas demander au vieux de me faire une faveur parce qu'il est une grosse légume au ministère et qu'il connaît personnellement Gilbert Grandval, le haut-commissaire chargé de dire au ministre président, cette andouille qui a attendu la fin de la guerre en France, ce qu'il doit faire. Mes amis sont ici. Les après-midi, on sort, beau temps, mauvais temps. On fait tout ensemble, tu comprends ? »

Henning n'a presque rien révélé. Quatre heures de latin par semaine avec le Dr Blatt dépassent ses capacités de résistance. Le lundi matin, à huit heures, cet homme lourd, aux larges épaules, au ventre proéminent, au cou de taureau, entre d'un pas martial – comme la très grande majorité des enseignants, il avait été enrôlé dans la Wehrmacht –, jette d'un geste méprisant les copies des travaux hebdomadaires sur le bureau, se met en posture, jambes écartées, bras croisés, fixant de ses yeux injectés de sang la classe de quarante garçons, figés dans le silence.

« Il y a des fumistes parmi vous qu'il faut éliminer à la fin de l'année. Trop stupides, trop paresseux, ils ne savent pas travailler, ce sont des nullités. D'autres peuvent se faufiler en *Tertia**. Je doute que ce soit plus qu'une poignée d'entre

---

* La quatrième année au *Gymnasium,* qui en comprend neuf : *Sexta, Quinta, Quarta, Tertia I, Tertia II, Secunda I, Secunda II, Prima I, Prima II.* L'examen final, l'*Abitur,* l'équivalent du IIe Baccalauréat français, est sanctionné par des examens sévères et ouvre la voie d'accès aux universités.

vous. Par ordre alphabétique, venez chercher les produits de vos efforts minables : Achterweg, 6 sur 20, donc, nul. Bachmann, 12 sur 20, important recul, tu penses trop aux filles et tu te masturbes, ce qui est non seulement un très grave péché qui mène les onanistes droit en enfer, mais il ramollit également le cerveau, tiens-le-toi pour dit. Tu es menacé, faut que j'en parle à ton papa, qui va s'en occuper. Bremer, 8 sur 20, tiens, un coup de génie par rapport à la semaine dernière, mais il semble que tu forges de jolis vers pour mon confrère en allemand, le Dr Wulff. Faudra m'entretenir encore une fois avec ta pauvre mère, qui s'échine en faisant le ménage pour que tu puisses apprendre quelque chose de valable ici, mais dans ta tête, il n'y a que de la paille, et encore, au lieu d'une cervelle… »

Suit une litanie de commentaires acides, blessants, débités au rythme d'une mitrailleuse. Les visages sont blancs, les yeux grands ouverts, la peau luisante, des perles de sueur se forment sur le front et la lèvre supérieure. D'un instant à l'autre, la leçon va commencer : les verbes irréguliers, les passages du texte de vendredi dernier par cœur, la traduction de l'auteur au programme (ici, le *De bello gallico,* de César), l'analyse syntaxique. Chaque erreur est notée, sanctionnée : il y a même des points bonis pour les fautes « intelligentes » selon le système Blatt, où l'élève se fourvoie à cause d'une exception. De plus, l'homme leur donne de fortes tapes derrière la tête, avançant rapidement de l'arrière vers l'estrade et le tableau noir, ce qui provoque une série de clac-clac-clac-clac. Si un élève donne la bonne réponse avant le coup, il le reçoit quand même : « Un en banque pour la prochaine fois. » Ce diable de Blatt s'en rappelle et épargne le garçon lors des taloches suivantes.

« Je veux m'en aller », murmure Henning le soir, quand il se jette dans son lit. Le cadet a du mal à réprimer un sourire

de triomphe, tente de le consoler, mais le grand le rabroue :
« Attends un peu. Explore d'abord les recoins de ton lycée sorti
du paradis ! Chez nous, ils en demandent trop. Des cinglés,
vraiment. Rien que la pensée de me rendre tous les matins à
la Landwehrplatz me donne des nausées. Claudine a beau me
préparer le meilleur petit-déjeuner, les lundis et les mercredis,
je n'avale rien parce que le latin est la première leçon. Au
vieux, Blatt raconte chaque semaine que je suis assez bon, que
je pourrais faire mieux puisque j'en ai l'étoffe. Blatt est de la
dernière brutalité et imprévisible. Le lundi matin, il n'a pas
dessoûlé. Il se penche par-dessus ton épaule, rote et t'envoie
son souffle de bière et de fromage dans le nez. Ça me ferait
pas vomir, mais quand il voit une faute, il me tire par les
cheveux ou me tord l'oreille, tu sais ce que c'est, le vieux te le
fait constamment. Sont tous pareils, chacun d'eux est fêlé à sa
manière. Samedi, une heure de dessin. On se rend à la salle, en
haut, sous le toit, orientation nord, à cause de la lumière, mais
on se les gèle, même au printemps. Il y a trois ans, en *Sexta,*
au premier cours en beaux-arts, le prof, vieux, gris, Merheim
qu'il s'appelle, nous raconte qu'il enseigne parce que personne
ne veut plus rien lui acheter, même s'il a été jusqu'à la fin de la
guerre un *artiste célèbre* et qu'aujourd'hui, il travaille devant
des pourceaux – c'est nous, ça – pour survivre.

« Il a une dent contre l'art abstrait. On n'a qu'à dire le mot
abstraction, il commence par crier que c'est de la *merde* ! Qu'il
n'y a rien à comprendre, des lignes, des taches de couleur, et
tout le monde se pâme devant ces enfantillages ! Vrai, il écume
de rage. Il dessine drôlement bien. Après quelques semaines, on
le connaissait, son tic : il supporte pas qu'on chuchote pendant
qu'il travaille au tableau. Il a l'oreille d'un chien. La semaine
dernière, Albert, tu sais, mon pote Albert Krause, qui est assis à
côté de moi, me souffle qu'il faudrait avoir des modèles vivants,

159

des belles filles nues, il en connaît qui feraient ça. Merheim se tourne comme un serpent, se jette entre les tables, vocifère comme un dément et veut savoir qui a parlé. Il a les yeux fous, il cherche qui sortir du banc, il *bave*. Personne ne bouge. Alors il sort Bender, l'agneau Bender, imagine, qui est sage comme une image ! Il lui arrache les cheveux par poignées, lui tape dessus et hurle qu'il mérite trois fois la mort. Bender est un salopard, il veut assassiner sa réputation, c'est de lui que viennent toutes les calomnies. D'un coup, il s'arrête, comme ça, tapote l'épaule de Bender et lui dit de ne plus jamais lui faire cette vacherie parce qu'il est bon garçon, après tout. Ensuite, il retourne au tableau noir et termine son dessin. Lui, c'est même pas le pire des cinglés. Chacun d'eux est tordu, jusqu'au directeur, le Dr Herbert *von* Insel. Si tu oublies sa particule, il te gifle, ses doigts restent imprimés pendant deux jours sur ta joue. Il appelle ça *apprendre le respect et les bonnes manières aux jeunes rustres.* »

Henning fait des cauchemars. Cependant, il n'en parle jamais au père, qui est d'avis, lui aussi, que « des punitions corporelles régulières contribuent à la formation d'un esprit sain chez l'être humain, surtout s'il est de sexe masculin ».

Henning n'a jamais su avec quelle appréhension son frère a attendu le résultat de son examen d'admission au lycée, autrefois le collège Maréchal-Ney, dans la Halbergstraße.

* * *

À cinq heures, le père et le cadet sont de retour au lycée. Dans le hall du bâtiment principal, deux grands groupes de personnes sont massés devant les listes. D'un côté, les parents français, de l'autre, les allemands. Quelqu'un à côté de Falk dit : « En France, on place les meilleurs en tête, jusqu'au dernier reçu. Ceux qu'on refuse ne sont pas mentionnés. C'est aussi bien. L'enfant est moins humilié. Mais il doit attendre l'année suivante pour s'inscrire dans un *Gymnasium.* » Le père est parfaitement détendu, il semble ne pas s'intéresser aux résultats. En ce moment, il bavarde en français avec un monsieur d'allure élégante. Ils rient, échangent une poignée de main. Le père revient, les plis de son visage, ceux du front, autour de la bouche et dans les joues, expriment l'annonce d'une mauvaise nouvelle. « Eh bien, monsieur le candidat, il vaut mieux s'asseoir et prendre un fortifiant avant de te communiquer le résultat. On va au café Bärmeier, sur la Bahnhofstraße. » Falk continue à chercher par où se faufiler pour s'approcher des listes, réussit à les entrevoir, mais trop brièvement ; la foule le pousse en arrière. Le père lui donne un léger coup derrière la tête : « Laisse, je vais t'expliquer. Allez, viens ! »

Le chemin paraît long à Falk, vingt minutes. Le Bärmeier est presque désert. Le père commande un café pour lui et une infusion pour son fils. Falk sent de nouveau la boule monter dans sa gorge, cette fois d'exaspération et de peur. Il soupçonne sa défaite complète, le mot « coulé » résonne dans sa tête, la honte s'empare de lui : de quoi aura-t-il l'air demain, en classe ? Lui, le chouchou de mademoiselle ! L'éternel premier ! Les ricanements de ses ennemis, Werner et Georg en tête ! Mais avant tout : que vont penser sa mère et Claudine ? Pour Henning, quelle joie maligne ! Chacun de ses adversaires va triompher. Il connaît les feintes, les pièges du père qui adore le laisser frétiller au bout de la corde, l'hameçon dans la lèvre. N'a-t-il pas incarné, il y a quatre ans, saint Nicolas, patron des enfants, accompagné de Ruprecht, son serviteur muet, celui qui donne la verge au maître afin qu'il punisse les mauvais enfants ? Le saint ne lui avait-il pas récité la liste complète de ses erreurs et méfaits, petits et grands ? Une voix roulant comme le tonnerre où résonnait la colère. Il avait imploré le pardon, pleuré, pleuré, au bord d'une crise nerveuse devant ce géant habillé de rouge avec des yeux terribles, terribles… qui l'ont trahi quelques jours plus tard quand le père l'a fixé de la même manière. Quelle honte il avait ressentie de s'être humilié de la sorte devant lui !

« Asseyons-nous pour ce que j'ai à te dire. Je n'ai pas commandé de gâteau, il n'en reste plus… » Falk l'interrompt. Il va hurler si l'autre ne lui dit pas tout de suite ce qu'il sait. « Excuse-moi. Oui ou non ? » Il croasse, sa gorge est sèche. « Non, pour l'entrée dans ce magnifique bâtiment neuf, œuvre magistrale du célèbre architecte Lefèvre, élève du grand Pingusson, lui-même issu du groupe de Le Corbusier, le grand innovateur suisse… » Il s'amuse, les plis sur son visage ont disparu. « Désolé pour toi. »

Falk inspire profondément pour ne pas perdre contenance, un truc que lui a enseigné Arno. Le père l'observe attentivement. « Tu as remarqué l'homme avec qui j'étais en train de parler, dans le hall du lycée ? Il s'appelle Bourgeois, il sera ton directeur. Un homme intelligent, charmant, comme il faut. Je suis content pour toi. » Il marque un nouvel arrêt pour étirer la nouvelle. Falk entend le sang battre dans ses oreilles tout en sachant qu'il offre au père l'image de l'idiot, la bouche ouverte, la lippe pendante. Il pose le menton dans la main, fixe les yeux gris. « Il a personnellement vérifié les corrections de tes copies et m'a dit qu'il est ravi de te compter parmi les élèves du lycée. On se connaît depuis la fin de 1946. Bref, tu es admis. Cependant, tu devras te rendre pendant quelques mois encore à l'ancienne caserne des uhlans. Le nouveau bâtiment sera terminé avant la fin de l'année prochaine. On construit également un grand immeuble de quatre étages, dans le style que tu connais, des « tablettes de chocolat », d'un ennui indicible. Il y a un internat pour garçons et filles. Cela signifie qu'au Maréchal-Ney, on offre tous les programmes : maternelle, primaire, secondaire. Un vrai « lycée français à l'étranger », qui te prend en charge du berceau jusqu'à ta sortie, et te permet d'entrer dans une université allemande ou une école d'élite française, HEC, Polytechnique, École normale supérieure, ENA, etc. Je viens d'apprendre que la moitié des élèves est d'origine française et l'autre, sarroise. Bien que tu parles couramment français, et que tu aies eu 16 sur 20 en dictée, un exploit, selon monsieur Bourgeois, tu n'es pas encore vraiment bilingue. Et ton résultat en maths est faiblard, 11 sur 20, je crois. »

* * *

Gabriel Bachmann se tait. Son cerveau est lancé pendant qu'il observe de temps en temps son fils, qui regarde par la fenêtre, l'air épuisé, un pot d'infusion à la verveine devant lui. Falk se demande pourquoi son père joue ce jeu cruel et stupide avec lui. Sa question avait été simple, claire. Mais l'autre aime le « fricoter ». Falk avait cru s'être assez bien tiré d'affaire, dans les dictées surtout – celle en français, optionnelle pour les candidats d'origine allemande, avait été une fable de La Fontaine qu'il avait par hasard travaillée avec Claudine –, mais en mathématiques, il avait eu du mal avec certaines questions, sans rapport avec sa haine de la tour des chiffres. Celle-ci appartient au passé, mais réapparaît dans ses rêves. Il se jure qu'une fois au lycée, il fera tout pour échapper à l'emprise du père. Il le verra le moins possible, prétextera des devoirs compliqués, un examen le lendemain, un poème à apprendre par cœur. Il l'observe, mais détourne le regard une fraction de seconde avant que leurs yeux se rencontrent.

Le docteur Bachmann allume une cigarette, commande un autre café pour réfléchir à son aise. *J'ai même l'honneur de rencontrer le gouverneur, monsieur Grandval, un nom d'opérette. En réalité il s'appelle Gilbert Hirsch-Ollendorff. Ce nom compromettant, il l'a changé pendant la Résistance, où il a joué au gros bonnet. Excellent choix du moment. Ce type est un stratège-né, sachant planifier pour des années. Il savait qu'avec Hirsch il ne soulèverait pas l'enthousiasme général. Je parie que son grand-père est sorti tout droit d'un* shtetl *de Galicie. Un* Hirsch *comme modèle pour la jeunesse française ? Trop tôt. Ça ne marcherait pas en Sarre non plus, bien qu'ici, les rafles des juifs trop pauvres pour fuir n'aient pas été aussi radicales qu'à Berlin ou à Francfort. Chapeau, monsieur Grandval, vous avez tout pour vous : un nom qui sonne bien, une belle femme enveloppée de superbes fourrures, vous pilotez vous-même votre avion entre Paris et Saarbrücken, votre allemand est excellent, vous connaissez bien ce pays, vous avez de l'allure. Quand vous portez votre habit de gala, avec les galons et les manchettes en fils d'or, les dames sont prêtes à tomber dans vos bras. Pour vous, il n'y a que la culture française qui compte, l'allemande n'existe pas. Vous auriez dû lire Madame de Staël : cette grue romantique nous prenait pour « un peuple de penseurs et de musiciens ». Elle n'avait rien compris ! Nous étions fractionnés en plus de trois cents petits États, un système politique intenable où chaque potentat gardait jalousement son indépendance. Le premier Napoléon a tout de suite vu la faille. C'est lui qui est à l'origine du nationalisme allemand. Si vous n'avez pas vu ça, monsieur, refaites vos classes ! Sans votre petit général, jamais les États allemands ne se seraient unis contre l'envahisseur. Mais, pas si brillant que ça, le Corse miniature, il aurait dû prévoir la suite.*

Moi qui suis né sous le Kaiser, je n'ai jamais caché ma préférence pour le Gymnasium *à l'allemande. En 1919, j'avais treize ans, j'ai changé de carte d'identité pour la deuxième fois. Quand il fallait se rendre de l'autre côté de la frontière, les douaniers rigolaient en voyant notre papelard, tout comme maintenant. Chaque fois j'étais humilié. Ma langue maternelle est l'allemand. Mais j'ai vite, très vite compris, et je me suis mis à l'étude du français. J'ai décroché plusieurs bourses d'étude. J'ai passé mes grandes vacances à Lille, ensuite à Châteauroux, quelle emmerde, cette ville ! et deux fois à Paris. Bien sûr que je parle bien, avec un petit accent indéfinissable, je passe pour un Alsacien. J'ai constaté que le système scolaire français est fichtrement bon, mais j'ai toujours préféré l'école et l'université allemandes. Les profs nous font réfléchir, alors qu'en France, c'est bûcher, bûcher, bûcher sans arrêt pour tout mémoriser. Il faut donner du temps pour absorber. C'est ce que j'ai toujours prêché.*

Enfin, c'est pas mal, le cadet au lycée, l'aîné à l'Oberrealschule. Tout le monde est satisfait, personne ne pourra me reprocher de ne pas savoir m'adapter aux temps nouveaux et d'être un mauvais Sarrois. Anne m'accuse d'opportunisme. Elle peut bien parler, bourrée de fric grâce à la généreuse allocation mensuelle de son père. Comme si son mari gagnait chichement sa vie. Elle va trop souvent le voir, son vieux, je me demande pourquoi. À Saarbrücken, on vit mieux qu'à Wiesbaden. D'après ce que j'en sais, on y mange encore mal, tandis qu'ici, nous avons tout ce que nous voulons. Si au moins elle me racontait ce qu'ils fabriquent, elle et son paternel, mais non, pas un mot. Il se peut qu'il soit malade et elle ne veut pas me le dire pour me narguer. Drôle de bonhomme, à tu et à toi avec sa gouvernante, comment s'appelle-t-elle déjà, une Russe, oui, mais un nom bizarre, enfin, ça n'a pas d'importance. Quand on a autant d'argent que lui, on peut se permettre de vivre comme on l'entend. Moi, j'ai dû me battre pour arriver là où je me trouve. Je suis sorti de rien. Les Süter tout en haut de l'échelle, près des nuages, tandis que les Bachmann, invisibles, se fondaient dans la grise et compacte masse anonyme. Les Süter sont finis, de la vieille bourgeoisie rhénane, protestante par-dessus le marché au lieu d'être catholique, comme tout le monde autour de Cologne. Quand j'ai rencontré mon futur beau-frère, et entendu ses idées... Seigneur ! Au moins, il n'a pas été fusillé ni déporté dans un camp, sa mort a été honorable. Son père m'a détesté dès que je suis entré chez lui. Un regard, et il m'avait classé.

Ah, ce que femme veut ! Le vieux Süter aurait pu marcher sur la tête, rien à faire, Anne est têtue comme une mule. C'était le docteur Gabriel Bachmann ou la poursuite de ses études. Elle était prête à devenir prof d'université, séchée sur tige, admirée pour ses travaux en Syrie et ses trouvailles. Mais elle devinait que son papa voulait des petits-enfants, et que son frérot ne savait pas ce qu'il préférait, les garçons ou les filles. Elle a fait son calcul : réussite brillante de ses examens d'État, mariage, enfants, héritage. Elle ne peut rien faire avec son petit diplôme. Rien. Le papier n'indique aucune spécialisation, elle serait juste bonne à classer des tessons. De nos jours, pour avancer, ça prend un titre. Si tu n'es pas né avec la particule, il faut travailler pour imprimer au moins le titre de docteur sur ta carte de visite. Je l'ai. Elle, non. Elle essaie de se faire connaître en publiant dans les grandes revues. Pour arriver à quoi ? Retrouver son ancien monde ? Quand Süter regardera les racines des pissenlits, elle sera indépendante et pourrait financer ses propres fouilles, même si elle n'a pas les moyens du baron Oppenheim. Notre contrat de mariage lui permettra de disposer de son héritage comme elle le veut. De l'argent solide, une fortune qui a de la classe à cause des liens avec les Krupp. Quel fric, les Krupp, tout de même ! Leur « villa » à Essen donne le vertige. Bizarre que les Amis ne l'aient pas rasée. Mon père ne l'a pas eue, la chance, il a dû trimer, huit, neuf, dix heures par jour. Il est mort, le pauvre, lors de l'explosion du gazomètre près des fonderies de fer. Jamais oublié le 10 février 1933. Le télégramme. Les cercueils pour soixante-huit hommes. Quatre-vingt-dix blessés à l'hôpital. Il se rendait à sa pause. On l'a identifié grâce à la croix en fer qu'il portait au cou. Le reste, méconnaissable. Et mon frère, mort bien avant lui, une septicémie, à dix-sept ans. Pour la mère, une rente minable.

Je m'étais juré de sortir de notre ruche, de la suie, de la rue. Une misère de tous les instants. Trente familles dans un immeuble déprimant. Comme j'ai détesté Neunkirchen! Rien que de la saleté! Tous les hommes à l'usine. Quand ils tombaient malades, des poumons pour la plupart, une rente de trois fois rien et un logement minable. J'ai réussi. Sur tous les plans. À l'université, je rongeais mon frein en voyant des imbéciles dépenser sans compter. Ces fils à papa, j'avais envie de leur taper dessus. Moi, je devais retourner chaque mark et faire comme si j'en avais plein les poches. C'est ça que le vieux d'Anne a senti. Que chez moi, il n'y avait rien derrière la façade. « Beau parleur, séduisant, mais pas de substance. » C'est ce qu'elle m'a répété dans un moment de colère. Elle ne m'a jamais dit ça avant l'achat de la Peugeot. Mais là, c'est sorti. Que j'avais gaspillé son argent. Elle a assez de fric, va. Qu'est-ce que ça peut lui faire si je maintiens notre position dans la bonne société en conduisant une jolie voiture!

Depuis mon retour de Kaiserslautern, elle n'a plus jamais accepté de faire l'amour. Ça doit être à cause de ce que je lui ai jeté à la tête durant cette nuit d'hiver 1944. Un peu dur de ma part. Mais si je ne l'avais pas dit, je serais devenu fou. Elle a très mal réagi, a sorti le petit de son lit pour se protéger. J'étais prêt à la tuer pour... un soupçon, un ragot. Ça sautait aux yeux, le gamin était une copie de son parrain. Tient beaucoup de sa mère et de sa grand-mère maternelle. Belle illustration des lois de Mendel. Ce garçon, je l'ai détesté dès que j'ai vu la forme étroite du crâne, les yeux bleus, les cheveux blonds. Il n'a rien de moi, c'est un Süter... Les derniers mois à Paris avaient été terribles. Je n'en pouvais plus, un interrogatoire après l'autre. C'était sale, laid, brutal, énervant. De temps à autre, je relis mes notes. Vaudrait mieux les brûler. Comprends pas pourquoi je ne le fais pas...

Ah oui, le lycée français. Supérieur à l'Oberrealschule en ce qui concerne le programme. À Paris, j'ai connu plusieurs enseignants de Henning : Blatt, Schneider, Wulff. Ils pensent tous comme moi, que la Sarre a été vendue aux Français. Au lycée, je connais juste le proviseur Bourgeois, le censeur Simonin et quelques profs, les Neyret surtout, elle et lui en mathématiques. Tiens, je devrais m'approcher de ce couple, le petit a toujours eu du mal dans cette matière. Les connaître personnellement pourrait l'aider. Vrai ou faux Bachmann, il porte mon nom, il doit réussir, comme son frère. Chez moi le mot « échec » n'existe pas.

Les cours se terminent à quatre heures et quart. Avec un tel horaire, si je ne suis pas vigilant, il va m'échapper. Faut le garder à l'œil... Par la musique, tiens. « Les petits coups sur la tête stimulent la faculté de penser. » Je ne sais plus qui a dit ça, mais c'est bon. Straus, notre ministre de la Culture, est naturellement de mon avis, comme tout le monde d'ailleurs. Nos enfants doivent pouvoir compter sur une éducation dans la plus pure tradition prussienne, disons plutôt allemande. Qui n'exclut pas le recours au châtiment corporel, parfois exemplaire. Il faut chasser les bas instincts des garçons, sinon, ils deviennent des salauds.

Le Dr Bachmann regarde son fils, qui a terminé son infusion et continue à observer la circulation de la Bahnhofstraße. Ils sont les derniers clients. Les serveuses ont enfilé des sarraus bleus et nettoient les tables, protégées d'une plaque de verre. Dans quelques minutes, elles vont empiler les chaises dans un coin et commencer à faire du tintouin avec l'aspirateur. Inutile de commander un autre café, elles lui diraient que la cuisine est fermée. Mais une autre cigarette, ça peut aller.

Certaines sont bien faites, tout de même. Comme Claudine. L'été dernier, elle, Henning et moi, seuls à la maison, Anne et le petit à Wiesbaden. Pour les gros travaux, Esslin vient le vendredi. Ne peut pas blairer la **Frongzaiss'**, *mais enfourne tout ce que l'autre lui met dans son assiette. Une cuisinière sans égale, et une sacrée belle fille. À peine vingt-six ans. Poitrine petite et ferme, fesses superbes, pas une once de graisse, une peau de pêche... Pas difficile d'être belle à cet âge. Sa façon de dire : «Monsieur reprend de la blanquette avec quelques haricots ? Comme dessert, il y a de la mousse au chocolat.» Juste ce qu'il faut de minauderies. Voilà qu'un soir elle trébuche en apportant l'assiette, rien de grave, un peu de soupe sur la nappe, mais elle n'arrête pas ses «Pardon, monsieur, je suis désolée, monsieur, excusez-moi, monsieur, je suis confuse...» Le drame, quoi. Elle pleure ! De grosses larmes. Pauvre chouette. J'ai beau lui dire que ce n'est rien, on change la nappe et puis c'est fini ! Elle me prend la main, la garde, ça devient gênant, je comprends à la fin. Vrai, l'idée qu'elle me voulait ne m'avait jamais effleuré... Ce soir-là et les suivants, le lit conjugal a servi, jusqu'à la fin des vacances. La dernière fois, on a failli se faire prendre par Henning. J'ai tout arrêté. Naturellement, elle me les casse depuis : elle est revenue chez les Bachmann à cause de son «amououour pour monsieur. Dès notre première rencontre, je savaiaiais que c'était vous ou persooonne», ce genre de conneries. Elle a lu trop de photoromans. Une midinette. Elle menace de vider son* *sac auprès d'Anne. Et alors ? Elle a failli lâcher le morceau au moment où sa patronne est descendue du train, je venais tout juste d'acheter la Peugeot. Bien sûr, je ne la toucherai plus jamais, j'en ai par-dessus la tête d'elle. Il y a d'autres belles qui font moins d'histoires quand c'est fini. Son regard de chienne battue me laisse froid, je mange avec appétit. »*

Le Dr Bachmann se lève. Il sourit, deux serveuses l'observent. La Grandval, qu'il appelle la « duchesse » à cause de ses manières de dame de la rive gauche, lui lance, elle aussi, des regards appréciateurs. « Une imitation de Louise de Valmorin, en plus prétentieuse, mais moins raffinée, et sans Malraux ou Saint-Exupéry comme amants. » Cependant, il préfère les liaisons avec des célibataires, qu'il emmène dans l'un des trois hôtels de Saint-Avold, et pas plus que quatre ou cinq fois avec la même.

Falk est surpris de voir la mine réjouie du père. Pendant une demi-heure, il n'a rien dit du tout. Pour le reste, il l'a imité et a observé la circulation comme si elle avait eu de l'importance. Avec le temps, il a appris à devancer certaines feintes du tortionnaire. Déjà, elles ne sont guère plus que des routines demandant des réactions rapides, ce qui le fait sourire à son tour. « Qu'est-ce qui te fait rire ? » lui demande le docteur pour montrer que rien ne lui échappe. « Je suis content d'avoir réussi l'examen. J'ai hâte de voir comment ça se présentera au lycée. Les parents de Harald, de Peter et des autres n'y étaient pas, ce soir. Si mes copains ont échoué, ils iront au *Gymnasium,* comme Henning. » La réponse semble spontanée, rien n'indique qu'il l'a préparée depuis l'arrivée de sa tisane. Parfois, il ne peut pas cacher son plaisir de s'être joué du père-qui-voit-tout, il pare à toute éventualité. « On verra si tu aimeras ça. Je me demande si ce n'était pas une bonne chose pour vous deux, votre compétition au primaire. La Volkmer ne t'a jamais dit que ton frère était meilleur que toi ? Sans bûcher, comme tu le fais, toi, parce que tu ne retiens facilement que ce qui t'intéresse. Pour le reste, tu dois te forcer. » Là aussi, la réponse est toute prête : «Non, mademoiselle Volkmer ne m'a jamais rien dit de tel, monsieur Lindauer non plus. Et je préfère aller au lycée parce que Henning n'y sera pas. J'aime travailler seul, sans devoir prouver que je suis le meilleur. »

Le père le regarde, mécontent. «Je te trouve plutôt effronté. Fais bien attention à ce que tu dis. C'est moi qui tiens les rênes chez les Bachmann, ne l'oublie pas. On s'en va, dépêche-toi. »

Dis-moi pourquoi tu mens

Anne et Gabriel Bachmann avaient participé à la cérémonie d'inauguration des nouveaux bâtiments du lycée Maréchal-Ney, le 7 novembre 1949, en présence des invités d'honneur, le haut-commissaire et sa femme, monsieur et madame Grandval, le ministre président, Johannes Hoffmann, le président du parlement sarrois, Peter Zimmer, ainsi que Maxime Bourgeois, le directeur de la nouvelle institution.

La véritable raison pour laquelle Anne favorisait cette école n'avait rien à voir avec l'appartenance de la Sarre à la France ou à l'Allemagne, le futur référendum ni le statut économique du pays. Simplement, elle se méfiait de l'enseignement religieux. Son père se disait « plus ou moins croyant ». Sa mère luthérienne avait demandé la crémation, ce qui, en 1919, constituait un désaveu ouvert des pratiques religieuses. Quand Gabriel avait demandé Anne en mariage, « à condition que tu te convertisses », elle avait haussé les épaules et s'était inscrite à des cours donnés dans la paroisse catholique la plus proche de la villa. Deux mois plus tard, elle avait renoncé au protestantisme et se trouvait désormais dans le giron de l'Église catholique et apostolique. Pendant l'examen et la cérémonie, elle s'était forcée pour garder son sérieux. Une réflexion de son père lui revenait sans cesse : « Les religions couvrent notre ignorance du divin. Lessing* a dit vrai, elles se valent toutes. En Occident, Dieu est partout le même, sauf pour des tièdes comme moi qui disent que l'Être divin n'est pas toujours juste et bon, sinon, il n'aurait pas fait mourir ta mère chérie quand vous en aviez besoin, toi et ton frère. » Elle avait dit à Falk : « La religion est une chose importante pour ton père. Il tient aux traditions de sa famille. Apprends bien ton catéchisme pour ta première communion. L'an prochain, après ton entrée au lycée français, ce sera la confirmation. Avec elle, tu deviendras un vrai chrétien catholique qui va se battre pour sa foi. »

Elle avait ajouté une phrase, fatidique : « Je te fais confiance. »

La première communion se passa bien. La photo officielle montre Falk souriant, assez en chair – les hivers de faim sont loin déjà – et à l'aise dans son habit noir, le cierge dans la main. Les parents avaient organisé une grande réception dans le jardin. Le curé était venu et avait béni chacun des Bachmann, séparément. Falk reçut des cadeaux, deux livres sur la vie de Jésus. « Tu le liras plus tard », dit le curé en lui offrant l'exemplaire d'Albert Schweitzer, et mademoiselle Volkmer ajouta le volume de François Mauriac : « Mon petit doigt me dit que tu passeras dès l'automne au lycée français. Tu penseras un peu à moi en le lisant, ce Mauriac, n'est-ce pas ? Mais attends encore quelques années, ce n'est pas facile. » Le directeur de l'école, les cheveux toujours coupés à l'américaine, lui avait donné un rosaire avec des grains imitant la nacre et une croix de métal blanc. Le récipiendaire se hâta d'égarer ce souvenir

---

* Gotthold Ephraim Lessing (1729-1781), célèbre dramaturge allemand du Siècle des lumières, a publié le « poème dramatique » *Nathan le Sage* (« Nathan der Weise », 1778), où il défend la thèse que toutes les religions se valent, pourvu que l'homme croyant mène une vie honorable et suive les lois de son pays.

le jour même. De la mère de Harald, il reçut un réveille-matin de voyage, de marque Kienzle, dont il connaissait le bas prix pour l'avoir vu dans la vitrine d'un horloger. Falk avait beau se creuser la tête, il ne voyait pas de lien entre l'appareil et la transformation de l'hostie, sans aucun goût d'ailleurs. Il l'avait collée au palais, comme il se l'était promis, pour la mastiquer avec une colérique ferveur sur le chemin du retour : Dieu ne l'avait pas anéanti, au contraire, le ciel bleu lui souriait.

Les dimanches, lui et Henning vont à la messe de huit heures et demie. Depuis que Falk a fait son entrée officielle dans la communauté chrétienne, il s'installe du côté droit, celui des hommes, et observe les mouvements de son frère au pied de l'autel, habillé de blanc et de rouge. Dans la rue, ils croisent leurs parents qui sortent de la messe précédant la leur, saluent poliment le couple qui, d'un pas vif et décidé, rentre et répond d'un signe de tête à leur « bonjour ». Quand ils reviennent, la table est dressée pour un grand et long brunch. Cette mode, introduite par les militaires américains, tombe bien puisque, tous les quinze jours, Claudine rend visite à ses parents. Elle part le samedi matin et rentre le dimanche soir, mais prépare les plats principaux à l'avance.

* * *

La confirmation a lieu un an plus tard. C'est un grand événement : un ancien ami d'école du père, Josef Maurer, depuis peu archevêque de Sucre, en Bolivie, est de passage et donnera aux candidats le soufflet de rigueur. La nouvelle est annoncée en chaire par le curé, début février. « Les enfants prêts à être confirmés devront suivre les cours d'instruction dispensés à la basilique, chaque dimanche après-midi, jusqu'à la fin mars. »

Falk entend l'ordre d'une oreille, mais il lui sort par l'autre. Il sait que, dans quelques années, un professeur du lycée donnera des cours d'éthique, mais d'ici là, aucun prêtre, catholique ou protestant, ne hantera les couloirs. De son côté, Henning lui raconte combien son abbé, « la baleine », a engraissé ; le ventre lui pend jusqu'aux genoux et il rayonne toujours de bonheur quand il entend le mot « grâce ». Par contre, le pasteur désespère parce que deux de ses walkyries se sont fait engrosser par le même chenapan, un grand roux baraqué de l'*Oberprima*, donc de première, qui se promène en bicyclette, porte en été des culottes serrées en cuir souple afin d'exhiber ses cuisses musclées.

D'aucune façon Falk ne s'était senti concerné par l'appel du curé. Chaque dimanche, un peu avant trois heures, il quittait la maison comme s'il allait rejoindre ses camarades à l'église, et rentrait à cinq heures. Quand il demandait à Harald, qui souffrait encore d'avoir échoué à l'examen d'admission au lycée, ce dont le curé avait parlé, le pauvre garçon ne savait pas trop ce qu'il avait appris dans l'après-midi : « C'est compliqué et long. Monsieur le curé parle de toutes sortes de choses qu'il faut apprendre par cœur, par exemple quel élément de la Trinité descend sur nous, tu vois ? » Falk ne s'en souciait pas. Il vit des films, *Jour de fête,* de Jacques Tati, ou *Orphée,* de Cocteau – il avait frissonné devant les immenses iris dans le visage blanc de Maria Casarès et la beauté de Jean Marais. La caissière le laissait entrer même si elle estimait que « c'est trop difficile pour toi, mon petit ». Cependant, elle lui donnait les affiches : « De toute manière, on les jette, et puis, il n'y a rien dessus qui pourrait scandaliser monsieur le curé ! » Comme s'il s'en souciait, de celui-là. D'autres fois, il se promenait dans les rues ou encore il observait l'activité de la place du marché de Sankt-Johann.

L'examen public de ceux et celles qui sont destinés à devenir d'ardents défenseurs de la Foi aura lieu ce dimanche, à trois heures de l'après-midi. Le matin, Henning et Falk, se rendant à la messe, saluent les parents dans la rue, comme d'habitude. Au lieu de se contenter d'un simple hochement de tête, Anne Bachmann esquisse un sourire, regarde brièvement Falk et murmure : « À plus tard. » Falk a un étrange pressentiment, il la connaît trop bien, ce salut n'annonce rien d'habituel. Si le père l'avait ainsi apostrophé, cela aurait signifié une faute de sa part, à l'école, à la maison, dans la rue, une plainte le concernant. Mais elle ? La messe passe lentement, le garçon remonte dans le temps, revoit ses rencontres avec la mère. Il ne trouve rien. En retournant à la Haldystraße, il pose des questions sur l'examen à Henning. « Bof ! Je m'en souviens pas du tout. Quelque chose avec les vertus théologales, charité, piété, amour, je n'en sais plus rien. Ça m'est complètement sorti de la tête. Pourquoi ? T'as pas appris ? Le curé t'a donné un carnet avec les questions et les réponses, non ? »

La salle à manger fleure bon le café, les tartelettes réchauffées. Claudine est à Bar-le-Duc. Sur la table, comme d'habitude, des viandes froides, des confitures, des fruits, une brioche, des petits pains chauds. Chacun se sert. Curieusement, la conversation traîne, on ne trouve aucun sujet. Falk s'inquiète. Quand, une heure plus tard, le repas est terminé, sa mère lui demande : « Tu as suivi les cours pour la confirmation, n'est-ce pas ? » Zut ! C'était donc cela… « D'après ce que j'en sais, cet examen est long et comprend plusieurs douzaines de questions. En connais-tu les réponses ? » Il répond : « Oui, bien sûr. » Et elle : « C'est ce que je vais vérifier avec toi. Maintenant. »

Soudain, la voix de sa mère n'est plus la même, l'expression de son visage a changé, elle serre les mâchoires. De la base du cou monte la rougeur des moments où son mari l'exaspère au plus haut point. Elle se lève et fait signe à son fils de la suivre. Ils entrent dans son bureau, qu'il voit de moins en moins : partout, des livres ouverts, superposés, sur les chaises, le bureau, les étagères, la machine à écrire. Elle ne l'invite pas à s'asseoir, s'empare d'une mince brochure, l'ouvre et lit : « Que veut dire le mot Christ ? » Il hésite, répond : « Le sauveur. » Elle continue : « Qui descend sur celui qui est confirmé ? » Il ne sait pas. Sa mère dépose le carnet, sort, revient avec la cravache dont il n'a jamais oublié ni la forme, ni la couleur, ni le bruit quand elle fend l'air, ni la brûlure infligée. Elle ferme la porte tandis qu'il recule jusqu'à la fenêtre. « Pour chaque réponse manquée, tu reçois un coup. Je vais te frapper de toutes mes forces. Je te punirai non pas parce que tu n'as pas assisté aux leçons – le curé me l'a dit il y a un mois, il te croit malade –, mais parce que tu as menti. Mon fils ne me ment pas. Il n'a pas besoin de recourir au *mensonge effronté*. Maintenant, dis-moi : à quel moment le saint chrême est-il consacré ? »

Il y a soixante questions, il ignore quarante-huit réponses. Quarante-huit coups de cravache. Le père avait épargné la tête, le cou, les mains, l'abdomen. Anne frappe n'importe où. Au dixième coup, il s'effondre, secoue la tête après une question dont la réponse lui échappe. Ce qui lui arrive dépasse en douleur tout ce qu'il a enduré de la part du père. Le temps s'est figé, la liste de questions sortant de la bouche de sa mère semble interminable. Le sens des phrases commence à lui échapper. Les dents serrées, il la fait répéter. Ce qui donne à chacun du répit : à lui, à genoux, pour se pencher en avant et cacher sa tête, à elle pour réfléchir où porter les coups suivants, car les mollets, les cuisses, les bras sont couverts de marques vives. Sous ses vêtements, la peau éclate là où elle a été touchée deux ou trois fois, sur les fesses, le dos, la poitrine. Il n'y a

177

que la voix de cette femme à la coiffure défaite, égrenant les questions, et le bruit quand la cravache le frappe. De lui, pas un son, aucune supplication. Quelque chose vient de se briser, il a senti et entendu quand cela s'est produit. Une maison de verre, une construction sophistiquée est réduite en un tas de débris, étincelants, tranchants, dangereux. Ne pas toucher à *ça,* ne plus l'approcher, *elle.* Devenir neutre en formulant les mots justes et les phrases appropriées, rien que le nécessaire. Cacher ses pensées, ses soucis, ses préoccupations, éviter de lui poser des questions. Si le besoin se fait sentir, le Brockhaus répond à tout.

Après avoir débarrassé le canapé à deux places de ses papiers, elle l'y pousse, s'assied dans son fauteuil de travail. «Tu apprendras les réponses d'ici deux heures. Après quoi, tu prendras une douche. Je te donnerai une éponge et un savon médicinal pour te débarrasser du sang. Tu mettras ton habit noir de l'an dernier, il te fait encore. Chemise blanche, cravate. La blessure sur la nuque sera cachée par le col.»

Sans perdre une minute, elle lui donne une copie du cahier. Ils travaillent, elle construit des *Eselsbrücken,* des «ponts d'âne», pour mémoriser rapidement en créant des associations de toutes sortes, auditives, olfactives, visuelles, littéraires. À la trentième question, elle revient sur ce qu'il a appris ; trois réponses lui échappent. Elle ne le frappe pas. Quand deux heures sonnent, la seconde moitié est derrière eux. Il connaît les trois vertus théologales, les dons du Saint-Esprit, le sens de l'huile et du baume, de quelle façon l'évêque administre la confirmation. À la question sur la signification du soufflet, il a envie de répondre qu'il vient d'être confirmé quarante-huit fois. Mais il prend un ton posé, accentuant les mots et fixant les yeux d'Anne : «Pour que le confirmé sache qu'il est désormais prêt à souffrir les *vexations,* la *haine* et les *persécutions* de ceux qui ne croient pas en Jésus-Christ. »

Au moment de se lever, la mère le retient : « Je sais que cette punition te semble monstrueuse. Mais tu m'as menti, devant ton père et ton frère. C'est pour cela que je t'ai frappé. Tu m'as humiliée. Tu t'es moqué de moi, peut-être sans le vouloir. Ta réponse à la question concernant le choix du front pour l'huile et le baume t'a parfaitement décrit : au lieu de rougir de honte et de crainte, il est resté blanc. Pourquoi avoir menti devant les autres ? Cela a été le pire affront que tu pouvais me faire. Chaque fois que je t'ai frappé, j'ai ressenti tes douleurs, celles du corps et du cœur. » Elle s'arrête pendant quelques secondes : « À trois heures, ton père et moi serons à la basilique pour voir que tu lèves la main à chaque question. L'archevêque va souper avec nous. Tu seras assis en face de lui. Maintenant, va te laver. »

Elle ne sera plus *sa* mère. Pendant les deux prochaines années, il évitera d'utiliser les mots *maman* et *mère* en lui adressant la parole. Il continuera à envoyer des lettres à Arno dans lesquelles il demandera s'il est en bonne santé, comment va Paschenny. Une fois, son grand-père écrit : « Tes lettres ont changé. Tu n'es plus le même. Cela doit être l'âge. Le regard sur les autres se transforme, on se fait plus secret pour se protéger. C'est la vie. » Son petit-fils ne mentionne jamais Anne ni qu'il s'est promis de ne plus se rendre à l'église pour faire semblant d'y prier. Pour déserter « l'armée des fidèles défenseurs de Dieu », comme les a appelés l'archevêque pendant son sermon, il lui faudra attendre ses dix-huit ans. Après quoi, il sera libre et quittera cette maison maudite que déjà il appelle « le tombeau de mon enfance ». Pour l'instant, il doit parfaire son rôle de fils obéissant et d'élève doué. Falk ne relèvera pas les remarques du grand-père.

À trois heures, pendant l'examen à l'église, sa main est la première à se lever. Mais l'archevêque ne la remarque pas. Peut-être que monseigneur est presbyte. Son soufflet est une caresse. Ce matin, Falk a encaissé assez de coups. Il doit continuellement changer de position, les plaies s'ouvrent, le sang coule, mais on ne voit rien sur le tissu noir, le veston demeure fermé, la manche ne glisse pas quand le bras est en l'air. À cause du sang, le tissu est collé à la peau. Personne ne saura ce qu'il cache sous ses vêtements. Au lycée, il ne participera pas au sport du samedi après-midi et va prétexter un malaise.

À sept heures et demie, monseigneur Maurer, qui sera élevé au rang de cardinal quinze ans plus tard, arrive en limousine, prêtée par l'évêque de Trèves, une grande Mercedes noire aux vitres teintées. Anne a servi ce que Claudine a préparé : un bouillon aux quenelles de brochet, extraordinaires ; des poitrines de poulet à l'étuvée, refroidies dans leur gelée, servies avec de la mayonnaise et accompagnées de petits pois, suivies d'un plateau de fromages et, pour terminer, un sorbet aux fraises, un doigt de cognac et des cigares que monseigneur a apportés. Pendant le repas, l'archevêque parle peu, émet des compliments appuyés au sujet de chaque plat. Vers la fin, il sourit à Falk : « Te voilà confirmé dans le Saint-Esprit. Ton père m'a dit que tu fréquentes le lycée français et que tu t'y connais assez bien en théologie. » Il lui pose des questions sur la différence entre les quatre vertus cardinales : force, justice, prudence, tempérance. Le garçon les interprète correctement. « La clarté de tes réponses est admirable. Tu serais un excellent candidat pour la Compagnie de Jésus. » Falk inspire profondément : « Au lycée, nous ne bénéficions pas d'un enseignement religieux. Avec tous nos devoirs et les travaux, il est difficile d'écouter des voix autres que celles des professeurs, monseigneur. » Silence consterné, le sourcil gauche de la mère est levé, elle réprime un sourire, le père est tout rouge, les yeux de Henning vont nerveusement entre le père et l'archevêque, qui éclate de rire : « Touché ! Par bonheur, en Sarre, les écoles allemandes sont encore confessionnelles. »

La soirée se termine agréablement. Une fois le prélat parti, Falk va dans la chambre, sort un pyjama de sa commode, se retire dans la salle de bains, fait couler de l'eau tiède, y ajoute le savon moussant que la mère a placé sur le tabouret à côté de la baignoire, se déchausse, enlève en grimaçant le veston, la cravate, les chaussettes, se glisse dans la mousse jusqu'au cou. Après un temps, il ajoute de l'eau chaude, attend jusqu'à ce qu'il puisse décoller la chemise, le pantalon, les sous-vêtements. Après quoi, il passe doucement l'éponge – une attention de la mère – sur ses blessures, s'examine, murmure : « Elle ne m'a pas manqué. C'est la première et la dernière fois. J'ai eu ma leçon. Pour toujours. Et je l'emmerde. Royalement. Quand elle sera vieille et malade, je la laisserai crever dans son coin comme une chienne galeuse. Qu'elle aille au diable. »

En sortant de l'eau devenue rose, il désinfecte les pires plaies sur les mollets, la poitrine, derrière les cuisses. Avant d'enfiler le haut du pyjama, il se fixe avec des sparadraps une serviette sur le dos afin de ne pas souiller le matelas. Il jette les vêtements à peine essorés dans la corbeille de linge sale, laisse s'écouler l'eau, nettoie la baignoire, souhaite bonne nuit aux parents.

* * *

Avant l'entrée de Falk au lycée, les parents ont fait venir un homme de main pour débarrasser les mansardes du bric-à-brac accumulé depuis des années. Ils ont demandé au cadet quels meubles il aimerait garder. Il choisit un lit simple en laiton, une vieille table qu'un ébéniste poncera et laquera, une chaise droite. Du temps de ses jeux avec les camarades du primaire, il retient un fauteuil pivotant des années 1920. Sur quelques étagères, il place ses livres. Les fenêtres restent sans rideaux. La seconde mansarde sera sa salle de bains. Anne plisse le front quand elle entend cette demande, sachant de quel souvenir elle est née, surtout quand il souhaite une porte communicante entre les deux pièces. D'après le plombier, ce sera facile à faire. Anne emmène son fils chez le marchand de tuiles et d'accessoires, même si elle sait d'avance ce qu'il choisira. Comme il l'a désiré, tout est prêt avant Noël. Il dispose de son nid à lui. De plus, les parents lui ont offert un atlas, le *Petit Larousse* de 1951 et une jolie édition des nouvelles de Maupassant. Depuis qu'ils ne partagent plus la même chambre, Henning aime rendre visite à son frère pour bavarder.

« Je veux voir ce qu'elle t'a fait. Pourquoi tu me montres pas ? T'as honte ? On n'a rien entendu, sauf vos voix, surtout la sienne, et les coups. Comment ça se fait que t'as pas crié comme un cochon en train d'être saigné ? Avec le vieux, tu t'es pas gêné… » Falk ne répond pas, ne montre rien. « T'as drôlement changé, tu sais. Tu te plains plus de rien, tu racontes pas comment ils sont, tes profs, s'il y en a d'aussi dingues que les nôtres, pourquoi t'as séché tes cours avec le curé, ce que t'as fait pendant que les autres étaient à l'église et planchaient sur les questions. Hé ! Qu'est-ce qui se passe ? » Comme le « petit » ne donne pas d'explication, le « grand », maintenant en quatrième, l'*Untertertia,* raconte que son prof de mathématiques, Schneider, est arrivé complètement soûl lundi dernier, pour la première leçon à huit heures, comme le Dr Blatt en latin à la deuxième et le Dr Wulff, en allemand, après la récréation de dix heures. « Ils se sont tous connus à Paris pendant la guerre, tu le savais ? C'est Wulff qui me l'a dit. Ils se rencontrent au bistro pour picoler et parler du bon temps qu'ils ont eu là-bas. Le vieux leur offre une tournée après l'autre, il boit aussi, mais moins qu'eux. Il m'a dit qu'il n'aime pas conduire quand il a bu, on ne sait jamais quels accidents stupides peuvent arriver dans ces moments-là. »

Henning ricane : « Pour lundi matin, Schneider nous avait donné un devoir idiot à faire en algèbre. Personne n'avait trouvé la bonne solution. Il commence avec le pauvre Frenzel, celui de la lunetterie, tu sais, qui a été touché par un éclat de grenade dans la hanche et qu'on ne peut pas opérer, sinon il ne marcherait plus du tout. Eh bien, il ne peut pas le blairer, Frenzel, parce qu'il boite et a besoin d'une canne. Paraît que Schneider déteste tout handicap. On raconte qu'il a fendu la tête de son chien avec une hache parce que son toutou s'était mis à se gratter puis à saigner de l'oreille. Dégueulasse, ce type. Tu l'as déjà vu, plus grand que le vieux, grosse dent en or, toujours en complet, cheveux gris qu'il met en plis avec le fer à friser de sa femme. Bon, il regarde le travail de Frenzel, pique une crise, le soulève, le jette sur le pupitre, lui donne une raclée avec sa canne. Après lui, il continue. Toute la classe y a passé ! Trente-quatre fois. Il puait la bière, avait une sale gueule, les petits yeux rouges, et il frappait comme si on le payait pour les coups... Quand il est arrivé devant moi, il a tout de suite vu que j'avais rien compris, moi non plus, alors il a dit : « Toi aussi ! » Mais moi, j'avais prévu le coup, comme les autres dès la quatrième rangée après Frenzel. J'avais glissé des cahiers mous dans mes pantalons. Il est tellement idiot, Schneider, il n'entendait pas qu'il frappait sur du carton... Il a passé toute la classe, on a quatorze ans ! Imagine ! Tu dis jamais qu'ils vous tapent dessus au lycée. C'est parce qu'ils ne le font pas ? C'est défendu ? Ah, ça alors !

« Le vieux m'a souvent répété que les gens l'arrêtent dans la rue. Ils lui demandent de renforcer les punitions corporelles dans les écoles, au primaire comme au secondaire, jusqu'aux trois dernières années. Après, les gars sont trop grands, certains sont si forts qu'ils réduiraient en bouillie le prof qui lèverait la main sur eux. Alors faut faire gaffe, ils doivent même vouvoyer les élèves. J'ai hâte d'y arriver. Si je continue à endurer ce cirque, ce qui n'est pas certain. Blatt me fait toujours vomir. Rien qu'à y penser, il me lève le cœur. À chacune de leurs beuveries, il dit que je suis né pour étudier le latin, et se fait dire par le vieux que les tapes régulières sur l'arrière de la tête augmentent l'intelligence. Schneider me dégoûte, je l'ai en chimie, aussi. Il enseigne les mêmes choses depuis le début de sa carrière, le papier de ses carnets est tout jauni, un pour chaque année, de *Tertia* à *Prima*. Le prof de physique est un pauvre type, Fischer qu'il s'appelle, pas incompétent du tout, mais on se moque complètement de lui. À chaque leçon, c'est la foire. Toutes ses classes font du chahut, personne n'écoute ce qu'il dit, on n'apprend rien, strictement rien. Lors des examens périodiques, il n'ose couler personne, il y a des bras forts dans la classe, ceux qui ont doublé déjà deux fois, des grands types. À la fin du trimestre, ils lui disent qu'ils lui casseront les jambes s'il ne leur donne pas la note de passage.

« Le vieux connaît l'histoire de Fischer. Lui et sa famille s'étaient réfugiés dans la cave de leur maison quand a commencé le dernier raid aérien des Alliés, tu sais, le 13 janvier 1945. Ha ! Ha ! Ha ! Dix ans jour pour jour après le référendum de trente-cinq pour retourner au Reich, c'est pas fou, ça ? La Dudweilerstraße a été complètement rasée sur les deux cents premiers mètres. La famille est restée ensevelie pendant une dizaine de jours. Quand les équipes de secours ont entendu taper sous les décombres, ils l'ont trouvé, un paquet de nerfs.

Comme survivants, il n'y a eu que lui et les rats. Imagine, dix jours dans le noir, à boire l'eau goûtant la ferraille, coincé, pas moyen de bouger, dans le froid, appeler ses sœurs, ses parents, et pas de réponse… Moi, je peux plus me joindre aux autres, ça me révolte. Alors je me suis assis dans le premier banc pour l'écouter, il parle si doucement. Les autres m'insultent, mais il y a des limites. À la fin de chaque leçon, il a les yeux pleins de larmes. J'en peux plus de cette école. Même parmi les élèves, il y en a qui sont tordus à faire peur, des fêlés, des malades mentaux, si tu savais ! Un vrai calvaire. »

. Falk n'a rien de tel à raconter. Il prend son repas du midi dans une cafétéria bourdonnante. Les élèves sont choyés : trois menus différents, délicieux, des desserts presque aussi bons que ceux de Claudine. Pour terminer, une infusion. La langue d'enseignement est le français. Puisqu'il le parle couramment et a obtenu une note élevée pour la dictée, il a tout de suite été intégré en *Sexta* – en France, il serait en neuvième. Son prof de français, monsieur Gaudin, trouve qu'il parle bien, mais avec « un accent bizarre ». Quand Falk lui a expliqué que leur aide familiale venait de Bar-le-Duc, il a souri : « Je comprends. Dans toutes les régions de France, les gens ont un accent. On dit que le plus beau est celui de la Touraine. Tu as de la chance d'avoir appris le français si tôt. Rappelle-moi ton nom, veux-tu ? »

D'autres Sarrois viennent d'aussi loin que Merzig, Mettlach, Wadern et Homburg, tous des internes. Falk écrit à Arno : « Être interne, je n'aimerais pas. La discipline est sévère, tant chez les filles que chez les garçons. Jour et nuit, tu es sous surveillance. Le père trouverait ça génial. C'est comme à l'armée : lavabos, douches, toilettes en enfilade, lever à six heures et demie, extinction des feux à dix heures. Eberhardt Westhoff, de Neunkirchen, m'a tout montré. Il est dans ma classe. Je l'aime bien, on est comme cul et chemise. Naturellement, les Allemands doivent parler français entre eux, sinon, ils sont réprimandés. Il paraît qu'être interne coûte très cher, mais ses parents sont fortunés. Important : aux profs, il est *interdit* de toucher les lycéens et de les frapper ou d'infliger une quelconque punition corporelle. Pour les fauteurs de trouble, il y a monsieur Simonin, le censeur des garçons, un homme sec et juste. Il écoute, puis donne son avis. Après la troisième mise en garde, c'est la porte. Cela se produit de temps à autre chez les garçons. Les filles sont plutôt dociles. » Falk a des problèmes avec une matière seulement, les mathématiques : «Les autres étaient plus avancés que nous l'étions avec mademoiselle Volkmer. Je n'ai jamais réussi à combler les lacunes, et puis, madame Neyret parle trop vite. Son mari enseigne également les maths, comme monsieur Vautard, qui a la réputation d'être drôle et de faire *aimer* cette matière. Je paierais pour voir ça. Madame Neyret m'a dit que je devrai travailler beaucoup et peut-être prendre des cours privés de rattrapage. »

Arno en sait davantage sur le lycée que Henning. Celui-ci lui demande comment sont les filles. «S'il y en avait chez nous à la Landwehrplatz, ce serait la pagaïe. Les gars perdraient le nord, surtout ceux des trois dernières années. Là, il y en a des vieux, vingt et un ou vingt-deux ans, ils ne pensent qu'à ça. Pendant les cours ennuyeux, ils se passent des revues avec des photos sous les pupitres et se masturbent plus ou moins discrètement. Mais dis, elles sont belles, les filles ? » Son frère le regarde, sans comprendre : «Belles ? Je n'en sais rien. Pendant la récréation, elles se tiennent ensemble, la plupart des garçons aussi. Moi, je les trouve maigres et grandes. Tu devrais les voir quand elles font du sport ou jouent au volley-ball ! Grotesques. On ne s'en occupe pas. Les grands aussi les trouvent niaises, toujours à chuchoter et à pouffer de rire pour rien. Elles font comme si ceux qui se présentent cette année au BÉPC* ou fréquentent les classes terminales n'existaient pas, mais j'ai vu qu'elles les reluquent. À ce qu'on dit, c'est seulement dans les deux premières qu'il y a des couples. S'ils se font prendre, ils sont dehors. »

Il est vrai que la discipline au lycée est rigoureuse. Falk observe à la lettre les règlements, obtient de bonnes, parfois d'excellentes notes, sauf auprès de madame Neyret. Quand le père a vu le 9 sur 20 en mathématiques, il a piqué une crise : « On va travailler ensemble, mon petit. Tu vas voir qu'au prochain trimestre, cela va changer. » Il est déçu par les notes moyennes de Henning : « Qu'est-ce qui t'arrive ? Ça ne va pas ? »

* * *

En 1951, on peut tout trouver en Sarre, absolument tout. Pour Noël, Henning a reçu beaucoup de cadeaux : de la mère, une magnifique serviette en vachette souple, douce comme de la soie, dans laquelle se trouvaient les éditions des œuvres complètes de Goethe et de Schiller, sur papier oignon, reliées plein cuir. Le père lui a offert un nécessaire de toilette, rasoir, blaireau, savon et miroir. Henning s'est exclamé,

---

* Le Brevet d'études du premier cycle est sanctionné par un examen à la fin de la sixième année d'études secondaires ; l'équivalent allemand se situe au même moment et permet l'entrée comme apprenti dans une entreprise ou donne accès à l'École normale (en allemand : *Pädagogische Akademie,* pendant trois ans), menant au diplôme d'enseignement à l'école primaire. Le cursus du lycée est celui des *Gymnasien* allemands, alors que les programmes sont calqués sur les français.

fou de joie : «Exactement ce qu'il me faut ! Merci, merci !» Il était tellement excité qu'il a embrassé le père, surpris par ce manque de retenue. Il n'y a pas de sapin décoré à l'ancienne : «Vous ne croyez plus au père Noël, avait statué le docteur Bachmann. Par contre, cette année, nous allons manger un plat traditionnel, de la carpe. Un régal. Une carpe à la sauce hollandaise. »

La veille de Noël, Claudine, Henning et Falk ont acheté le poisson chez le meilleur marchand en ville où truites, homards, brochets, anguilles sont gardés dans des aquariums. Pour l'occasion, il y a un bassin supplémentaire pour satisfaire à la demande de carpes. Le client désigne la victime du doigt, l'employé l'attrape à l'aide d'un filet. Avec un bout de bois, il lui donne un coup sur la tête. Le poisson s'immobilise après quelques mouvements mous de la queue. Le jeune homme n'a pas le temps de l'éviscérer, trop de clients se bousculent et puis, il faut que la chair soit fraîche. La bête est enveloppée dans du papier journal et placée dans le filet à provisions. Chemin faisant, souffrant sans doute d'une affreuse migraine et survoltée à cause de trop d'oxygène, la carpe commence à remuer. Claudine se demande où elle pourrait la conserver, elle a besoin de l'évier à la cuisine. «Dans la baignoire ! s'exclame Falk. Tu laisses couler l'eau froide et elle se sentira chez elle, puisque c'est un poisson d'eau douce. Va dans la salle de bains des parents, la baignoire est grande.» Ce qui sera fait. La résurrection est exemplaire, la bête se comporte plus majestueusement encore que lors de son séjour parmi ses congénères. D'abord, elle se repose, seules les branchies bougent. Dix minutes plus tard, elle se tient presque droite dans l'eau, en train de surmonter le choc du changement de milieu. Après une demi-heure, elle fait le tour de son domaine. C'est un spécimen âgé, moussu, grand. Falk décide qu'il s'agit d'un mâle et qu'il faut lui donner un nom. Claudine propose «Mathusalem», unanimement adopté par les frères. «Matthi» se révèle d'agréable compagnie. Dès qu'on plonge le doigt dans l'eau, il arrive et se laisse gratter la tête, immobile, s'abandonnant au plaisir de la caresse. Pour Falk, qui a toujours voulu un animal de compagnie, Matthi est déjà un ami qui le reconnaît et actionne ses nageoires plus énergiquement quand c'est le doigt du cadet qui l'appelle.

À six heures, Claudine monte pour s'emparer du sujet faisant office de plat de résistance. Falk est atterré à la vue de Matthi qui lui lance, il en est certain, des regards implorants, désespérés. Pour ne pas perdre la face devant la famille, le petit se réfugie dans son *home* et pleure sur le sort de la victime exécutée deux étages plus bas. Quand tout le monde est réuni pour le repas, et content des cadeaux – de madame Bachmann, Claudine a reçu des boucles d'oreilles ornées d'une perle, elles lui vont à ravir –, on lit sur le menu, rédigé dans l'élégante calligraphie de Falk : «Huîtres nature au citron – Bouillon aux boulettes de moelle – Saumon fumé des Vosges – Carpe miroir et sauce hollandaise, accompagnée de pommes de terre à l'étuvée et de haricots fins – Plateau de fromages – Glace aux marrons. »

Henning refuse d'avaler les huîtres «parce qu'elles gigotent encore sur ma langue. » Quand arrive Matthi, méconnaissable, étêté, sans sa belle peau aux écailles étincelantes et ornée de mousse, sans arêtes aussi («J'ai pu les enlever presque toutes ! » proclame Claudine fièrement en vérifiant que ses boucles d'oreilles tiennent bien aux lobes), nageant dans une sauce jaune, Falk se lève précipitamment, tenant la serviette devant sa bouche. «Il est trop sensible, pauvre garçon », murmure Claudine, qui s'empresse de le secourir pendant que les autres se servent. Ils reviennent quand les restes de Matthi sont froids.

« Gabriel, dit Anne, cette carpe aurait mieux fait de rester là d'où on l'a sortie. La sauce – elle se tourne vers Claudine, sourit –, délicieuse, n'a pas réussi à masquer le goût et l'odeur d'eau stagnante. On mange cela en Silésie ou quelque part par là, si je ne m'abuse ? En Sarre, tout comme en Rhénanie, nos papilles gustatives sont raffinées. Dorénavant, plus de carpe. Claudine, soyez gentille, disposez des restes, voulez-vous ? Je suis impatiente de goûter à la glace, après un morceau de fromage. J'ai presque oublié le parfum des marrons. »

Claudine est la *star* de la soirée, un membre à part entière de la famille Bachmann. Ses parents, qui s'ennuient de leur fille, l'attendent à Bar-le-Duc pour le jour de l'An. Son retour est prévu pour le sept janvier, après les Rois et la galette de circonstance.

* * *

Au matin du vingt-huit décembre, Henning a disparu.

Le père a frappé à la porte et est entré, n'ayant pas eu de réponse. Le lit n'était pas défait, tout était en ordre, les nouveaux livres se trouvaient sur les étagères, et la belle serviette à côté du bureau. Il n'avait pas laissé de mot. Peut-être était-il sorti en ville, mais où irait-il ? Noël est passé et beaucoup de magasins restent fermés jusqu'après le Nouvel An. La mère cherche sans succès le sac à dos, le nécessaire de toilette, ouvre les tiroirs de la commode pour vérifier le nombre de sous-vêtements, ne trouve pas ses chaussures de randonnée.

« Henning fait une fugue. Il vaut mieux informer la police. Il n'a que sa carte d'identité d'écolier du *Gymnasium,* pas de passeport. Ce qui exclut qu'il soit parti pour l'Allemagne. Je crois plutôt qu'il a raconté une histoire à dormir debout à un camionneur en route pour je ne sais où. Possiblement Metz

190

ou Nancy. » Le père s'oppose à ce qu'on alerte la police. « De quoi aurions-nous l'air ? Henning règle une affaire importante pour lui et ne veut pas nous en informer. » Anne décroche le combiné : « Il ne s'agit pas de ta réputation ni de la mienne. Ce garçon est en difficulté. En ce moment, il se trouve peut-être en pleine forêt, affamé, gelé. » Sans attendre, elle cherche un numéro dans son calepin, le compose, parle brièvement, écoute, raccroche. « J'ai appelé ton ami Edgar, le chasseur. Il m'assure que son chien est un bon limier. Ils seront ici sous peu. » Elle se tourne vers Falk : « Il ne t'a rien dit ? Si tu sais quelque chose, il faut nous le dire. C'est sérieux. » Il la regarde droit dans les yeux : « Il ne m'a pas dit *quand* il partirait. Mais, un jour, il veut aller en Amérique. » En réalité, Henning lui a tout raconté en détail. Falk lui a même donné une partie de son argent, obtenu grâce à ses bons résultats scolaires. Car le père récompense chaque note dépassant le chiffre douze par cinq cents francs. En revanche, il faut lui remettre de l'argent si la note est inférieure à douze. Il a ramassé dans les trente mille francs, ce qui est amplement suffisant pour acheter les livres qui l'intéressent, aller au cinéma ou au café Bärmeier. Dans un geste magnanime, il a donné dix mille francs à Henning, qui est parti avec Albert Krause, son meilleur ami. Lui aussi a marre de tout. Ses parents ne posent pas de questions sauf un rituel « Ça va à l'école ? » mais ils gueulent quand il rapporte un bulletin médiocre. Ils n'ont pas le temps de s'occuper de leur fils unique, avec leur magasin d'électroménagers, au rez-de-chaussée. Depuis le plan Marshall et l'arrivée des milliards de francs du gouvernement français, les commerçants ne savent plus où donner de la tête. La Sarre est transformée en un immense chantier de construction. Même la nouvelle République fédérale d'Allemagne a accepté cette aide, alors que sa rivale, la Démocratique, l'a refusée sur ordre de Moscou. En ville, l'air est à peine respirable. Les hauts fourneaux continuent à cracher des tonnes de saletés. Le fleuve est un cloaque. En été, des gaz se forment dans la boue noire du fond et montent à la surface de l'eau morte qui semble figée comme une gélatine dégoûtante. Quand les bulles éclatent à la surface, elles libèrent une puanteur insupportable, pestilentielle. Personne ne s'en plaint. Le plus important : rebâtir, rebâtir, rebâtir. Produire du fer, de l'acier, extraire le charbon du sol, oublier la guerre, acheter de nouveaux meubles, attendre l'installation d'un téléphone, se procurer une automobile, même la minuscule Renault 4 CV fait l'affaire, la « motte de beurre » accessible à toutes les bourses. Alors, pour les enfants… que l'école s'en occupe ! Les instituteurs se chargent de donner la base de ce qu'il faut savoir pour devenir ouvrier. Les profs des *Gymnasien* donnent l'instruction pour accéder à l'université, en Sarre. Il n'est plus nécessaire d'aller ailleurs.

Henning et Albert sont retrouvés vers midi, assis sur un tombeau du cimetière de Gersweiler, en train de manger des sardines en conserve, chipées dans le garde-manger de madame Krause. Partis vers cinq heures du matin, les deux garçons ont une bonne marche dans le corps, leur teint est rougi par l'air de la forêt. Dans les sacs à dos, chacun a fourré un pull-over, une cape en plastique pour se protéger de la pluie, un briquet ainsi que du pain et des saucisses fumées. Ils ont oublié les couvertures, les sous-vêtements, les chaussettes. Le limier et son maître sont contents de leur réussite, contrairement aux Bachmann, qui ont suivi pendant trois heures ce satané chien surexcité, s'étranglant dans son collier tellement il était heureux de suivre des traces aussi fraîches. Quand ils sortent du cimetière, le Dr Bachmann glapit : « Que diable faites-vous dans un cimetière ? Creuser votre tombe ? » Sa femme ajoute calmement : « Vous êtes ridicules et idiots. La prochaine fois, procurez-vous un passeport, amassez cinquante mille francs, prenez le train pour Paris, et surtout, fuguez en été. Au moins, vous n'attraperez pas le rhume. »

Ils trouvent un grand taxi de six places. Le chauffeur accepte de transporter le chien, qui bave abondamment. Henning monte en arrière, coincé entre ses parents, sur ses joues l'empreinte de la main paternelle. Albert a le privilège d'occuper le « siège de la mort », entre le conducteur et le chasseur, le chien couché sur ses pieds. Albert sort en premier, la mine défaite. Après quoi, le chasseur et son chien descendent. Une fois arrivés à la maison, madame donne un généreux pourboire et ajoute un joli sourire : « Merci, nous avons beaucoup apprécié votre service. »

Avant le début du conseil de famille, Falk a le temps de souffler au frère qu'il ne l'a pas vendu et que l'idée du chien venait de la mère. Henning passe aux aveux : dégoût total de continuer l'école, professeurs abrutis, cruels, fous, les vomissements, la diarrhée, mal de tête en permanence, sauf les fins de semaine. Plus aucun plaisir ni envie d'étudier. Mauvaises notes. Les remords d'avoir déçu le père, d'avoir reçu des cadeaux si généreux, le beau souper en famille à Noël, la carpe et le reste. Impossible de se confier à papa. Il a donc planifié la fuite avec Albert. À l'école, ils sont plusieurs à avoir craqué cette année. Dans l'*Obertertia,* devant les autres élèves, un prof a dit à un type qu'il ferait le nécessaire pour le caler à la fin de l'année, alors qu'il avait déjà doublé deux fois. Après le dernier cours, le garçon s'est pendu dans le réduit derrière la salle à dessin, où Merheim entrepose son matériel. C'est le concierge qui l'a trouvé. D'autres lâchent du lest en se défoulant sur des animaux : l'an dernier, la police est venue au *Gymnasium* pour arrêter deux jeunes, un en *Quarta,* treize ans, assez bon élève pourtant. Il pendait des chats et se délectait de leurs mouvements convulsifs, comptant les secondes avant qu'ils arrêtent de bouger. L'autre, en *Untersecunda,* dix-sept ans, immobilisait des chiens, de préférence des bergers allemands, en les forçant à demeurer debout contre une clôture. Il y fixait leur collier, les muselait, puis les fouettait au sang. À la fin, il les garrottait. De ces deux-là, personne n'a plus entendu parler. À Merzig, il y a non seulement l'asile des fous, mais aussi l'école de redressement pour jeunes délinquants. On sait que bon nombre d'entre eux se suicident avant la fin de leur « cure ». Voilà, il n'a rien à ajouter. Il regrette de leur avoir causé de l'angoisse, peut-être qu'une lettre... Sur ce, nouvelle gifle, plutôt molle : « Après les vacances, tu seras le meilleur de ta classe. Garanti. »

Réveil à six heures. Douche froide. Falk triche et ajoute de l'eau chaude. Petit-déjeuner léger : « Faut pas vous endormir à cause de la digestion. » Lire la matière, la comprendre. Sinon, apprendre par cœur, en répétant *ad nauseam,* jusqu'à écœurement. Après trois jours, le père s'acharne davantage sur Falk et les mathématiques que sur les lacunes de son aîné. « On dirait qu'il te faut réapprendre à compter. Jamais vu quelqu'un d'aussi buté que toi. » Ces remarques reviennent à la moindre erreur. Elles sont accompagnées de claques derrière la tête et de coups de phalanges, de cheveux tirés vers le haut, au-dessus des tempes, d'oreilles tordues jusqu'à ce que Falk entende craquer le cartilage. Donc, rien de nouveau. Il encaisse, ne pleure pas. Il vient d'avoir douze ans et a décidé que les larmes, c'était terminé, même s'il sait que seuls les cris apaisent l'autre. Il ne cède pas, ne lui donne pas satisfaction. Henning reçoit aussi sa part, après que le père en a assez de frapper sur son frère. Pour la première fois, Falk surprend chez le grand un regard de haine envers le « vieux », qu'il n'appelle plus jamais autrement quand il est avec le cadet. Henning admire Falk, qui a le culot de lui envoyer une esquisse de sourire, ainsi qu'un imperceptible haussement d'épaules, exprimant son impuissance et son indifférence devant la torture.

De dix à onze heures, repos pour l'un, mais distraction particulière réservée à l'autre : répétition d'une sonatine de Diabelli, accompagnée au violon par le père – qui a appris seul à en jouer –, d'une sonate de Mozart à quatre mains. Ou, alors c'est l'extase, présentation d'une des compositions du docteur, basées souvent sur des accords défaits et une mélodie compliquée en apparence. Parfois, il demande à son fils de jouer l'une ou l'autre de ses variations sur un de ses chefs-d'œuvre. Il s'occupe si intensément de Falk parce qu'il le croit aussi fort en musique que lui. Il donne ses leçons avec persévérance, enthousiasme et une foi inébranlable en ses capacités pédagogiques. Quand il pratique en présence de son professeur, Falk ne sourit pas, consulte discrètement sa montre : encore une demi-heure, un quart d'heure, cinq minutes. Lorsque le père est absent, le garçon se laisse aller, ses doigts courent sur les touches, il reprend une chanson à la mode, trouve rapidement l'accompagnement pour la main gauche. Les harmonies sont faciles. Dès qu'il sait l'autre proche, il reprend sagement ses partitions, tout plaisir l'abandonne, il est *au travail*.

Le père a constitué le Rotenbühl Quartett, qui se réunit une fois par mois, le dimanche après-midi. Falk apprend par cœur son répertoire, baroque, de l'Ancien Régime, avec quelques excursions dans le romantisme. Comme si elles ne lui appartenaient pas, ses mains se meuvent pendant qu'il pense à autre chose : au lycée, aux devoirs, aux copains. C'est une drôle de sensation, s'entendre jouer comme s'il était un autre. Quand la tristesse l'envahit, ce qui peut survenir à n'importe quel moment, son esprit s'envole à Wiesbaden. Il entre dans la chambre de Reinhardt, se glisse dans ce lit merveilleusement confortable, goûte le luxe exquis d'un bain. Cette villa...

Le français de la comtesse von Paschenny l'amuse, truffé d'expressions d'un autre temps. Il l'aime, et pas seulement pour ses repas. Sa bienveillance, son humour lui font presque autant de bien que l'affection d'Arno. Il a une confiance aveugle en cet homme. Il revoit l'église russe où il n'a jamais dû prier, le Neroberg, le centre-ville, la Kochbrunnen et les colonnades, les restaurants et les salles de repos après les cures. Être loin de la Rotenbühl, de la maison de la Haldystraße, « cette grande boîte, avait dit la mère, d'une lourdeur qui m'écrase ». Tout, sauf Saarbrücken. Ici, il n'arrête pas de mentir pour survivre, excepté à l'école.

Passé par la moulinette du père, Henning réussit à la rentrée. Falk, par contre, ne comprend toujours rien aux mathématiques. Toutefois, son tortionnaire est passablement content de ses progrès au piano. Il ne lui viendrait jamais à l'idée de sonder la profondeur de la haine que son fils éprouve pour lui. Il ignore combien l'archet abattu sur les doigts fait mal. Tant qu'il ne le brise pas, il n'y a pas lieu de s'inquiéter. Le garçon se frotte vivement les articulations pendant que le père lui lance : « Toujours du théâtre. Comme si tu souffrais le martyre, alors que je te donne un petit avertissement. »

Falk pense : « Il me croit doué. J'aime pianoter, c'est tout. Rien de sérieux. Il me voit déjà sur une scène à jouer devant une salle comble. Mon rêve, c'est de le regarder s'écrouler après un..., comment ça s'appelle déjà, oui, un accident vasculaire, le cœur, le cerveau, n'importe quoi. Qu'il crève. Je ne lèverais pas le petit doigt. Même si on m'offrait une fortune, je refuserais de verser une larme de crocodile. En finir avec les mensonges, du moins devant lui. Elle – bon, c'est une autre affaire. »

Il recommence à jouer. Ce sera long, il lui reste quarante minutes à tuer. Henning a de la chance, il n'a enduré que deux fois la tentative de le faire jouer, alors que lui… Il n'a qu'à s'en prendre à sa grande gueule devant Arno. Quel crétin il a été ! Jouer devant lui, et avoir eu du plaisir. Il n'ose pas imaginer ce qu'il serait devenu avec un prof assez habile pour lui faire aimer l'instrument.

* * *

Depuis qu'il va au lycée, la mère se rend chaque mois à Wiesbaden, pour deux ou trois jours. Falk ne lui demande plus quand il reverra Arno. D'une année à l'autre, elle lui a répondu que ce n'était pas le moment. Il passe donc les vacances à la maison pendant qu'elle s'amuse avec ses copines. Elle est heureuse, chantonne quand elle traverse le salon pour s'enfermer dans son bureau. Elle transmet les amitiés d'Arno, « désolé de ne pas pouvoir te recevoir cette année », « Arno t'embrasse », elle raconte qu'« on est jusqu'au cou dans les rénovations, le salon est devenu très beau, presque méconnaissable ». La cuisine doit être complètement revampée, puis on va s'attaquer aux salles de bains. Devant cette perspective, Falk a envie de protester, il ne faut pas toucher à celle de Reinhardt, elle est parfaite. Il se tait pourtant. Sa mère dit qu'Arno a eu des problèmes avec sa vésicule biliaire et que Paschenny a entrepris le grand ménage de la villa, remplie d'objets inutiles, « de vraies écuries d'Augias ».

Pour Falk, seul avec les autres, les semaines à Saarbrücken s'écoulent comme de la glu qui l'étouffe. À l'été de 1954, Claudine retourne à Bar-le-Duc, elle aide ses parents au commerce. Ils ont saisi l'occasion d'acheter le fond d'un bar-tabac, à deux pas de la place Saint-Pierre, derrière l'église Saint-Étienne. C'est petit, mais bien aménagé et ça rapporte gros. Elle a eu la gentillesse de préparer des repas pour une semaine. Après, Esslin a pris la relève : « Je vous dépanne, monsieur le docteur, je sais que je ne suis pas aussi bonne que la *Fronzaiss'*. » Les rares amis de Falk – il distingue entre amis, copains, camarades et connaissances – sont partis, la plupart chez des familles en France pour accélérer l'apprentissage de la langue. Comme si ce n'était pas suffisant, le père lui a imposé trois heures de piano par jour. Ce qui lui laisse peu de temps pour ses lectures en allemand, français, anglais. Il essaie de reprendre contact avec ses anciens copains du primaire, mais ils se défilent, leur vie et la sienne suivent des voies différentes.

Au début de février 1955, la mère est nerveuse avant de partir pour « régler une urgence ». Elle ne se décide pas sur les robes, les chaussures à apporter. Henning peut-il lui prêter sa belle serviette ? Elle la bourre d'un épais manuscrit relié, de livres, d'articles. Une semaine plus tard, aussitôt revenue : « Je suis contente de mon voyage. Arno va très bien, la vie est magnifique. » Elle s'enferme dans son réduit pendant presque deux mois, part de nouveau, revient rapidement. « Il fallait voir aux affaires » est tout ce qu'elle donne comme explication. La famille l'aperçoit à peine, même si elle est souvent à la maison, « barricadée dans son bureau », selon le père. À la fin de l'été, nouveau voyage de courte durée. Au retour, elle affiche une mine splendide et demande à Claudine, heureuse d'être à nouveau en Sarre, de l'aider à transporter un assez grand tableau de chez l'encadreur.

Le père a appelé pour dire qu'il serait en retard et qu'on mange sans lui. Il arrive vers neuf heures, boudeur, s'assied dans un fauteuil au salon, demande un cognac. Claudine connaît la raison de sa mauvaise humeur, trouvée dans le pantalon d'un des habits qu'il porte au bureau : la facture d'un restaurant dans une ruelle à côté du vieux marché Saint-Jean, le

Sankt-Johanner Markt, un endroit discret où l'on mange bien. Anne l'observe, souriante. Quand il a vidé son verre, elle l'invite à la suivre dans son bureau. Il est étonné : les paperasses ont disparu, les livres sont rangés sur les rayons, la table de travail est propre, vide et fraîchement cirée. Au mur, un grand parchemin encadré. Sur la première ligne figure le nom de la Friedrich-Wilhelm Universität, en lettres tarabiscotées, proches du style gothique. La deuxième nomme Anne Bachmann, née Süter. Plus bas, on lit que « les autorités compétentes » lui ont décerné le titre de *Philosophiæ Doctor* pour sa thèse, intitulée *Traduction et interprétation des édits et règlements araméens de Tell Fakhariyé, trouvés lors de fouilles à Tell Mardikh, en 1932.* Note de l'évaluation : *Summa cum laude.* Au-dessous, les signatures de son directeur de recherche, du doyen et du recteur ainsi que le sceau de l'université, d'un beau rouge vif, emprisonnant un ruban portant les couleurs de l'université, et la date : 14 juin 1955.

Claudine, Henning et Falk viennent d'entrer à leur tour. Ils regardent le diplôme, Henning traduit le texte latin. Quand il arrive à la note, il prononce lentement : « Avec les plus grands éloges », suivi d'un long silence, brisé par Claudine : « Madame, je suis tellement contente pour vous ! Si vous saviez ! Toutes mes félicitations ! » Dans son enthousiasme, elle embrasse Anne plusieurs fois, ses yeux sont remplis de larmes. « Elle pleure facilement », pense le Dr Bachmann, comme chaque fois qu'il lui dit non, il ne lui ferait plus l'amour, oui, c'est fini entre eux, pour de bon. Suivent Henning et Falk. Ce dernier exprime ce que pensent les autres : « Deux docteurs, c'est extraordinaire. Ce sera trop drôle, le même titre, les mêmes noms sur la plaque à la porte ! » Le père l'attrape par l'oreille et l'expédie vers le salon, grommelant : « Imbécile ! » Il signifie à Henning et à Claudine de sortir, ferme la porte doucement, signe que s'ensuivra une scène de colère.

Les parents parlent tous deux distinctement, questions et réponses alternent comme dans un jeu. Soudain, Falk se rappelle le rêve pendant l'opération qui lui a coûté une grande partie de ses amygdales, le match de tennis où le père a perdu toutes les balles que lui envoyait la mère. En ce moment, il accuse Anne d'avoir comploté avec son père. Elle avait bien mentionné ses recherches, mais pour lui, « il s'agissait d'une lubie de femme dorlotée, gâtée, incapable de s'occuper des plus simples tâches ménagères ». Il hausse le ton en la traitant de menteuse. Elle lui interdit de l'insulter : « Je n'ai pas tout dit parce que je savais que tu ne m'appuierais pas, mais je ne t'ai pas menti. » Quand elle a pris sa décision, Arno l'a encouragée à poursuivre ses études qui lui permettraient de diriger une équipe de recherche à laquelle se joindraient certaines de ses anciennes *Kommilitoninnen,* en fait ses meilleures amies. Déjà, elle a envoyé des demandes de subvention au DAAD* et à deux fondations américaines pour continuer les fouilles à Tell Halaf et à Ebla/Tell Mardikh. Elle s'est aussi adressée au gouvernement français. Après la guerre, son équipe serait la première constituée d'archéologues allemands, en étroite collaboration avec des collègues français.

Son mari répond par une sorte de hennissement. Il est d'avis que tout cela n'est que chimères : « Ton désir engendre ta pensée, pour parler comme Shakespeare, tu prends tes rêves pour la réalité. » Il trouve inconcevable (le ton se durcit, le volume augmente de nouveau) d'avoir été berné sur les raisons

---

* Deutscher Akademischer Austauschdienst, l'Office allemand d'échanges universitaires qui promeut la collaboration entre universités allemandes et étrangères, visant l'excellence dans toutes les disciplines.

véritables de ses absences répétées, qu'elle ait abandonné son foyer où sa présence est chaque jour requise. D'après lui, se taire équivaut à mentir. S'il avait su la vérité, il lui aurait interdit cette « folle entreprise qui ne mène à rien, tiens-toi-le pour dit, ma pauvre fille ». Elle répond qu'elle n'est ni sa fille ni pauvre et qu'elle disposera des sommes nécessaires pour financer les prochaines fouilles. Il ne peut lui interdire d'assumer des tâches académiques ; les lois française et sarroise lui permettent de poursuivre une carrière professionnelle. Jouer à la « femme au foyer » ne l'a jamais intéressée. Depuis trois ans, elle a travaillé d'arrache-pied ; la soutenance publique a eu lieu en février. Elle a apporté les corrections et déposé les vingt-cinq exemplaires requis par le rectorat. Les éditions Bouvier, maison universitaire de renom, désirent publier sa thèse. Anne termine en disant que cette discussion lui semble superflue et de bas étage.

Après, des meubles sont déplacés violemment, des objets tombent par terre, une vitre se brise, du papier est froissé ou déchiré pendant que le mari hurle : « Voilà ce que j'en fais, de ton torchon ! » Il y a une pause, on n'entend plus rien. La voix d'Anne reprend sur un ton neutre, celui qu'elle adopte quand elle demande à Esslin de faire la lessive ou de relaver le plancher de la cuisine : « J'ai prévu ta réaction. Ce que tu viens de détruire est une copie délivrée par le bureau du recteur. L'original se trouve en lieu sûr. Je suis libre. Tu ne me défendras rien du tout. Laisse-moi passer. »

La porte s'ouvre. Quand Falk aperçoit la mère, le jour de sa confirmation lui revient dans toute son horreur. Elle est pâle, ses lèvres forment un trait horizontal, ses cheveux sont en désordre. Le père se tient derrière elle, prêt à la frapper, la main levée. Ses yeux gris fixent sa femme, des mèches mouillées par la sueur collent sur son front. Dans sa main droite, couverte de sang, il tient les morceaux du parchemin. Des éclats de vitre jonchent le plancher et le bureau, le cadre est brisé, une partie de la bibliothèque s'est détachée du mur, des livres sont éparpillés partout dans la pièce. Après un moment, il ferme doucement la porte, de profonds plis vont des narines aux commissures de ses lèvres. Il emprunte l'autre sortie donnant sur le couloir et se rend au *Herrenzimmer,* son refuge où personne ne peut le déranger. Là, il se verse une nouvelle rasade de cognac. Quand il aura assez bu, il ira à la salle de bains pour se laver et désinfecter les coupures sur ses mains. Pour terminer, il brossera ses dents. Il se couchera assez tôt pour éviter de parler à la nouvelle *Frau Doktor* sous son toit. Le lendemain matin, il aura décoléré, mangera avec appétit ses tartines et boira son café, très fort. Le chauffeur arrivera à l'heure pour le conduire au ministère.

* * *

Anne dit d'un ton qui se veut léger : « Si nous prenions un verre de champagne, tout le monde ? Toi aussi, Falk. Bientôt, tu auras quatorze ans, alors on va ignorer la règle pour l'occasion. Je crois que nous avons mérité un petit remontant. » Sa voix est calme, elle respire profondément. « Un truc qu'elle a appris d'Arno », pense Falk. Au même moment, elle dit : « Respirer à fond aide à mieux réfléchir. Une habitude de mon père. » Claudine et Henning sortent, la première pour chercher des flûtes et des biscuits, tandis que le second s'occupe du champagne.

La mère et Falk sont seuls. Elle parle très vite : « En février, Arno et Paschenny ont assisté à la soutenance, bien sûr. Tu sais, j'ai sérieusement commencé à jeter les bases de mon travail pendant l'été où tu m'as accompagnée à Wiesbaden, cela fait… presque sept ans. » Elle se frotte le nez : « Le temps file… Après cette année-là, j'ai suivi des séminaires spécialisés pendant six semestres, trois ans, une fois par mois. Sans Claudine, il m'aurait été impossible de poursuivre mon but. Des périodes intenses de recherche pendant quatre ans, la rédaction d'articles dont j'ai intégré certains à ma thèse. Tout ce temps-là, Arno et Paschenny m'ont épaulée. Tu comprends pourquoi je ne pouvais plus t'emmener. Tes visites régulières à la maison auraient eu des conséquences graves. Arno était persuadé que tu étais la réincarnation de Reinhardt. Il a failli devenir fou en te voyant. À chacune de mes visites, il me demandait quand tu reviendrais. Devant mon refus de te ramener, il s'est mis à boire, avec méthode. Je n'ai pas cédé au chantage. Son foie l'a fait souffrir, sa vésicule biliaire aussi. Mais il s'est défait de son idée fixe que tu es mon frère. Il peut te revoir sans risque. Tu as beaucoup changé, physiquement et mentalement. Veux-tu venir ? Tout est comme avant, sauf qu'Arno a engagé une deuxième femme de ménage, une Polonaise du nom de Kowalska, pour les gros travaux. Cela rend la vie plus facile à Paschenny. »

Falk est assis sur le bord du fauteuil : « Nous partons quand ? » Elle lui tapote le genou : « Tu as aussi hâte que moi. Après-demain, j'espère. Il me faut prévenir Arno et lui faire comprendre que j'y vais pour le travail. Nous serons absents pendant six semaines. Tu peux apporter tes cahiers de musique et tes livres de maths. Il est ingénieur et peut te donner des leçons. »

Claudine et Henning reviennent avec les plateaux. Anne se tourne vers l'aîné : « Comment ça va, toi, à l'école, tes notes ? Les profs ne sont pas trop durs ? À partir de l'année prochaine, ils doivent te vouvoyer. J'ai remarqué que tu te fais la barbe. Tu utilises le nécessaire que ton père t'a offert il y a deux ans et demi, je suppose ? » Henning, gêné et rouge tomate, vide son verre, se tortille : « En latin, c'est plus ou moins bien, d'après

Blatt. Il raconte tout au…, à papa. Selon lui, je traîne de la patte, malgré mon talent, comme il dit. Par contre, avec certains profs, comme Fischer, en physique, ça va pas du tout. Dans les autres matières, je m'en tire assez bien, je crois, entre 14 et 18 sur 20. En musique, je passe, à cause des matières théoriques, histoire, mouvements, tout ça. Mais le prof m'a dispensé de participer à la chorale. Pour la barbe, non, j'utilise un autre modèle que celui… Tu permets que j'aille me coucher ? »

Anne lui tend la joue. « Claudine, vous pouvez vous retirer. Toi aussi, Falk. Je vais mettre de l'ordre dans mon bureau. Non, laissez-moi, je préfère. Je veux réfléchir toute seule. Bonne nuit. »

Falk la suit : « Je ne parlerai pas. Seulement si tu veux. » Il ramasse les débris de verre, puis les livres tombés par terre. Elle le regarde de côté : « Tu as beaucoup grandi ces derniers temps. Vraiment beaucoup. Et tu deviens costaud, je dirais. Tu n'as pas mal dans les os ? Pas d'horribles boutons sur le dos et les fesses ? Parfait. Remercie Claudine pour la qualité de ses plats ! Je me demande comment Arno réagira en te voyant. » Falk ne répond pas, continue son travail, il connaît l'ordre de classement de la bibliothèque, qui n'est pas grande. Il a souvent consulté des ouvrages pour se sentir plus près d'elle, pratique cessée le jour de sa confirmation. Il replace les livres illustrant les découvertes d'Oppenheim, les catalogues d'expositions, les rapports de fouilles, écrits à la main. Il feuillette la thèse, un gros volume de plus de six cents pages, avec de nombreuses photos de tablettes couvertes de caractères qu'il reconnaît mais ne comprend pas. Dans le passé, il s'est parfois amusé à lire leur transcription phonétique. Anne en a fait les traductions et rédigé de longs passages explicatifs. « C'est cela le but de ma thèse. Il faut tenter de savoir quelles étaient les lois des Araméens, comment ils réglaient les différends, les contrats de mariage. Au fond, je veux expliquer les codes que toute société avancée observe. Parfois, il y a des ratages collectifs, comme en Allemagne, avant et pendant la guerre. Des folies qui s'emparent d'un ou de plusieurs peuples. Plus j'avance dans mes connaissances, plus je suis convaincue de la perversion humaine, comme beaucoup d'autres chercheurs d'ailleurs, dans tous les domaines. En fait, nous sommes la pire calamité sur Terre. »

Il a toujours aimé quand elle lui communique ses pensées, cela lui fait oublier ses yeux de tout à l'heure et le jour où elle l'a férocement battu. Maintenant, elle est comme il l'aime : sérieuse, les sourcils froncés. Dans ces moments, il retrouve le bonheur de la savoir près de lui, son parfum, le mouvement de sa main en train de replacer une boucle – il a le même –, sa façon de frotter son nez quand elle cherche une réponse ou n'est pas contente. « Quand vas-tu partir pour la Syrie ? » Elle soupire et s'assied dans le fauteuil de travail.

« Je n'en sais rien. Ma demande de subvention est en cours d'évaluation. Si elle est rejetée, je ne pourrai pas y aller. Il me faudra écrire d'autres articles et sortir la thèse sous forme de livre pour augmenter ma crédibilité. L'éditeur la voudrait aussi rapidement que possible. Il ne publie que des ouvrages de haut niveau. Avec Narr et Finck, c'est une des très grandes maisons universitaires allemandes. Ces dernières années, j'ai écrit une dizaine d'articles dans des revues spécialisées, en Allemagne, en France et en Angleterre. C'est pas mal. Mon âge peut jouer contre moi. Quand on est au milieu de la quarantaine… Arno m'a dit qu'il financerait les fouilles si je n'ai pas la subvention. Je ne veux pas. Absolument ruineux. Il faut payer une équipe composée d'une bonne douzaine d'ouvriers et d'au moins cinq ou six assistants. S'ajoutent des frais de voyage, de subsistance, puis il y a l'achat du matériel… Non, il est hors de question de le précipiter dans ce gouffre. Je dois lui prouver que je peux réussir sans lui. Après le doctorat, que je considère comme un billet d'entrée dans le monde professionnel de ma discipline, je me retrouve face à une compétition sans pitié. Les autres ont de l'expérience, une carrière, des résultats. Ils sont intervenus dans des colloques où ils ont rencontré des collègues qui les invitent, ils donnent des conférences. Moi, j'ai pris un retard de dix-sept ans. Je me suis souvent demandé si, sans Gabriel et vous… Hypothèse futile. Tu as compris que, dans mes travaux, ce n'est pas l'individu qui me fascine, mais la collectivité, l'esprit d'un peuple, n'est-ce pas ? Il n'y a rien d'autre pour moi… Maintenant, au lit, monsieur aux grands yeux et à la lippe des Habsbourg ! Bonne nuit… J'ai presque envie de dormir ici. »

Cependant, elle se glisse dans la grande chambre, enfile son pyjama. *Après la grande guerre mondiale, une petite guerre de couple. Quelle horreur ! J'ai un mari borné, jaloux, étroit d'esprit, égoïste, petit-bourgeois en tout. Et coureur de jupons. Il ne me touche pas, je suis bien contente. Bachmann était David : regard frondeur, lèvres boudeuses. La seconde après, transformation complète en Apollon, sourire éclatant, une lame d'acier que rien ne peut corroder, souple, incassable, tranchante, dangereuse, dans un beau fourreau. Une théâtralité certaine, des joies, des surprises et des colères feintes. Rien ne l'occupe que son bien-être. Dix ans après Paris, pas un mot de ce qu'il y a fait. A-t-il participé à des horreurs sorties du cerveau d'un mutant sur lesquelles les commissions d'enquête lèvent le voile ? Il est muet, une tombe. Pauvre Claudine, elle y a passé. Quand je suis revenue à la maison avec le petit, il y a sept ans, cela m'a sauté aux yeux. Elle ne m'en a jamais parlé. J'espère que c'est terminé entre eux. Je crois que oui. Elle est jeune et forte. Les garçons l'aiment, Falk lui dit tout, comme à une sœur. Il m'en veut terriblement pour ce sale dimanche. Je* *n'aurais pas dû le punir si cruellement. Je l'aime, ce garçon, je me ferais tailler en pièces pour lui. Personne ne sait cela. Même pas Arno. En bons Rhénans, les Süter ont souvent été démonstratifs, alors que les De Vael du côté de maman... des protestants austères du bord de la mer du Nord. Zut ! Si je n'arrête pas de penser, je ne dormirai pas. Voilà qu'il bouge. Il ne va pas se réveiller, j'espère. Ah, fausse alarme. Il aurait continué à m'insulter. De son histoire sur Reinhardt et moi, il n'en démord pas. Qui a pu lui en parler ? Depuis cette nuit d'hiver, je ne le supporte plus, il me répugne, même physiquement. Ai-je encore envie d'avoir un homme dans mon lit ? Bien sûr. Oda et Margit sont mariées, mais elles couchent à l'occasion avec des types rencontrés au hasard. Pas d'amour, rien que du sexe. Le mari à la maison les ennuie. Susanne s'affiche ouvertement avec un colonel américain. Ute et Karin préfèrent les femmes. Je sais qu'elles m'estiment beaucoup, du moins d'après leurs lettres de soutien. Cette subvention est ma bouée de sauvetage. Je serais en Syrie pendant l'été, quand les étudiants sont libres. Michel Aflak a le vent dans les voiles, lui et le parti de la renaissance arabe, le Baas. Michel et son copain Salah al-Bitar sont des types extraordinaires, je peux compter sur leur aide, mais ils n'ont pas d'argent. Après les fouilles, je travaillerai à Bonn, à Berlin ou ailleurs, les instituts d'archéologie me sont ouverts, je ne reviendrai plus jamais ici. Henning obtiendra l'*Abitur dans deux ans, Falk terminera le lycée trois ans plus tard. Pour éviter Gabriel, le petit pourrait se rendre plus souvent à Wiesbaden, durant les vacances de Noël, de Pâques, d'été. Pourvu qu'Arno et Paschenny tiennent le coup, côté santé. Puis, ce sera le divorce. Plus de Gabriel, quel bonheur. Pourtant, j'ai été folle de lui. Rapide comme du mercure, et aussi toxique... Mince ! Cette subvention, il me la faut ! Mon directeur de recherche, les évaluateurs, Ute et Karin,* *tous ont eu la gentillesse de me refiler une copie de leur lettre de soutien. Celles de Ute et Karin sont presque gênantes. Je sais que ces recommandations ne pèsent pas lourd... En tout cas, ça fait du bien de lire ce que d'autres pensent de mon travail et de ma personne. De là à présumer de la bienveillance du comité d'attribution, toujours anonyme...*

Sur ce, Anne s'endort.

Baisers à la russe

Pendant les vacances, Henning fera un tour dans le Bade, avec son ami Albert, sac de campeur, tente, poêle, marmite sur le dos. « À pied. On prend le train jusqu'à Freiburg, puis on part pour les montagnes de la Forêt-Noire. On va se baigner dans quantité de lacs, le Titisee, le Schluchsee, on va visiter Sankt-Georgen, Zell, le Münstertal, Schönau, Bad Krozingen… Ah oui ! Bad Krozingen, c'est là que nous sommes allés pendant la guerre, n'est-ce pas, maman ? Je me rappelle même l'hôtel et la cave, dont un monsieur disait qu'elle était *bombensicher*. La nuit où Freiburg a été dévastée. Le sol vibrait à cause des bombes. » Falk observe son frère, puis ferme les yeux pour mieux réfléchir. Les dernières remarques de Henning lui rappellent quelque chose. La mère se lève : « Je dois préparer mes valises, et Falk la sienne. Tu nous accompagnes à la gare, n'est-ce pas ? »

Le Dr Bachmann a accueilli l'annonce du départ de sa femme et du cadet sans commentaire, mais elle le sait soulagé et déjà en train de planifier des rendez-vous grugeant moins son budget puisqu'il peut inviter ses conquêtes chez lui. Seul Henning avait protesté d'être exclu. Il n'a jamais vu son grand-père, ni sa maison ni la ville. Pourquoi Falk et pas lui ?

Il s'obstine, boude, jusqu'à ce que son père se penche à son oreille et lui murmure : « Tu ne le verras jamais, tu n'as rien d'un Süter. Tu verses trop dans les Bachmann, prolétaires, ouvriers. Demande à ta mère. Puis non, laisse tomber. » Claudine restera encore une semaine, puis ira à Bar-le-Duc aider ses parents qui ont ajouté un restaurant au bar-tabac : « Pourquoi tu ne viens pas avec moi ? Je te montrerai la ville, vraiment jolie, un peu noircie par l'âge, mais c'est plein de beaux monuments, de maisons anciennes, et tu apprendras combien de fois nous avons changé de main. Ça devrait te plaire, toi qui aimes l'histoire ! » Henning la remercie poliment : « Une autre fois. » Son frère sait pourquoi il ne veut pas y aller, même s'il aime bien Claudine : « Jamais je n'irai en France. Ils ont profité de la défaite du Reich, nous sommes dans leur poche. » Comme le père, il continue à utiliser le terme « Reich » pour désigner les deux Allemagne depuis octobre 1949 et, même après la convention de Bonn, en 1952, quand l'Allemagne de l'Ouest a cessé d'être un territoire occupé par les Alliés. Depuis un certain temps, on parle d'un référendum sur le statut particulier de la Sarre. « De la frime. Les Français vont trouver des échappatoires politiques pour le saboter. Ils visent la Sarre, point. Ils savent que nous ne voulons ni d'un statut particulier indépendant – on n'est même pas un million ! – ni demeurer un protectorat. C'est rien, ce statut de merde. Ce sera le retour au Reich ou rien du tout. »

* * *

Dans le train, Falk oublie de scruter sa mémoire à propos de la phrase du frère. Il retrouve avec plaisir le confort de la première classe. Les sièges aux couleurs claires sont confortables, tout est propre, neuf. Il s'installe et regarde sur la carte la route différente qui les mènera à Wiesbaden.

À Zweibrücken, ils changent de train, puis s'arrêtent à Neustadt, Mannheim, Worms, Mayence. De ces villes, il ne connaît que l'histoire de Worms, dont on dit qu'une partie de *La chanson des Nibelungen* s'y est déroulée. De Mannheim, il sait qu'elle a été un important centre musical du temps de Mozart, et de Mayence, Mainz en allemand, que Gutenberg y a imprimé en 1455 la première bible. Son professeur d'histoire et de géographie, monsieur Grossman, insiste pour que ses étudiants soient ferrés dans les dates et les noms : « Pas besoin de regarder dans les encyclopédies, vous avez la vôtre, toujours à portée de la main », dit-il en tapotant sa tempe de l'index, ce qui fait rire ses élèves sarrois, le geste signifiant pour eux « être totalement fêlé ». Anne a choisi de suivre une boucle opposée à celle de leur premier voyage, sept ans plus tôt, où ils avaient touché Trier, suivi la Moselle et changé de train à Coblence. Sur la tablette entre eux ainsi que sur les deux sièges à côté d'elle, la mère a étalé des dossiers dont elle vérifie le contenu, apportant des notes en marge : « L'essentiel de ma demande et le programme des fouilles, explique-t-elle, en sept exemplaires pour mes amies qui vont m'accompagner, à leurs frais, si nécessaire, figure-toi ! Leur enthousiasme me touche énormément. Étant évaluatrices, Karin et Ute ont déjà une copie depuis un bon moment. »

Falk regarde les paysages défiler. Quand le douanier examine les passeports, il dit : « Jeune homme, vous retournerez bientôt à la mère patrie, c'est ça ? » À quoi Anne répond : « Il n'a pas encore le droit de vote. Et puis, la partie n'est pas gagnée. » Il lui lance un regard amusé : « Même si je vois des centaines de vos passeports chaque jour, je ne m'y ferai jamais. Va pour des États comme Monaco, le Vatican, le Liechtenstein et à la limite le Luxembourg, mais la Sarre, un land on ne peut plus allemand ! Heureusement qu'on vit dans une démocratie maintenant. Vous allez décider ! Au revoir, madame, au revoir, jeune homme ! » L'employé des chemins de fer allemands vérifie les billets en annonçant : « Le déjeuner sera servi dans une demi-heure. Bouillon de poulet, blanquette de veau ou truite amandine, pommes de terre persillées, jeunes haricots verts, crème glacée à la vanille, vin blanc du Palatinat, café. Je vous réserve une table ? »

Une fois seuls, Anne affirme qu'on fait des progrès en Allemagne, sur tous les plans. « Tu sais, lors de mes voyages à Bonn, par économie, je n'ai jamais voyagé en première. En deuxième, les sièges sont en similicuir, on est huit par compartiment. Puisque les repas sont chers, j'ai habituellement acheté un sandwich à la gare, comme tout le monde. Mais aujourd'hui, c'est jour de fête, je fais taire la mère économe en moi. » Ils passent au wagon-restaurant. Le repas est excellent. Plus tard, elle remercie son fils : « Tu as été vigilant, empressé, le parfait gentilhomme. Tu te fais adulte, je n'en reviens pas. Ton veston bleu foncé et ton pantalon gris te vont à merveille. Tout le monde t'a observé, personne ne se doute que tu peux te transformer en sacripant quand ça te chante. Tu pourrais vendre des médailles de la sainte Vierge. »

Quand ils descendent du train, il aperçoit tout de suite Arno sur un banc, en habit de lin cru, chapeau de paille, une canne à la main droite. Falk s'arrête un instant. Beaucoup de gens passent. Des haut-parleurs tombent des annonces incompréhensibles. Les porteurs poussent leurs chariots, on s'appelle, un train part de l'autre côté du quai. Falk s'assoit à côté de son grand-père. Il place ses mains derrière son cou et pose sa tête dans le creux, entre l'oreille et l'épaule d'Arno, qui le serre contre lui et lui tapote légèrement le dos, car Falk souffre d'une crise de larmes, c'est une brèche dans la digue. Le vieil homme ne dit rien, pas de « allons, mon petit, ça va aller », mais le laisse pleurer tout son soûl tandis que sa fille les observe, renvoyant de la main un porteur qui lui offre ses services. Arno, les yeux humides, enlève son chapeau pour remuer l'air chaud et poussiéreux de la gare. L'adolescent se détache pendant un moment, il l'embrasse longuement et avec ferveur sur les lèvres. « Un baiser à la russe », dit quelqu'un. Un autre : « On aura tout vu. Un vieux et un jeune qui s'embrassent à la gare, en plein jour. » Certains sont si surpris qu'ils butent contre les valises et heurtent Anne. Arno continue à serrer Falk, prend la tête étroite de son petit-fils dans ses mains, ferme les yeux pendant ce long moment qu'il savoure. Falk voit le visage d'Anne : ses yeux brillent, son sourire découvre ses solides dents blanches. Elle a l'air de quelqu'un qui vient de remporter une victoire. Cette expression dérange Falk sans qu'il sache pourquoi. Il se détache, aide Arno à se relever, qui murmure avec son accent rhénan : « Sacrés bancs de bois, si durs, on se dirait à l'église ! » Le porteur comprend que son moment est venu, la troupe traverse le grand hall, sort dans la chaleur lourde de cette fin d'après-midi de juillet 1955, moite et désagréable. Les valises entrent aisément dans l'immense coffre de la Mercedes-Benz, le modèle d'avant-guerre qu'Arno affectionne.

Quand Paschenny voit Falk, elle s'exclame : « Mais ce n'est plus mon poussin chéri ! Tu es devenu un grand et beau garçon. Tout est prévu pour ce jeune lion qui pourrait manger un cheval ! » Ses cheveux sont devenus blancs, mais elle trottine aussi vite que par le passé, s'affaire à la cuisine et annonce le souper pour sept heures et demie. Arno explique qu'elle a ralenti son rythme, mais l'idée de rester assise dans un fauteuil et de regarder par la fenêtre serait pour elle une condamnation à mort. Il la laisse faire. Elle peine à monter l'escalier, comme lui d'ailleurs. « Nous souffrons tous deux de la même maladie incurable, la vieillesse. » Il ouvre une bouteille de vin du Rhin et remplit le verre de Falk à moitié. «*Prudence est mère de sûreté,* dit-on. Chez moi, tu boiras avec mesure. Maintenant, installe-toi en haut. Après, tu racontes.»

La villa de la Galileistraße paraît plus petite que dans le souvenir de Falk, surtout la chambre de Reinhardt, inchangée, comme une pièce d'exposition dans un musée, sans vie, d'une propreté immaculée, les meubles astiqués. La salle de bains aussi semble avoir rapetissé. Au moment de se glisser dans l'eau tiède de la baignoire, il constate combien il a grandi depuis sa première visite. La tapisserie du salon a été changée pour une soie crue, sobre, rayée blanc et beige. Les fauteuils ont été recouverts d'un tissu rugueux, clair et uni. La bibliothèque est restée telle quelle, mais la cuisine a été complètement remodelée et Paschenny ne semble pas encore s'y retrouver parmi tous ces robots culinaires, la cuisinière dernier cri, le lave-vaisselle, une importation américaine, tout comme le nouveau réfrigérateur. Dans la cage d'escalier, le papier peint a disparu pour faire place à une surface laquée aux reflets argentés, ce qui rehausse l'acajou de l'escalier et souligne les couleurs des tableaux. «Oui, se dit-il, c'est une belle villa, à peine plus grande que notre maison. Ici, j'aime le naturel avec lequel tout s'agence, alors qu'à la Haldystraße, il y a pas mal de tape-à-l'œil.»

Anne ayant déjà une rencontre ce soir, Arno et Falk soupent seuls. «Je vous laisse, dit la comtesse, je vois Arno tout le temps et vous avez tant de choses à vous raconter.» En fait, ils parlent peu. En prenant son bain, Falk s'est demandé s'il n'a pas été trop loin en embrassant Arno. «Eh non, et puis, je m'en fiche, je ne peux pas revenir en arrière. J'en avais terriblement envie, et je l'ai fait. C'est l'expression du visage de la mère que je n'ai pas comprise.» Après le repas, tous deux se tiennent aux faits de la vie quotidienne. Comment se sent-il au lycée français ?

A-t-il des amis ? Comment ça se passe à la maison ? Gabriel et Henning ? Comment se porte Paschenny, et lui ? Que fait-il de ses journées ? Que pense-t-il des ambitions d'Anne ? Arno s'informe du bracelet avec les saphirs. Il est rassuré d'entendre qu'Anne le gardera avec ses bijoux personnels jusqu'à ce que Falk ait dix-huit ans. Avant de se coucher, Falk lui tend la main, un geste gêné qu'il regrette aussitôt. Son grand-père le prend dans ses bras : « Arrête ça tout de suite ! Sinon, les prochaines semaines vont être très longues. À la gare, je ne m'attendais pas à une telle manifestation d'affection de ta part. Tu t'es moqué de ce que les gens autour de nous pouvaient penser. Bravo ! Ça m'a fait du bien de te tenir contre moi, tu ne peux pas savoir. Tu m'as manqué ! » Il conclut : « Écoute, tu es trop fatigué ce soir. Nous continuerons notre conversation demain. »

Le lendemain, Falk parle. Il ne s'arrêtera qu'un mois plus tard. Les matins, Arno et lui sont assis dans la bibliothèque ; ils font une pause quand Paschenny leur sert le thé. Dans l'après-midi, ils reprennent leurs promenades en ville ou sur le Neroberg. Il est presque de la taille d'Arno et exprime sa gratitude – « de m'écouter, je t'assure » – en plaçant une main sur l'épaule du grand-père. Quand il la retire, c'est Arno qui s'appuie sur son petit-fils.

Falk ne tait rien. La haine du père. Les sévices corporels. Le sang, les larmes. Sa colère, son mépris, sa soif de vengeance. Il se réjouirait d'assister à la mort de cet homme. Il aimerait le voir souffrir longtemps, aussi cruellement que possible. Sa torture devrait durer des années. Il raconte la tour des chiffres, l'impatience dans chaque apprentissage qu'il lui ordonne. Un comble demeure la musique. L'horreur par sa faute, mais aussi celle d'Arno et d'Anne, à cause de leur indiscrétion. Les mauvais traitements au piano, l'archet qui s'abat sur ses doigts, le majeur courbé le frappant derrière la tête. Cette maudite musique de chambre, il *hait* Bach, Mozart, Schubert, surtout Beethoven. Les heures et les heures passées avec le geôlier à l'haleine infecte, l'odeur de ses vêtements, une eau de Cologne florale, la fumée âcre de ses cigarettes. C'est assez pour avoir des haut-le-cœur, perdre la concentration puis encaisser les coups. Dès que le père est là, se déroule le même scénario qui finit toujours dans la douleur physique. Il y a deux ans, devant l'auditorium du lycée, plein à craquer, il a joué une gigue de Bach, celle qu'il avait entendue, tout petit, à la basilique, quand il ignorait que le père remplaçait régulièrement l'organiste. La salle avait applaudi à tout rompre. Personne ne sait que Falk *déteste* le piano à cause de celui qui veut le forcer à l'*aimer*. Le père insiste sur son talent, alors que son élève sait que ce dernier est modeste. Ses forces sont ailleurs : il aime lire, réfléchir, rédiger une composition, développer une argumentation.

Dans le temps, Henning avait adoré «le vieux» comme un dieu. Cependant, depuis sa fugue, tout a changé. Il a compris combien le père est dangereux, brutal, excessif, voire fou, qu'il se cache derrière son masque de la plus parfaite respectabilité. Même à la maison il ne le laisse pas tomber. Pourquoi Henning a-t-il fugué ? Seulement à cause de l'école et de la tension causée par des professeurs aux nerfs et au cerveau malades ? Allons donc, c'est à la maison que ça n'allait plus. Falk était au courant des plans, mais Henning lui avait demandé de garder le secret. Falk n'a jamais trahi son frère ni Anne, qui lui avait confié beaucoup de choses. Puis est venu l'effroyable châtiment à cause de son indifférence devant la religion, la fixation de sa mère sur le *mensonge* qu'elle ne tolère pas, alors qu'elle invente constamment des excuses, des faux-fuyants. Ainsi, elle a prétendu qu'Arno allait mal pour cacher au mari et à la famille ses voyages à l'université de Bonn, sachant bien que le père l'aurait empêchée de reprendre ses études. Combien de fois Falk ne l'a-t-il pas entendue dire : « Tu pars trop souvent, l'éducation des garçons est entre les mains de Claudine, une étrangère. Tu leur dois de rester ici, ils ont préséance sur ton père. » Elle appelle cela « des péchés véniels, nés de la nécessité de ne pas dire toute la vérité ». Depuis le jour de sa confirmation, il ne s'est plus jamais adressé à elle en l'appelant *maman,* ni *Anne* – de toute façon, utiliser le prénom à la maison serait impensable. Il l'appelle *mère,* « Mutter ». Il n'a jamais dit *papa,* comme Henning, mais toujours *père,* « Vater », ce qui sonne ridicule, vieilli, maniéré. Il s'avoue son incapacité à haïr Anne. Après avoir subi ce traitement immonde, il a décidé que, dès ses dix-huit ans, il n'assisterait plus jamais à une messe. Pourtant, elle sait depuis longtemps que la religion ne l'intéresse pas du tout, elle-même ne croit en rien ! Quand elle n'est pas à Saarbrücken, elle ne va pas à l'église et se sent « enfin libre de ce ridicule théâtre, répété bêtement », lui a-t-elle déjà dit. Elle se soucie autant que le père du qu'en dira-t-on. L'accompagne-t-elle à la messe parce qu'il l'exige ? Falk n'en sait rien.

Naturellement, il est content qu'elle soit docteur comme le père, mais si elle obtient sa subvention, quand la verra-t-il ? Un jour, elle ne reviendra plus du tout et restera en Syrie ou au diable vauvert. Pour lui faire plaisir, il veille à ce que ses manières soient irréprochables quand elle se trouve dans la même pièce. *Il hait sa famille, est-il assez clair ? !* Jusqu'à son frère avec qui il s'est battu férocement, au sang, parce que lui, le cadet, l'a provoqué maintes fois et le fera encore, pour le punir et lui montrer qu'il sait être au moins aussi méchant que lui. Depuis son entrée au lycée, il utilise des méthodes plus subtiles que les aiguilles dans le cartable, l'autodafé du recueil des ballades dans les toilettes de l'école primaire, ces chiottes infectes dont il ne peut oublier la puanteur. La fois où il a failli le tuer avec les ciseaux. Non, il n'est pas un enfant angélique ni un martyre. Certaines raclées du père ont été justifiées, Falk a la tête dure, c'est vrai. Mais le père, la mère, le frère sont *excessifs,* ils dépassent les bornes et ne connaissent pas de limites.

Arno ne l'interrompt pas.

Falk se concentre sur chaque épisode. Il regarde à peine son grand-père, fixe une rangée de livres, un tableau, la porte-fenêtre. Pendant le thé, il s'interrompt, non pas parce qu'il est fatigué. Au contraire, il marche sur un nuage. Par contre, il constate que le visage d'Arno est plus ridé, il a l'air épuisé. Alors l'adolescent propose une promenade. À huit heures, ils sont de retour pour le souper. Anne fait de brèves apparitions le matin et rentre quand la maison dort. Parfois, elle part pour l'université de Bonn ou passe la nuit chez une amie. Elle ne s'occupe guère de son fils et de son père ; elle ne remarque pas qu'ils sont peu loquaces au petit-déjeuner. De temps en temps, elle demande à Arno si Falk fait des progrès en mathématiques. « Sois tranquille, nous avançons dans nos réflexions. »

Falk ne revient sur aucun épisode, sauf pour démontrer que le comportement humain est sujet à répétition. Avant de s'endormir, il prépare ses propos du lendemain. Le moment venu, il dit la vérité brute, n'embellit rien. Arno l'écoute avec beaucoup d'attention. Il ne confond plus Reinhardt et Falk, qui résume ses premières années au lycée franco-allemand.

Pour distraire Arno, il lui raconte l'histoire assez rocambolesque du maréchal Ney que la France a voulu honorer en donnant son nom au lycée. Né Michel Ney dans la minuscule enclave lorraine de Sarrelouis, en 1769, d'un père français et d'une mère sarroise, il s'enrôle très jeune dans l'armée révolutionnaire. Rapidement, il attire l'attention de Napoléon Ier, est nommé maréchal de France, élevé au rang de duc d'Elchingen, jusqu'à devenir prince de la Moskowa en récompense de bravoure et de sa hardiesse. Après l'entrée des troupes alliées européennes dans Paris, Ney demande à l'empereur d'abdiquer et promet à Louis XVIII, qui le fait pair de France, de lui « ramener l'usurpateur dans une cage de fer » si jamais il s'échappait de l'île d'Elbe. Cependant, au retour de Bonaparte, Ney le rejoint. Après Waterloo, il retourne à Paris, est jugé et fusillé pour haute trahison.

De toute évidence, personne à Paris n'a voulu citer le commentaire de Napoléon sur Ney, écrit à Sainte-Hélène : « Une cervelle d'oiseau, inapte à pressentir les mouvements de l'ennemi, victorieux par la seule force des muscles. »

Arno éclate de rire. Il ne peut pas croire que les Sarrois vénèrent ce héros national sorti du chapeau d'un historien, mais dont le grand public ne sait rien ou presque. Cependant, Falk a fouillé, lui, dans la bibliothèque du père et trouvé un livre sur l'époque napoléonienne, où tout est documenté, noir sur blanc.

Falk s'est fait quelques amis parmi les *Waggese,* Lorrains et Alsaciens, mais aussi Allemands. Son préféré est Eberhardt Westhoff, celui qui lui avait fait visiter le pavillon des internes où il a sa chambre. Il est sérieux et gentil, bien de sa personne, soigné, et a un beau profil. Falk lui a rendu visite à Neunkirchen, mais n'a pas aimé l'expérience : le côté parvenu des parents l'a fortement dérangé. Leur magasin de meubles est d'une superficie gigantesque, parsemée d'inconfortables fauteuils à la mode, de tables en forme de reins, recouvertes de formica imitant le marbre, d'armoires laquées noir et rouge sur pieds chromés, de tapis aux motifs modernes tissés à la machine. Pour le gâteau de quatre heures, Falk a dûment complimenté madame Westhoff, qui avait créé une chose extravagante et indigeste. De retour au lycée, son ami s'est excusé : son père, contremaître à l'aciérie Stumm, avait été licencié en 1933 à cause de ses propos contre Hitler et « la folie de la Sarre de retourner au Reich ». En France, le père d'Eberhardt a fait la rencontre de Johannes

Hoffmann, l'actuel ministre président sarrois, qui l'a fortement soutenu depuis son ascension politique. Eberhardt est gourmand. Quand il est invité à la Haldystraße, il salive à la perspective de manger une pointe de tarte aux pommes préparée par Claudine.

Après les classes, les amis vont souvent au cinéma. Ils aiment les films d'aventure, américains surtout, et certaines productions françaises avec Brigitte Bardot. La caissière était demeurée inébranlable, ils ne verraient pas *Manina,* « trop jeunes pour voir la nudité de cette diablesse, il faudrait marcher sur mon cadavre ! » Très peu de productions allemandes, dont ils n'apprécient pas les séries tournées dans les Alpes bavaroises ni les comédies au rire gras. En été, ils vont dans un *Eiscafé* sur la nouvelle promenade le long de la Saar, parallèle à la Bahnhofstraße, où ils se permettent de délicieuses glaces italiennes. Un jour, Eberhardt a mentionné en passant, comme si c'était la chose la plus naturelle du monde, qu'il recevait chaque dimanche cinq cents francs de son père pour ses dépenses personnelles. Falk n'en revient pas : son ami empoche donc vingt-cinq mille francs par année sans avoir à lever le petit doigt !

La vie s'écoule dans le cadre strict du lycée. Les professeurs maintiennent la discipline sans effort : qui a envie de faire un mauvais coup y pense à deux fois. Personne n'a jamais vu rire ni sourire monsieur Simonin, censeur des garçons. Madame Simonin, toujours en tailleur foncé (alors que son mari préfère le taupe pour mieux se rendre invisible, d'où son surnom, « Haroun al-Rachid »), a l'air plus conciliante, mais serait « une peau de vache comme il y en a peu » selon les filles qui se préparent au BÉPC ou à l'entrée en première.

Seules les mathématiques demeurent une tache noire sur le bulletin trimestriel et, chaque fois, « le père en fait un drame ». Cependant, toutes ses stratégies visant à lui « ouvrir l'esprit sur les maths » échouent.

«Mon véritable problème, tu le devines, dit Falk à Arno. *Les maths ne m'intéressent pas, je n'y peux rien.* Je sais compter, multiplier, diviser, additionner, soustraire. Que me faut-il de plus pour me débrouiller? Avant de me lâcher pour de bon, le père a bûché avec moi tous les jours de la semaine. Je me suis levé à cinq heures et demie. Nous avons travaillé jusqu'au petit-déjeuner. Il était sûr que, cette fois, j'allais obtenir une bonne note pour l'examen. J'ai eu 10 sur 20, je n'en étais pas fier, mais tout de même content de ne pas être sous la barre des 10. J'étais assis à côté de lui quand il a regardé l'examen. Enragé, il m'a donné un coup de poing sur la cuisse, en haut du genou. Ecchymose terrible, douleur aiguë. Je boitais. Quand j'ai demandé à monsieur Vergé, le prof de sport, de me dispenser du match de foot, j'ai dû lui montrer la chose. Il m'a envoyé à l'infirmerie où on a fait une radio. J'ai prétendu qu'à la bibliothèque, j'avais échappé un gros volume. Seul Eberhardt a su la vérité. Peu à peu, il a appris ce que j'endure. Il m'a dit que le sien aussi l'avait continuellement tabassé, en le traitant de «grosse chiffe molle». Cela a duré jusqu'à son départ pour le lycée. Certains internes ne rentrent pas chez eux pour les week-ends à cause de la violence du père ou des frères aînés.

«Je crois que je ne réussirai jamais, même si c'était toi qui me donnais des leçons. Je suis bloqué. Pourtant, tout va bien en biologie et en physique. Qu'est-ce que je fais pour piger ce qu'on nous enseigne en chimie, où il y a plein de formules abstraites, mais que je comprends parce que ce sont des abréviations faciles à retenir? En allemand, histoire, géographie, j'ai de bonnes notes. Il paraît que l'an prochain, quand je serai en cinquième, nous allons changer de profs, et on aura Piquemal en français. Malgré son nom, il est très bon. À ce qu'on dit, c'est une histoire de la littérature française ambulante, comme Biwer, pour l'allemande. Le sport n'est pas une de mes matières préférées non plus, mais je me tiens dans la moyenne. Je n'aime rien où je ne suis pas seul, je préfère nager, travailler aux barres, la gymnastique, *mais seul*. Dès que je me mesure à d'autres, je trouve ridicule leur ambition d'être les premiers, je les laisse gagner. Monsieur Vergé n'en revient pas, il dit que je *veux* perdre. Restent les maths. Je suis peut-être tombé sur la tête, juste là où se trouve la partie du cerveau qui s'en occupe. »

Quand Anne revient de Bonn où elle se rend plusieurs fois pour négocier le contrat avec Bouvier, la maison d'édition, Arno se donne des airs décontractés, affiche sa jovialité habituelle. Il se recompose aussi une mine sereine pour Paschenny, plus difficile à berner que sa fille. La comtesse a d'excellents yeux, s'attarde à la bibliothèque ou sur la terrasse, après avoir débarrassé la table. Elle les dévisage puis s'en va. Quand le souvenir est difficile à raconter, Arno lui répète : « Si tu as envie de pleurer, c'est le moment, un bon déluge libère la tension. » Peut-être pour lui prouver sa force, Falk verse rarement des larmes. Cependant, à certains moments, il se lève pour rejoindre Arno dans son large fauteuil. Là, il se contente de prendre la main de son ami, qu'il triture. Il arrive que la voix lui fasse défaut. Dans ces occasions, il s'arrête, respire profondément, boit de l'eau et, si la crise continue, s'assoit sur le large accoudoir, à côté d'Arno, continue ses exercices de respiration. Parfois, il avance jusqu'au voilage de la porte-fenêtre et regarde le jardin en silence.

Il vient de terminer son long récit. Arno ne commente pas ce qu'il a entendu. Il ne bouge pas pendant que la main de Falk caresse la sienne. Ils restent ainsi pendant un long moment. Le regard du vieil homme se pose sur l'adolescent.

« Tu es courageux, tu es fait d'acier ou tu es le roseau proverbial qui plie mais ne rompt pas. Qui survit à une telle enfance peut tout entreprendre. Ta mère a ce trait de caractère.

Dès qu'elle se fixe un but, elle le poursuit contre vents et marées. Ton parrain était très différent sur ce plan. Reinhardt n'aurait pas supporté le centième de ce que tu as enduré sous le knout de cet homme. Devant la barbarie, il déclarait forfait. Il en est mort. Son meurtrier, qui a assassiné des millions de gens, a eu une fin trop douce. Une balle dans sa caboche de cinglé, un acte de bravoure selon ses partisans. Un vaurien issu de la lie du peuple, sans études, sans formation intellectuelle, un dilettante. À ses pieds, un peuple à la réputation d'être une nation parfaitement civilisée. À quelques exceptions près, ils l'ont suivi comme des lemmings. Des millions de victimes, même après la guerre. Tu as vu ces cadavres dans les rues, tu t'en rappelles, n'est-ce pas ? Paschenny a fait ce qu'elle a pu, mais plusieurs sont morts sur le seuil de notre porte... Cette clique du diable, je la maudirai jusqu'à mon dernier souffle. Il se peut que *cet homme* et ses complices aient corrompu Gabriel. D'après ce que je comprends, il est malade. Je ne sais pas si sa pathologie a fait surface à cause de la guerre. Tu vois, chaque être humain a des côtés qu'il préfère laisser dans l'ombre. La civilisation est un maquillage capable de masquer ou d'étouffer ce que l'être humain renferme de mauvais. Souvent, la carapace qu'on acquiert tout au long de la vie empêche le mal de triompher. *Plus le fard est épais, moins il y a de chances qu'on redevienne cette bête féroce qui sommeille en nous.* Le masque de Gabriel semble intact quand il se trouve à l'extérieur de sa maison, parce qu'en bon acteur, il séduit. Demande-lui de justifier ce qu'il t'a fait, il te dira sur un ton convaincu qu'il a accompli son devoir. Son tempérament est à l'opposé du tien, de celui d'Anne et du mien. Ton frère s'entoure de copains qui le rassurent, comme ton père qui revoit ses anciens amis de sa confrérie. Ton enfance s'est terminée avec son retour. Elle n'a pas duré longtemps. Il a toujours voulu briser ta résistance, te vaincre en t'isolant, même à l'intérieur de sa famille. »

Sentir les mains légères de Falk sur les siennes le détend. Après quelques jours, Arno retrouve sa bonne humeur. Un après-midi avant la fin des vacances, il tourne dans la maison comme un fauve en cage. « Je ne sais pas comment te protéger de Gabriel. » Falk lui répond qu'il a tout planifié. D'abord le bac. Ensuite des études en France et, qui sait, en Allemagne. Quant aux coups, il ne les sent plus. Henning pense qu'il a un secret comme les Indiens d'Amérique qui n'expriment pas leur douleur quand ils sont torturés.

Le matin du départ de Falk, Anne leur dit, en passant, qu'elle a obtenu sa subvention. La maisonnée est en état de choc. En fourrant des paperasses dans la serviette de Henning, elle raconte que son ancien directeur de recherche lui a téléphoné, une semaine auparavant. Il jubilait : la somme, énorme aux oreilles de Falk, inclut les coûts de publication de la thèse. Elle a reçu la confirmation officielle de la part du DAAD la veille seulement. « C'était trop beau pour y croire, j'ai voulu attendre leur lettre. Ute m'avait déjà informée que quatre des cinq évaluateurs se trouvaient de mon côté, mais il suffit qu'un seul ne soit pas d'accord et adieu le grand rêve. Mes amies s'entendent pour dire que c'est tout un exploit d'obtenir une telle somme si rapidement après le doctorat. Il semble même que mon âge ait joué en ma faveur, l'expérience des fouilles antérieures, les résultats obtenus, les publications, malgré mes obligations familiales. Mes contacts politiques là-bas sont très importants, surtout Michel Aflaq. Pendant trois étés, je vais partir pour la Syrie. Que je parle couramment français aura également été un atout : une équipe composée de collègues de la Sorbonne et de l'université de Lyon va travailler étroitement avec nous. Falk, n'en parle pas à la maison, d'accord ? La foudre va tomber, et je ne veux pas que tu serves de paratonnerre. *Ne rien dire n'est pas mentir,* tu le sais bien. »

Du réfrigérateur, Paschenny sort la bouteille de champagne, réservée pour fêter le succès. Falk aussi en boit une coupe pleine : « Maman, je suis content pour toi ! Non. Heureux. C'est… énorme ! Si tu savais quel plaisir ça me ferait de le dire au père, et tant pis pour la grosse baffe. Je m'en fiche. Et vive les Süter ! » C'est la première fois depuis sa confirmation qu'il lui donne du « maman ». Anne lui envoie un clin d'œil avant d'être embrassée par la comtesse, ensuite par Arno qui a déjà deux verres dans le nez. Il tourne avec elle comme une toupie, doit s'arrêter, garde Anne contre lui, attire Falk, donne à chacun une bise retentissante : « Si vous saviez ce que je ressens pour vous, en ce moment ! Allez, Paschenny, qu'on la vide, cette bouteille ! La vie est trop courte, mais j'ai l'impression que les six dernières semaines ont été longues. » Il jette un regard à Falk, pour consulter ensuite sa montre. La valise du garçon est prête. Ils s'assoient pour le lunch : du borchtch, des *pelmeni* au bœuf et au porc, d'autres au fromage, le tout accompagné de crème sûre. « Si tu continues à ne pas suivre ton régime, dit sa fille, tu feras une attaque d'apoplexie. Tu es en nage. » Déjà, il se lève : « Je sors la voiture. Vous venez avec nous à la gare ? » Anne ne peut pas, elle travaille avec Ute, qui est de passage. Paschenny préfère se reposer : « Cendrillon n'a plus vingt ans, allez-y seuls, vous deux. » Quand Falk l'embrasse en prenant congé, elle insiste, en français : « Sur les lèvres ! À la russe ! Eh, petit, reviens me voir ! Le patron et Anne ne sont pas seuls à t'aimer. » En posant les deux mains sur son cœur, elle imite Sarah Bernhardt en citant Thérèse, dans *L'Aiglon* : « *J'ai perdu tout espoir de jouer un grand rôle/Je n'ai plus qu'à pleurer : j'ai besoin d'une épaule.* Acte quatre, scène cinq, de Rostand. Tu connais, j'espère, beau faucon de mon cœur ? »

Pendant le trajet, Falk et Arno sont silencieux. Avant de laisser monter Falk dans le wagon, Arno lui dit : «Écris-moi aussi souvent que possible. Quand tu as du chagrin, des questions, un désir... Si Saarbrücken te tombe sur les nerfs, viens ici, même pour le week-end. Va maintenant, sinon je vais dire des bêtises.» Il entoure les épaules frémissantes de Falk, se mêle à la foule, lui envoie la main sans se retourner.

Fureurs et passions

Le Dr Bachmann tolère tant bien que mal ce fils en pleine mutation sous son toit. Il le rencontre à peine. Sa femme passe à l'occasion, reste un jour ou deux. Le mari lui ordonne de demeurer à la maison et d'épauler Henning, qui subira dans quelques semaines les examens de l'*Abitur,* l'équivalent du bac français. Depuis cette damnée subvention, elle est rarement là. Anne est une mauvaise mère qu'il défend pourtant quand on mentionne son poste à Berlin. L'aîné est devenu un jeune homme qui dépasse son père d'une tête, caractéristique des Süter, tous grands. Des Bachmann, il a hérité le cheveu noir et dru, les sourcils forment une seule ligne qu'il interrompt en s'arrachant les poils au-dessus de la racine du nez. Au *Gymnasium* pour jeunes filles, à deux kilomètres du sien, il en a fait pleurer plus d'une. Même Mechthild, l'ancienne copine de son frère muée en cygne à l'aile légère et au cou élégant, a passé entre ses mains. Après sa fugue, et au grand dam du père, Henning n'a plus été premier de classe. Il parle à Falk, mais ne remarque pas que « le petit » ne lui confie pas en retour ses rêves, questions, espoirs, angoisses. Falk l'écoute, sans prendre position.

227

« Le vieux, toujours à m'engueuler si mes résultats ne le satisfont pas. Je m'en fiche ! Depuis deux ans exactement, je planifie mon évasion de la prison qu'est pour moi ce maudit bled. C'était le jour du référendum, le 23 octobre 1955, où la Sarre a tenu bon devant le magouillage de la France et de l'Allemagne. Le chancelier Adenauer nous a trahis, lui aussi. Impardonnable d'avoir comploté avec Pierre Mendès France un statut particulier pour la Sarre. Un État indépendant ! Quelle farce ! Non mais, la plupart des Sarrois sont ouvriers, mineurs, agriculteurs, des va-nu-pieds, pas comme les Monégasques ou les Luxembourgeois ! Où veux-tu qu'on aille avec notre ridicule franc sarrois ? Les douaniers allemands, suisses, autrichiens se bidonnent quand ils voient notre passeport ! On nous a seriné une union économique de la Sarre, de la Lorraine et du Luxembourg. Adenauer et Mendès France, en faux prophètes, nous ont promis le début d'une Europe unie, qui se fera la semaine des quatre jeudis. Depuis l'antiquité, on est en guerre sur ce continent. Grandval et sa duchesse ont senti que le rôti était en train de brûler par ici. Ils sont vite partis au Maroc, où ça n'allait pas non plus. Maudits Français ! Ils ne veulent jamais lâcher prise ! Alors, JoHo et sa bande de voleurs de charbon*, tous dans le sac de la France, qui voulaient nous vendre, ça me mettait en boule, tu saisis ? Des traîtres ! Toi,

---

* Konrad Adenauer, chancelier de la RFA (Allemagne de l'Ouest), de 1949 à 1963. Pierre Mendès France, Président du Conseil, de 1954 à 1955. Johannes Hoffmann (« JoHo », 1890-1967), ministre président de la Sarre du 15 décembre 1947 au 23 octobre 1955. Journaliste opposé au nazisme, il a émigré au Brésil, après un emploi à la radio française où il a révélé les effets de la dictature hitlérienne. Il a été l'un des plus ardents promoteurs du lycée franco-allemand. Son successeur (1956-1957) a été, curieuse coïncidence de noms, Hubert Ney. La politique d'« européanisation » de la Sarre par Hoffmann n'a été comprise que récemment.

ça ne te dérangeait pas, la Sarre comme satellite de la France. Heureusement, le peuple a eu plus de jugeote que ceux qui pensaient comme toi. Soixante-sept virgule sept pour cent ont voté contre ce statut imbécile. Béni, ce 23 octobre !

« Avec l'*Abitur* en poche, je m'en vais dans une université allemande. Je pense à Heidelberg ou à Tübingen. Étudier l'allemand, le latin, peut-être la géographie, si je ne suis pas assez fort en latin. Pour ne plus entendre parler français. Cette langue me fait *vomir,* tu comprends ? L'oublier. C'est viscéral. Claudine est gentille, je n'ai rien contre les Français comme individus, mais j'ai envie de faire sauter l'Élysée et sa politique colonialiste ! Devant toi, je jure de façon solennelle de ne plus jamais toucher le sol français de ma vie. Plutôt crever. *Je hais la Sarre* pour son étroitesse d'esprit, son ignorance, sa veulerie, son manque d'ambition. Je coupe les ponts. J'ai supplié le vieux à genoux de m'envoyer pour les trois dernières années dans un internat privé en Allemagne. Il n'a pas voulu, le salaud. Ça coûte trop cher. Alors qu'il flambe un fric fou avec ses putes. Maman n'est jamais là. Madame est prof à la toute nouvelle université libre de Berlin, elle passe ses étés à la chasse aux trésors en Syrie. Grand bien lui fasse. Moi, j'en ai marre, de tout. »

Il raconte que, le 23 octobre 1955, « le vieux a tremblé dans ses culottes ». Apparemment, il s'entendait drôlement bien avec les grandes huiles, françaises et sarroises. Il ne disait plus « Reich » en parlant de l'Allemagne, mais « Deutschland », puis « Westdeutschland », suivant en cela le vocabulaire du temps. Il passait ses vacances d'été supposément seul en Bretagne ou en Normandie, jamais à Paris, où il ne se rendait que pour son travail. En 1956, le ministre Straus aurait dû se retirer, ayant atteint l'âge de la retraite ; son bras droit espérait occuper le fauteuil du supérieur. Cependant, le ministre avait d'autres plans. Son calendrier ne concordait pas avec celui du Dr Bachmann, fortement déçu. Le 1ᵉʳ janvier 1957, la Sarre avait rejoint la République fédérale d'Allemagne, mais gardait encore le franc sarrois comme monnaie officielle. « Je le déteste, ce franc, dit Henning, je ne peux plus le voir. Au moins, le gros cochon – il désigne ainsi Hoffmann, obèse – a démissionné tout de suite après le plébiscite. Ça prouve qu'il lui reste un soupçon d'honneur dans les tripes. » Les dépenses de l'administration publique ont été immédiatement comprimées sous Heinrich Welsch et Hubert Ney, après le départ du ministre président, « dictateur d'un pays faible et idiot », toujours selon Henning. Finis les chouchoutages des hauts fonctionnaires. Même les ministres n'ont plus leur chauffeur attitré.

C'était ce vent nouveau qui avait perturbé le Dr Bachmann. Chaque coupure dans son service lui semblait une attaque personnelle. Le jour où les vérificateurs ont osé compter dans ses bureaux le nombre de rames de papier, de crayons, de stylos, de machines à écrire, de rubans, de lampes, de gommes à effacer, il s'est enfermé dans son bureau, écumant de dépit et de rage, croyant son heure venue. Déjà, il se voyait de nouveau faire les antichambres des ministres. Tout à coup, ils étaient tous pour le retour du pays à la mère patrie, et qui voudrait de lui, la cinquantaine passée ? Que savait-il faire d'autre que commander et élaborer des programmes d'enseignement ?

* * *

En parlant à son frère de ses conquêtes, Henning lui a également rapporté ce qu'il savait de celles du père. Depuis le jour où la mère leur a dit qu'elle avait loué un appartement à Berlin et travaillerait de la mi-juillet à la fin octobre en Syrie, elle passe rarement à Saarbrücken. Chaque fois, elle offre le divorce à son mari. Gabriel refuse. Avant tout, il craint l'effritement de sa réputation parmi l'élite de la Sarre, profondément ancrée dans la tradition catholique, beaucoup plus que n'importe quel autre land allemand, la Bavière incluse. Il ne supporterait pas l'excommunication, même si la faute incombait à sa femme. À la basilique, remise en état, alors que la Ludwigskirche, protestante, attend toujours sa restauration, il continue à jouer de l'orgue, sans rémunération, bien entendu, en bon chrétien. À ceux qui lui demandent des nouvelles d'Anne, il répond qu'en femme émancipée, *Frau Dr.* Bachmann poursuit son rêve. Elle enseigne à la Freie Universität de Berlin, au département d'archéologie. Ainsi, elle fait partie de l'avant-garde où les femmes poursuivent leur propre carrière et ne se laissent pas retenir par la famille. L'aîné quittera bientôt la maison afin de poursuivre ses études dans une université allemande. Dans trois ans, ce sera le tour au cadet, alors que lui, le mari, vient d'être promu au rang de *Ministerialrat,* l'oreille et le bras droit du ministre. La bonne française n'a pas quitté les Bachmann, un cordon-bleu si l'on en croit ceux qui ont eu le privilège de souper chez le docteur. Le gratin de Saarbrücken admire son *standing,* ses habits, ses vêtements, ses chaussures, sa voiture qu'il change régulièrement. Depuis onze ans, il est un des piliers qui portent le pays sur leurs épaules.

Henning révèle que ce monstre de perfection a bu comme un trou pendant les semaines suivant le référendum, tant il était persuadé que le nouveau gouvernement le limogerait. Par ailleurs, « le vieux » a vite appris à se consoler de l'absence de sa femme. « Il m'a tout raconté, lors d'une beuverie. Claudine sort à cinq heures. Il rentre à cinq heures dix. La belle du seigneur arrive cinq minutes plus tard, il commande un taxi pour sept heures moins vingt, afin que sa petite chérie parte avant le retour de Claudine. Il a dit qu'il met en scène ses propres pièces de boulevard et pense que les voisins le croient au travail. Lui, il les appelle ses *sexcrétaires*. Il se flatte d'avoir le sens de l'humour. »

Esslin est furieuse quand elle sort les draps souillés de la corbeille. Elle ne dit rien, mais Claudine, qui sait tout des habitudes du père, l'a vue bouillir le linge dans l'énorme cuve pour la corvée mensuelle, au sous-sol. Comme Esslin perd ses forces, elle lui a demandé d'acheter une machine à laver, ce qu'il a refusé. « Non, trop chers, ces appareils. Continuez comme avant, ça vous gardera en forme. »

* * *

Au printemps de l'année 1957, la foudre tombe sur le père sans qu'il ait aperçu le moindre nuage. Par ses coups, cris, imprécations, les sévices lui servant de calmants, il a fait de son cadet un garçon qui œuvre dans l'ombre, prépare ses interventions de longue date, choisit son moment après évaluation de la situation, calcule ses chances de succès. Pourtant, avec les autres, Falk ne joue à aucun jeu, est d'une franchise parfois blessante, sait garder sa réserve, réfléchit toujours avant de répondre. Il a le sourire rare, sauf avec Eberhardt. En mars, peu avant les examens du trimestre, il va frapper, et fort.

Depuis huit ans, il travaille le piano, se produit en solo à la grande salle du lycée, s'exécute devant élèves et parents de plusieurs *Gymnasien* de Saarbrücken, assume son rôle dans le Rotenbühl Quartett. Le proviseur du lycée, monsieur Bourgeois, se flatte de compter parmi ses élèves ce jeune prodige qui joue brillamment Bach, Mozart, Beethoven, Schumann, Liszt, Franck, Chabrier ou Raynaldo Hahn. Le père s'en vante partout et envisage même la location de la grande salle du Stadttheater, pour une soirée « comme il faut », avec un superbe programme

« à se pâmer », et pour terminer, une réception au champagne à laquelle l'assistance mélomane sera invitée.

Pour Falk, il est temps d'agir.

Sa décision a été longuement mûrie. Depuis deux ans, il dépasse son professeur en agilité, en précision. Il sait cependant qu'il joue à la manière d'un automate, sans comprendre ni *ressentir* la pièce. Il n'arrête pas de se demander que veut dire le terme « musicalité ». Pourtant, les critiques lui attribuent cette « faculté magnifiquement développée ». Quand il entend les enregistrements de grands pianistes, il les trouve bons, toutes les notes y sont. Jusqu'au moment où il assiste à un récital de Walter Gieseking, qui joue des pièces de Poulenc, Ravel et Debussy. Du coup, elles deviennent parfaitement claires, s'ouvrent, vivent, et Falk comprend ce que les mains, les épaules, le cerveau, les tripes du pianiste accomplissent. Pendant des mois, il tente de refaire le chemin du maître, n'y arrive pas. Depuis qu'il a travaillé sous le fouet du père, il déteste cet instrument parce qu'à cause de lui, il a beaucoup souffert. Maintenant que le père ne peut plus le punir à cause de fausses notes ou d'erreurs dans les tempi, il approche le Steinweg avec davantage d'appréhension encore. Il sait exactement comment doit sonner ce qui est écrit dans la partition. Il travaille sans relâche, s'acharne, répète, encore et encore, n'ose pas se confier à son professeur de musique au lycée. Falk enrage, s'en prend à l'instrument qu'il hait, cette gueule prête à l'avaler, à le broyer de ses quatre-vingt-huit dents. Brusquement, il saisit que lui et l'instrument sont séparés à jamais. Il y a longtemps, tout petit et seul, Falk avait eu l'impression que ses mains, ses doigts établissaient un contact avec les cordes et qu'il « sentait *la couleur* du son ». Oui, il avait adoré cela. Maintenant, il faut agir avant qu'il ne soit trop tard.

Le père rentre de bonne humeur puisqu'il surprend le fils en train de travailler. Falk l'appelle, lui demande de rester à côté de lui, joue. Après avoir terminé, il se lève, approche son visage à deux doigts de celui du père et crie : « Tu appelles ça comment ? Parfait, je gage. Moi, je dis que c'est archimauvais. Tu ne vois donc pas que je suis un dilettante, un rien du tout ? Tu veux que je devienne comme toi, un organiste remplaçant, doublé d'un violoniste et d'un pianiste de troisième ordre ? J'arrête tout ! Je n'y toucherai plus. Jamais plus ! Si j'avais eu un prof, un vrai, *pour me montrer ce que c'est que la musique... * Mais à cause de toi, je *vomis* le piano ! Il suffit que tu me l'imposes et je le *hais* ! »

Sa colère est feinte, un numéro de cabaret. Il regarde le père dans les yeux, s'entend l'invectiver et remarque que les tempes, devenues grises, lui confèrent un air distingué. Les joues s'affaissent, les lèvres sont devenues des lignes minces, la peau entre le menton et le nœud de cravate forme deux plis mous. Parce qu'il enregistre les signes du vieillissement, Falk ne la voit pas venir, cette gifle, une seule, administrée avec une force telle qu'il perd l'équilibre. Dans la chute, sa tête heurte violemment le banc. Pendant un moment, il éprouve des douleurs intenses, puis c'est le noir. Quand il reprend connaissance, Claudine est penchée au-dessus de lui, affolée. Elle éponge le sang coulant d'une large plaie derrière la tête. « Que s'est-il passé ? Tu t'es évanoui ? C'est la première fois que cela t'arrive ? » Il a très mal, mais se relève. « Ne bouge pas, tu saignes beaucoup, attends. » Il n'écoute pas, entre sans frapper dans le *Herrenzimmer* où le père se retire toujours après un incident fâcheux. Sentir la chaleur du sang coulant le long de son cou est étrange, il y porte la main, l'abat grande ouverte sur la page d'un dossier ouvert : « Je ne retire rien de ce que j'ai dit. Écoute-moi bien : tu me touches une fois encore et je te tue. Aussi vrai que l'empreinte

de ma main d'ex-pianiste sur le papier. Garde-le en souvenir. »
Le docteur Bachmann dresse le torse, le fixe. « Tes simagrées,
ça ne marche plus avec moi. Des types de ton espèce, on les met
sous verrou à l'asile de Merzig. Ta place est dans une cellule.
En camisole de force. »

Falk sort, Claudine est debout dans le salon, une bassine
d'eau dans la main. Elle l'accompagne à la salle de bains,
lui enlève sa chemise, lave son dos ensanglanté, applique un
pansement et place un sac de glace sur la blessure sans qu'il
pousse le moindre soupir. Elle veut aller avec lui à l'hôpital pour
qu'on lui fasse des points de suture. Il refuse. Cette cicatrice, il
la garde. « Tu as bien fait de le remettre à sa place. Je le connais
mieux que tu ne le penses. Dès que tu auras ton bac, je m'en
irai, moi aussi. Comme Henning. Comme madame qui continue
à me verser mon salaire, même si elle n'est plus là. »

Le soir, Claudine lui apporte le souper dans sa chambre,
sous les combles. « On est bien ici, tu as la sainte paix. À ta
place, je fermerais à clé la porte d'accès au grenier. Avec lui,
on ne sait jamais. »

En s'endormant, il sourit. Moins de trois ans à vivre ici.
Henning a raison, il faut sortir de la maison, de Saarbrücken,
de la Sarre. Mais d'abord obtenir le bac.

* * *

Depuis le départ de la mère pour Berlin, et surtout après ce
qui s'est passé avec le père, Falk s'arrange pour rentrer le plus
tard possible. Les cours terminés, il reste au lycée et travaille
avec ses camarades. En réalité, il veut demeurer aux côtés de
celui qu'il considère depuis Pâques comme son ami préféré,
ce qui provoque des scènes de jalousie de la part d'Eberhardt,
profondément chagriné par ce changement chez Falk. « Qui

est ce Reddern ? Un réfugié venu de la frontière polonaise. Autrement dit, de nulle part. Un type stupide et paresseux ! Un fat ! Je suis sûr qu'il a doublé deux ou trois fois. On raconte qu'il a été longtemps malade. Moi, je n'en crois rien. Il aura mis cette rumeur en circulation pour justifier qu'à son âge, il est encore avec nous. On dit qu'il a déjà vingt ans. Regarde-le ! Il se soûle, samedi et dimanche. Son français est ultraminable, il ne restera pas longtemps au lycée. C'est à se demander où s'est envolée ta cervelle. » Falk ne répond pas.

* * *

Saarbrücken, le 16 octobre 1957

Cher Arno,

En quittant Wiesbaden, tu m'as dit que je pouvais te poser n'importe quelle question, n'importe quand. J'en ai une.

Je crois t'avoir déjà parlé d'Eberhardt. Lui et moi, on est sur la même longueur d'ondes pour les films, la nouvelle école française de philo, nous aimons tous les deux Sartre et Camus. C'est un garçon sérieux, travaillant. Pourtant, depuis deux mois, on s'évite, on se salue froidement, et je n'y peux rien. Je l'aime bien, mais ça ne va pas plus loin, tu comprends ? De son côté, je ne sais pas ce qu'il éprouve pour moi. Peut-être ne suis-je que son copain. J'arrive à la cause de notre brouille.

Peu après la rentrée, un nouvel élève est arrivé au lycée. Il s'appelle Erdmann von Reddern. Au moment où il est entré en classe, j'ai été anéanti par sa beauté. Grand, mince, blond, de trois ou quatre ans mon aîné, athlétique. Si tu voyais son visage, sa tête ! Le regard direct, des iris immenses, d'un bleu intense et dur, comme des pierres précieuses. Il sourit facilement, car il

236

est très aimable. Son menton, sa mâchoire sont volontaires sans alourdir la forme de sa tête, d'un ovale parfait. Je ne croyais pas qu'une telle merveille puisse exister. Comme personne de la classe ne lui parlait pendant les pauses, je me suis présenté. Dommage, ses dents sont jaunies à cause du tabac. Pendant la récréation, il grille deux ou trois cigarettes.

Nous étions en train de discuter quand une jeune fille nous a rejoints, le sosie d'Erdmann. Sabine est aussi grande que moi, « une perche » selon mes camarades. Je dirais qu'elle a dix-sept ans. La même beauté, plus éclatante encore. À un bon mot, elle rit, d'un rire chaud et agréable. Elle était en train de manger une pomme et la lui a tendue. Il l'a prise, a regardé Sabine dans les yeux puis a mordu à son tour dans la pomme, mais en couvrant de ses lèvres la partie portant les traces des dents de sa sœur, a mastiqué lentement puis lui a rendu le reste du fruit. Cette brève scène m'a profondément perturbé. Il y a comme un courant électrique qui passe de l'un à l'autre, quelque chose de défendu.

Même lorsque je les quitte, je continue à les voir, je sens leur regard sur moi. Je suis amoureux des deux. Je n'ai jamais ressenti une telle attirance pour qui que ce soit. Ils m'ont invité chez eux. Ils habitent une vieille villa, près de la nôtre, dont une partie a été touchée pendant la dernière attaque aérienne, avec un jardin négligé. Je leur ai offert des leçons de français pour le rattrapage. Leur accent est fort à un point tel qu'on les comprend à peine. Ils trouvent que c'est une langue trop compliquée, pleine d'incongruités. Je ne sais vraiment pas ce qu'ils font dans notre lycée. Ils échouent à presque toutes les matières, sauf l'allemand et l'anglais.

Ils m'exaspèrent par leur indolence, ne montrent pas la moindre volonté de réussir. Ils n'ont que leur beauté. Pour eux, les problèmes à l'école ne signifient rien. J'ai le sentiment de les voir à travers une épaisse vitre, comme s'ils étaient des mannequins vivants. Sérieusement, je devrais les abandonner à leur sort. Mais en imaginant leur disparition de mon quotidien, je tombe dans un trou noir. Je veux qu'ils sachent ce que j'éprouve, mais je ne sais pas comment m'y prendre. Il y a mon orgueil combiné à ma timidité, ce que certains camarades prennent pour de l'arrogance. Les Reddern sont peut-être indiscrets et parleront aux autres. Si le père avait vent de mes sentiments... Il serait capable de tout.

Aide-moi. Je ne sais plus quoi faire.

Ton Falk

* * *

Wiesbaden, le 1er novembre 1957

Mon cher Falk,

Des événements imprévus ont retardé ma réponse. Anne a dû abréger son séjour à Tell Mardikh. Pourtant, tout allait bien, elle était contente des fouilles, mais fin septembre, elle a constaté une anomalie à son sein droit. Elle en a parlé à Ute qui lui a conseillé de se rendre immédiatement à la clinique la plus proche pour un examen ; le médecin lui a conseillé de prendre le premier avion pour Francfort. Une semaine plus tard, elle a été opérée. Nous espérons que la tumeur a été complètement enlevée et que la maladie ne refera pas surface.

Anne est à la maison, se repose et reprend lentement des forces. L'université de Berlin lui a tout de suite accordé un semestre de congé. Pour son cours, Ute a trouvé une

238

remplaçante jusqu'à la fin de l'année académique, en février prochain. D'ici là, Anne sera complètement rétablie.

Elle n'a pas voulu que je t'informe de ses ennuis de santé. Elle ne voulait pas te causer de soucis. De plus, elle n'a pas envie de voir Gabriel. Tu comprends sans doute pourquoi.

J'en viens à ta lettre. Ton ami a raison, tu es obnubilé par les Reddern.

Que tu succombes devant la beauté t'honore. En même temps, tu perçois leurs faiblesses, le manque d'intérêt pour les études, l'indifférence, l'égoïsme. Cela me prouve que tu ne leur es pas aveuglément soumis. Voilà qui est encourageant. Tu veux que je te dise ? Ton parrain s'est trouvé plus d'une fois dans la situation que tu me décris : il tombait amoureux d'un homme tout en étant épris d'une femme. Cependant, en réfléchissant sur sa vie, j'ai compris qu'il aimait avant tout sa sœur. Ils se ressemblaient étrangement et étaient inséparables, comme Erdmann et Sabine.

Chaque amour est différent. Après la mort de ta grand-mère Mathilde, j'ai été inconsolable, mais le temps a cicatrisé cette blessure. J'ai aimé d'autres femmes, aussi sincèrement que Mathilde. L'amour que se portaient Anne et Reinhardt était unique et profond, lui aussi. Du plus loin que je me souvienne, dans ma famille, on s'unissait librement à l'être aimé. Au début de la guerre, une de mes connaissances m'a laissé entendre que la Gestapo avait commencé à constituer un dossier sur Reinhardt. J'ignore cependant s'il a été envoyé par la Wehrmacht là où il devait mourir à cause de ces rapports sur sa vie privée.

Si je te raconte cela, c'est parce que tu me demandes conseil. Je n'en ai qu'un à te donner : suis ton cœur, mais sois prudent.

Désolé de ne pas avoir de meilleures nouvelles sur Anne. Je reste optimiste. Le plus grand chagrin d'un parent est de voir l'un de ses enfants mourir avant lui. Heureusement, j'ai encore ma fille et son fils, toi. Vous êtes ce que j'ai de plus précieux au monde.

Paschenny est admirable : elle est et a été une mère pour Anne. Kowalska la remplace comme elle peut à la cuisine, sans grand succès d'ailleurs. C'est une brave femme qui fait son possible.

Je t'embrasse bien fort.

Ton Arno.

P.-S. : Je présume qu'en lisant cette lettre, tu vas vouloir préparer ta valise. N'en fais rien. Anne insiste pour ne pas avoir de visite, même de toi. Cette directive est dure, mais je te prie de la respecter. A.

* * *

Falk a relu la lettre plusieurs fois jusqu'à la savoir par cœur. Ensuite, il l'a brûlée, n'en a parlé à personne. Ni le père ni Claudine n'auraient respecté la volonté d'Anne : le premier, afin de préserver l'apparence du mari dévoué, la seconde, par affection. Il n'a pas averti non plus son frère, trop absorbé par sa nouvelle vie et son premier semestre à Tübingen. Henning a tenu sa promesse et, dans une lettre adressée au père où il précisait le montant mensuel nécessaire pour vivre, il se disait heureux d'étudier avec des professeurs, tous des coryphées de calibre international, attirés par la renommée de la vénérable institution. Ces commentaires étaient censés abaisser la jeune université sarroise, encore téléguidée par celle de Nancy. Sa haine du « pouvoir colonisateur français » demeurait inchangée. Par ailleurs, le choix de ses matières indiquait clairement qu'il se dirigeait vers l'enseignement dans un *Gymnasium*.

Si Henning avait depuis longtemps trouvé sa voie, Falk refusait de choisir. Le dicton allemand « Par chaque langue que tu parles, tu es un être humain de plus » était sa devise. Il maîtrisait l'allemand, le français, l'anglais, lisait le latin. Quand on lui demandait s'il préférait la culture française à l'allemande, il répondait « les deux ».

Deux ans plus tôt, pendant des cours traitant de l'histoire allemande et de la politique nazie, il avait posé des questions au père, les mêmes que sa mère : quel avait été son rôle à Paris ? A-t-il eu l'occasion de voyager dans la zone libre ? Connaissait-il des collaborateurs français ? Avec une mine excédée ou ennuyée, le docteur Bachmann répondit qu'il fallait comprendre la guerre comme une immense machine au fonctionnement multiple et parfois incompréhensible. Chacun doit exécuter les ordres, sinon, on disparaît à jamais. Il avait eu de la chance, n'étant qu'un simple observateur de l'opinion publique à Paris. Il prenait le pouls de l'humeur des Parisiens. Ses décisions lors de l'arrivée de l'armée américaine avaient sauvé plusieurs vies en accélérant le départ de son unité de la capitale. Il parlait sans hésitation, ses phrases sonnaient comme un enregistrement.

* * *

Les mots d'Arno à l'oreille, assumant le rôle de précepteur, Falk continuait à fréquenter les von Reddern. Chaque séance commençait par les matières dans lesquelles ils avaient de sérieuses lacunes, philosophie, latin, mais surtout le français.

Cependant, après une heure de travail, les paupières du frère et de la sœur devenaient lourdes. Penchés sur les livres, ils bâillaient discrètement. Alors, Sabine déclarait : « C'est assez pour aujourd'hui, je ne sais pas comment tu fais pour retenir tout ça, c'est affreusement ennuyant. » Pendant les exercices de répétition en grammaire, par exemple, frère et sœur regardaient le plafond, répétaient les réponses que leur soufflait le jeune mentor. Ils ne lui posaient jamais de questions, ne demandaient pas d'explications. Parfois, Falk glissait volontairement des erreurs dans ses exercices. Ils gobaient tout, bêtement, ânonnaient les leçons, retenaient des bribes ici et là. Au fond, ils ne s'intéressaient qu'à l'histoire de leur famille, dont ils connaissaient les multiples ramifications sur le bout des doigts.

Erdmann ne se lassait pas de lui expliquer les différents éléments de ses armoiries. Au-dessus du heaume argenté se dressait un lion, tenant dans sa patte droite cinq plumes de paon. « Elles représentent le titre de comte qui nous a été conféré par Maximilien Ier. Nous n'avons jamais porté la couronne à cinq dents, nous n'en avons pas besoin. Tout le monde sait qui nous sommes. En présence du roi prussien, mes ancêtres avaient le droit de ne pas enlever leur couvre-chef, comme une douzaine d'autres familles égales à la nôtre. Des documents prouvent que la maison des Hohenzollern est de presque cent ans plus jeune que la nôtre. Nous ne portons que la particule, cela nous suffit. »

Leur beauté s'usait. Leurs yeux, d'un bleu époustouflant, plus beau que celui d'un ciel d'été à la fin du jour, demeuraient vides, ne s'animaient que devant une anecdote sur le grand amour de Balzac pour la comtesse Hanska (« Ach, disaient-ils avec une moue de dédain, une Polonaise ! »), la relation entre Flaubert et Louise Colet, Sand et Chopin. Ils demeurèrent d'une parfaite politesse quand, en février, Falk mit fin à leurs rencontres. « Désolé de ne plus pouvoir vous aider, mais je dois préparer le premier bac. » Il en avait assez de leur beauté vide, de leur paresse, de leur stupidité, des histoires sur les Reddern cent fois ressassées, de l'intérieur lugubre de la villa habitable aux trois quarts, sentant la moisissure. Frère et sœur prirent congé de lui aussi cordialement qu'ils l'avaient reçu trois mois plus tôt. Revoir Erdmann en classe ne lui causait plus d'émoi.

Comme son mentor l'avait prévu, l'Apollon échoua aux examens de fin d'année et fut recalé. Quand Falk les croisait, lui et sa sœur, il leur envoyait poliment la main.

Falk avait suivi son cœur tout en restant prudent. Il remercia Arno, qui avait été son meilleur conseiller. Maintenant que ses relations avec le père étaient au point de congélation, il pourrait lui rendre visite plus souvent. Puisque le docteur Bachmann ne déliait pas sa bourse, le grand-père avait ouvert pour Falk un compte dans une autre banque que celle des parents ; son petit-fils y puisait ce qu'il fallait pour l'achat de livres et ses sorties.

Un matin, il se retrouva face à face avec Eberhardt. Ils savaient que des élèves les guettaient ; personne n'ignorait la subite amitié entre Falk et les von Reddern ainsi que la bisbille entre Westhoff et Bachmann. Surpris, Falk inspira profondément : « Westhoff, je te présente mes excuses pour mon comportement des derniers mois. J'ai eu tort, je me suis conduit de façon inqualifiable face à quelqu'un d'aussi loyal que toi. Si tu es d'accord, reprenons nos habitudes. S'il te faut du temps… » Sous une bonne quarantaine d'yeux, il tendit la main. Eberhardt la saisit sans un mot. Il avait fortement rougi et se tourna vers les casiers pour cacher son émotion. Au moment d'entrer en classe, il semblait plus calme et effleura la main de Falk avant d'aller s'asseoir à sa place.

* * *

À la mi-juillet 1958, Anne, belle, radieuse, était passée en coup de vent. « Je pars tout à l'heure pour Francfort, et par la suite pour Istanbul. Dommage, je ne verrai pas Henning. Je l'ai appelé et il m'a dit qu'il serait en excursion avec un groupe d'étudiants et leur professeur. » En embrassant Falk, elle murmura : « Motus ! » À Claudine, elle dit : « Vous embellissez, mon chou, sortez, allez au cinéma, dansez, c'est un ordre, sinon, pas de prétendant devant la porte. » Elle ajouta : « Oui, j'ai grandement amélioré mon français au Proche-Orient, avec mes collègues parisiens et lyonnais. » À chacun, elle avait apporté un cadeau. « Jusqu'à la mi-octobre, je travaillerai en Syrie. Vous ne pouvez pas savoir combien j'ai hâte ! » Le père la conduisit à la gare dans sa toute nouvelle Peugeot 403, noire, aux sièges en cuir : « À chacun son dada », dit-il. Elle se tourna vers l'arrière : « Falk, tu as grandi et pris du poids. Tu impressionnes notre cordon-bleu avec les quantités de nourriture que tu avales, pas vrai ? » Claudine donnait des coups de coude à son voisin : « Madame, il mange, c'en est effrayant. Rien de plus normal à cet âge. Henning n'était pas différent. Merci pour les congés et le beau cadeau, madame. Avec deux hommes à la maison, seulement le petit-déjeuner et le souper à préparer, l'époussetage et l'argenterie, il me reste assez de loisirs. J'aide madame Esslin pour la lessive et elle m'apprend le dialecte de *Saarbrigge*. Je vais assez souvent au cinéma. Maintenant, il y a une troupe d'opéra permanente, composée de jeunes chanteurs d'un peu partout dans le monde. C'est formidable. »

Une fois dans son wagon, Anne se pencha par la fenêtre du compartiment : « Tout est sous contrôle. Je suis rassurée. Falk, si tu as un problème, appelle Arno, il a mon numéro en Syrie. Gabriel, n'énerve pas trop Claudine avec tes caprices culinaires. Je reviens à Noël ! »

Les ailes meurtries

Au milieu de l'année 1959, le docteur Gabriel Bachmann a cinquante-trois ans. Régulièrement, le *Saarbrücker Zeitung,* le journal le plus important en Sarre, rapporte les travaux de sa femme, archéologue en Syrie. Les Bachmann sont des gens à part, des modèles pour tout Sarrois ambitieux. Dans quelques années, les fils entreront à leur tour dans la vie publique. Le journaliste couvrant la vie culturelle informe les lecteurs que le Rotenbühl Quartett a été dissous, le jeune fils du docteur Bachmann, prodige pianistique, ne pouvant plus conjuguer les études et sa passion pour la musique. «Mais qui sait ce qu'il nous réservera comme surprise, à sa sortie de l'université? Déjà, nous comptons l'un des orchestres de chambre les plus cotés d'Europe...» En première page des informations locales on peut admirer la nouvelle Citroën DS du docteur, «une voiture à la fine pointe de la technologie, d'un confort inouï». Quelques jours plus tard, on rapporte que le propriétaire de cette merveille française a subi un malaise le forçant à se rendre d'urgence à l'hôpital. Cependant, comme on le sait, cet homme est une force de la nature.

Herbert Speicher, propriétaire du journal, ancien et dévoué *Kommilitone* du *Ministerialrat,* fait partie du petit cercle auquel appartiennent également des chefs d'entreprises ainsi que certains intellectuels de la capitale, des professeurs d'université et de *Gymnasien,* les docteurs Blatt et Wulff, par exemple. La devise qui les réunit autour de la table du bistro, coin Eisenbahnstraße et Gutenbergstraße : « Ce qui ne nous tue pas nous rend plus forts. » Cependant, même à son grand ami Speicher, Bachmann n'a pas raconté la cause de son hospitalisation, seulement que mademoiselle Behringer, son amie de l'heure, l'a accompagné à la clinique. Ce qui lance immédiatement des racontars salaces, car le grand homme change de copine comme il change de chemise.

La vérité sur l'événement aurait trop égratigné son image.

Peu avant Noël de l'année précédente, Bachmann, ennuyé par la valse de partenaires, avait trouvé chaussure à son pied : Christa Behringer, étudiante en histoire, jolie, intelligente, discrète, attirée par les hommes d'âge mûr. Elle arrondissait ses fins de mois en animant des visites guidées. Pour l'essentiel, sa clientèle était composée de gens d'affaires sondant le terrain d'un million de nouveaux consommateurs ou encore de représentants du gouvernement de la RFA, provisoirement installé à Bonn. Christa avait rencontré le *Ministerialrat* lors d'un tour de ville en compagnie de hauts fonctionnaires du ministère fédéral de l'Éducation qui voulaient voir la nouvelle université. Pendant toute la journée, elle avait senti sur elle le regard hypnotisant de ce bel homme. Pendant le déjeuner au restaurant *Waldhaus,* situé à cinq cents mètres du campus, en pleine forêt, il s'était assis à côté d'elle et avait sorti son arsenal de séduction habituel. Dans l'oreille de Christa, il avait coulé des allusions galantes qui l'avaient fait rire. Quand il la revit deux jours plus tard, elle avait déjà lu la moitié de sa thèse. Il ignorait que la bibliothèque en possédât un exemplaire. Il se sentait flatté : personne ne lui en avait parlé jusqu'à ce jour, même pas Anne, à qui il avait rendu la monnaie de sa pièce en ignorant la sienne.

Au lycée, la journée a été difficile pour Falk : examen d'anglais, traduction d'un passage de *Paradise Lost* de Milton en français. Après quoi, une longue et ennuyante discussion avec Eberhardt, qui lui a resservi « l'affaire Reddern ». Son ami se sent négligé et prétend que Falk se montre à la limite de la brusquerie. Celui-ci juge ces reproches ridicules, mais manque de temps pour y répondre puisqu'il doit se rendre à une leçon privée de maths avec Albert Neyret. Le professeur lui expliquera comment calculer la courbe du globe terrestre, l'heure du départ d'un bateau de Hambourg, prédire le moment où il arrivera à Buenos Aires. Après une journée aussi chargée, Falk a envie de dire qu'il préfère laisser les calculs au capitaine et lire des tas de livres passionnants dans son transat. Il ne fera rien de la sorte, bien entendu. Toutefois, lorsqu'il est fatigué, il peut se montrer bougon et adresser des répliques cinglantes, même à Claudine. Falk est un jeune homme bien charpenté, sportif, bon gymnaste. Les filles de première, la classe parallèle, le dévorent des yeux, malgré les rumeurs persistantes que lui et Westhoff sont plus que des amis. L'une d'elles, une interne, affirme qu'un de ses copains les a vus entrer ensemble dans les douches où ils se sont attardés outre mesure. « Rien que des ragots, personne n'a du concret », commente une autre.

De retour chez lui, dans le hall, il se retrouve nez à nez avec Christa. Surpris de rencontrer quelqu'un d'autre que Claudine, il allume le plafonnier pour mieux la voir. Elle a l'air pas mal, mince, assez grande. « Qui êtes-vous ? Qu'est-ce que vous faites ici ? » lui demande-t-il sur un ton brusque. Elle, avenante encore : « Je ne vous connais pas non plus. Si on se présentait ? Je suis Christa. » Il la détaille longuement, de haut en bas, les commissures des lèvres baissées, tout comme le père quand il est de mauvais poil. « Christa comment ? Est-ce votre nom de guerre ou de scène ? » Elle en a le souffle coupé, se tourne vers l'escalier : « Gabi ! Gabi ! Il y a un jeune homme dans l'entrée qui m'insulte. D'une grossièreté ! » Le docteur descend, prêt à sortir. Ses yeux luisent comme ceux d'un loup. « C'est mon fils, lance-t-il, le plus jeune. Qu'est-ce qu'il t'a dit ? » Elle répète fidèlement leur échange verbal. Falk ne bouge pas, les observe en alternance, sur le qui-vive. À peine a-t-elle terminé que le père exécute une pirouette parfaitement réussie. L'élégance du mouvement prend Falk par surprise, il pense à un danseur de ballet. Le dos de la main frappe sa mâchoire de plein fouet, un coup de justicier professionnel. Par le mouvement rotatif du corps, l'impact est multiplié par le facteur x, que Falk pourra déterminer pendant un prochain cours de physique. Reculant d'un pas, il se dit qu'il en a encaissé d'autres qu'il croyait pourtant insurpassables, mais celui-ci est le plus fort à ce jour, calculé froidement et nourri par une haine accumulée de trois ans, depuis que Falk a refusé de retoucher au piano.

Sa bouche est pleine de sang, il a peut-être perdu une dent ou s'est mordu la langue. Il regarde le père qu'il domine d'une tête. Falk plie ses doigts, joint les deux mains et frappe l'agresseur sous le sternum, là où l'œsophage et l'estomac se rejoignent. Il a frappé brutalement, y a mis tout son poids et sa fureur. Il sent la mollesse de l'embonpoint, ses phalanges ne rencontrent aucune résistance. Le torse du père penche en avant. Suivent les râles d'un homme incapable d'inspirer, tandis que la femme crie : « Chéri ! Ça va ? Ton cœur, oh mon Dieu, c'est ton cœur ! » Falk saisit le père par les cheveux, noirs avec des mèches blanches, le force à se tenir droit, lui tire la tête en arrière. Le premier bouton du col saute. Falk ouvre le nœud de la cravate, entend l'air entrer dans les poumons de l'autre qui continue à le fixer, pendant que la femme hurle.

« Je pourrais te tuer, comme je l'avais promis », siffle Falk. Il garde les lèvres presque closes, beaucoup de sang s'est accumulé dans sa bouche. Ce qu'il dit cependant, le père le comprend parfaitement. « Tu ne vaux pas que j'aille en taule pour si peu. Rappelle-toi : un soir d'hiver quarante-quatre, dans ton fumoir, moi dans les bras de maman. Tête tirée en arrière. *Tes mots.* » Il crache sur le visage de son ennemi, sur sa chemise blanche, sa cravate, son veston. Les yeux gris sont fermés, l'homme se tourne avec difficulté pour remonter l'escalier, aidé par Christa.

Quelques instants plus tard, la porte d'entrée s'ouvre. Claudine regarde Falk, les lèvres barbouillées de sang, le miroir, le papier peint maculés. De l'étage leur parviennent des bruits, des mots, de l'eau qui coule, des vomissements, le staccato de talons entre la chambre et la salle de bains, ponctué par des « ton cœur ! » Claudine demande : « Ça y est ? Tu lui as réglé son compte ? En présence de sa… ? Magnifique ! Viens dans la cuisine. Lave-toi, je te prépare de la glace. » Ils entendent les autres descendre l'escalier. Falk se rend dans le hall. Le teint de l'homme est cireux, son amie reste derrière lui. Il articule difficilement, chuchote : « J'ai reçu un appel de Süter. Ta mère vient dans trois jours, en ambulance, accompagnée d'un médecin. Elle va mourir. Le cancer a refait surface. Sous une forme dont on va nous parler. Appelle-moi au *Schlosshotel,* à côté du château, quand elle sera ici. Tu décides si tu avertis Henning ou non. » Lui et Christa sortent, les portières de la DS claquent, les lumières des phares glissent sur les rideaux.

La deuxième molaire à droite, en haut, semble fendue. Coupure importante à l'intérieur de la joue. Sous l'effet de la glace, l'œdème se résorbera en quelques heures. Pendant que Claudine compose le numéro privé du dentiste et attend qu'il lui réponde, elle se fait ironique : « Le docteur Bachmann a peut-être de mauvaises dents et souffre de constipation, mais il n'a rien du côté du cœur. Toi et moi, nous savons bien de quelle matière est fait cet organe, n'est-ce pas ? En acier inoxydable. » Après avoir obtenu la communication, elle raconte que le fils du docteur Bachmann a été impliqué dans une bagarre, puis se tourne vers Falk : « Il peut te recevoir demain, après le lycée. Merci, monsieur. Pour le règlement des frais, on procède comme d'habitude ? Merci beaucoup. »

Quand elle apprend l'état d'Anne, elle place les mains devant sa bouche, ne dit pas un mot, va dans sa chambre. De la rue, pas un son. Un silence qu'elle qualifiera plus tard d'« assourdissant ».

* * *

L'ambulance arriva vers sept heures et demie du soir. C'était un petit camion banalisé qui se plaça à reculons devant le garage. Les portières de chargement arrière s'ouvrirent et Falk vit la civière, amarrée à la paroi du véhicule, tout comme la tige à soluté et une petite armoire avec des flacons, des tubes, des médicaments, des instruments. Le médecin, un homme jeune encore, sauta en bas, fit signe à l'infirmier de s'occuper de la patiente. Le père, que Falk avait appelé, et Claudine attendaient. Esslin se tenait dans la cuisine. Elle avait aidé le personnel de l'hôpital luthérien à installer un lit approprié pour les soins que recevrait la malade. Celle-ci retrouvera son ancien bureau, débarrassé de la causeuse et du grand fauteuil de lecture. On s'y sent à l'étroit, car le lourd et gros meuble de travail qui renferme le coffre-fort y est encore ainsi qu'une chaise et la bibliothèque chargée de livres. Le lit, muni de moteurs électriques, place le torse, le bassin et les jambes dans la position voulue ; des dispositifs pour appeler à l'aide sont à portée de main ; les ridelles montées de chaque côté empêcheront une chute. L'oncologue de Wiesbaden a recommandé la présence de trois infirmières qui se relayeront au chevet d'Anne. Falk sait à quel point le père – son coup a porté, son teint est toujours mauvais – aime se trouver dans son nouveau rôle du veuf en devenir. Lorsqu'il parle au médecin, il affiche une mine sérieuse, il incarne l'homme bouleversé par la mort prochaine de sa femme. Il guide les siens à travers cette rude épreuve. La première garde-malade arrive au moment où l'infirmier et le médecin glissent Anne de la civière sur le lit.

Le médecin est l'assistant de l'oncologue-chirurgien qui a traité Anne lors du premier épisode de cancer ; il connaît bien son anamnèse. Depuis Noël, elle a préféré rester auprès de son père. De nouvelles cellules cancéreuses se sont développées dans la moelle épinière et ont formé des métastases au foie. *Frau Doktor Bachmann-Süter* – en entendant le titre et le nom de jeune fille d'Anne, son mari serre les mâchoires – a exprimé le désir de mourir entourée de sa famille en Sarre et d'épargner à son père le chagrin d'assister sa fille jusqu'à la fin. « Elle est parfaitement au courant de l'avancement de la maladie et sait qu'il ne lui reste que peu de temps. Habituellement, nous préférons ne pas informer les patients de la gravité de leur état, mais *Frau Doktor* nous a demandé de ne lui épargner aucun détail. Elle fait preuve d'un détachement et d'une objectivité admirables. Une scientifique-née, je dirais. » Le Dr Bachmann lui demande des précisions sur la maladie, « non pas par curiosité mal placée, mais parce que je veux comprendre ». Falk croit qu'il réagit de cette manière parce que le mot « scientifique » l'a piqué. Le père n'a jamais supporté d'être exclu d'un groupe restreint, subodorant la condescendance des spécialistes.

D'après le médecin, les derniers jours de travail à Tell Mardikh ont été extrêmement pénibles : Anne, croyant d'abord à un lumbago, s'était procuré des anti-inflammatoires à Alep. Chaque mouvement lui causait des douleurs intenses dans le bas du dos, rayonnant dans les hanches. Elle n'a pas été en mesure de diriger la fermeture du chantier, et a dû faire appel à ses collègues allemands et français. Le vol de Damas à Francfort a été un martyre, malgré l'espace pour la civière en première classe. Le trajet à Wiesbaden s'est effectué en ambulance. Le professeur l'a gardée à la clinique afin de pousser plus loin ses analyses. « L'état du foie ne laisse aucun espoir. Nous sommes impuissants devant ce qu'on appelle "la peste du XXe siècle". » Malgré les énormes efforts déployés partout dans le monde, les recherches sur le cancer sont trop peu développées pour nous permettre d'intervenir. Mais nous sommes en mesure de réduire ses souffrances. Le personnel soignant dispose déjà des informations pour le dosage des calmants. Touchez la patiente le moins possible, sauf si elle vous le demande. Évitez de heurter le lit. Parlez doucement ; elle vous entend parfaitement. Vous saurez quand il faudra la transférer à l'hôpital. Elle ne vous reconnaîtra plus, parlera de façon incohérente, peut-être dans une autre langue, et utilisera un vocabulaire inhabituel. »

Le docteur Bachmann le remercia de son dévouement et lui demanda combien il lui devait pour le voyage de Wiesbaden à Saarbrücken. « Monsieur Süter a tout réglé d'avance. » Le médecin serra la main de chacun, eut un bref entretien avec la garde-malade et partit.

Au salon, personne ne parlait. Que pourraient-ils dire ? Esslin pleurait doucement, Claudine lui passa le bras autour des épaules. Le père se leva, suivi de son fils. Ils ouvrirent la porte du bureau. L'infirmière, assise de manière à observer la patiente, portait une coiffe blanche, un sarrau rayé blanc et vert. Comme ses deux collègues qui s'occuperaient d'Anne, elle disposait d'un stéthoscope. Dans l'échancrure du vêtement, on voyait une fine croix en or, sans christ. Ces femmes sans âge, à la peau blanche, ne parlaient que pour donner des ordres, avec précision et économie de gestes. Pendant les dix jours suivants, Claudine et Falk passèrent autant de temps que possible auprès d'Anne, dont les périodes de sommeil se firent de plus en plus longues.

La femme que le père et Falk découvrirent ne ressemblait que vaguement à celle qu'ils avaient connue. Esslin poussa un cri quand elle vit le visage : un crâne tendu d'une peau sans rides. Anne avait dû sentir leur présence, car elle ouvrit les yeux, enfoncés dans les orbites. Même la couleur des iris avait changé : le bleu ciel était délavé, le regard exprimait une immense fatigue. Elle les reconnut, esquissa de la main droite un salut, retira la lèvre supérieure en guise de sourire et découvrit ses dents, blanches et fortes. Ce n'était plus Anne, mais un squelette mû par des ressorts invisibles. Elle murmura des mots que personne n'entendit, sauf l'infirmière. Celle-ci demanda une bouteille d'eau, une tasse et une éponge ou une débarbouillette ; la patiente avait soif. Après avoir sucé le tissu avec une force surprenante – on aurait dit un bébé en train de boire –, Anne ferma les yeux et sombra dans le sommeil, tandis que l'infirmière se levait et disait tranquillement : «Elle vient de faire un immense effort. Je lui ai donné une injection pour qu'elle continue à dormir. Il vaut mieux la laisser. Sortez, je vous prie. »

Claudine lui indiqua la salle d'eau au même étage, la cuisine, le divan du salon. « La malade est si faible qu'elle ne peut plus appuyer sur le bouton de la sonnette, dit la femme. Il faut la surveiller nuit et jour. Voilà pourquoi nous sommes trois à nous occuper d'elle. D'après mon expérience, elle entrera dans le coma d'ici une semaine. »

Le père déclara qu'il ne pouvait coucher sous le même toit que sa femme mourante ; il était trop secoué par ce qu'il avait vu. On le trouverait tôt le matin et le soir au *Schlosshotel* ; Falk avait ses coordonnées. Il remplit une valise et partit. Falk appela son frère et l'informa de la maladie de leur mère. Henning avait bu, il venait de rentrer d'une soirée organisée par sa corporation et tarda à saisir ce qui se passait. Il finit par demander : « Est-elle consciente ? Je peux lui parler ? Quelles sont ses chances de guérison ? » Quand il comprit qu'elle allait mourir dans quelques jours, il marqua une longue pause, puis : « Dans ce cas… Je suis en plein semestre, impossible de sécher mes cours. Pourquoi n'est-elle pas restée à Wiesbaden ? Qu'est-ce qu'elle fait chez nous ? Elle n'y habite plus depuis son doctorat. Se serait-elle découvert le sens de la famille ? Ridicule. Papa a beaucoup souffert pendant son mariage de la froideur de maman, il me l'a dit. Sais-tu qu'ils n'ont pas fait l'amour depuis qu'il est revenu de la guerre ? Elle ne l'aimait pas, ou plus. Pour moi, c'est une étrangère. Trois infirmières ? Qui les paie ? Ah bon. Tu sais, au fond, je déteste ce grand-père qui n'a jamais voulu me voir. Pourtant, il est toujours là, dans l'ombre. Avec son argent, il se mêle de tout. Merde alors, j'en ai soupé de maman, de son père. Si j'y allais, ce serait me mentir. » Henning ne posa pas de questions, sauf un « ça va, j'espère ? » et « tu me tiens au courant ? », ce qui signifiait de l'appeler pour l'informer de la mort d'Anne.

Après la première semaine, le père revint pour laisser à Esslin son linge sale. Il remplit de nouveau sa valise et repartit, après avoir payé une visite de courtoisie à Anne qui, en entendant ses pas, avait fermé les yeux. Il envoya un sourire à l'infirmière.

Pendant ce temps, Falk préparait ses examens, les pires de toutes les années passées au lycée. Cinq demi-journées étaient prévues pour les disciplines obligatoires à l'écrit : français, allemand, anglais, latin et mathématiques. Si ses résultats variaient trop de la moyenne de la dernière année, il devrait passer par la moulinette de l'oral. Quant aux matières dites secondaires, des examens oraux étaient prévus en chimie, physique, philosophie, histoire, géographie, histoire de l'art et dessin, musique. Les examinateurs tiraient les noms des candidats au hasard. Une journée entière était réservée au sport : l'avant-midi, au stade, course, saut en hauteur et en longueur ; l'après-midi, au gymnase, anneaux, barre fixe, sol, cheval d'arçons, gymnastique au sol. Seul Eberhardt fut informé de la maladie d'Anne. Falk lui interdit formellement d'en parler à quiconque. Il avait la pitié en horreur et s'était dégagé tout de suite lorsque son ami lui avait posé la main sur l'épaule. Avec Claudine et Esslin, il a créé une routine : avant de partir pour le lycée, il passe quelques instants avec Anne, habituellement réveillée de bonne heure et un peu plus forte si la nuit a été bonne. Il déchiffre les mots en suivant les mouvements de ses lèvres. Si, par inadvertance, il heurte le lit, elle pâlit. Il appelle alors la garde-malade qui lui administre une dose de calmant. Anne donne de brefs messages pour Arno que Falk appelle tous les soirs. Deux jours de suite, il doit transmettre au grand-père la hâte de sa mère « de retrouver les siens ». Elle souffre beaucoup. Falk et Claudine croient qu'elle s'impatiente parce que la mort tarde à l'emmener. L'infirmière leur donne une enveloppe cachetée. Sur une feuille, Anne a écrit qu'elle veut être incinérée et enterrée auprès de sa mère, de Reinhardt et de ses grands-parents. La garde-malade est choquée. À Saarbrücken, l'incinération est impensable. Catholiques et luthériens, tous sont inhumés en attendant la résurrection le jour du Jugement dernier. Il n'y a que les athées qui se font incinérer, tout comme les criminels, dont on brûlait les corps après leur exécution, sous Hitler. Pour ceux qui nient Dieu, il n'y a plus rien à espérer, ils n'existeront même pas quand Son Fils reviendra sur Terre puisqu'ils rejettent la Résurrection, le cœur de la religion chrétienne. Falk sait qu'Anne a entendu la garde-malade, son regard est inquiet. Il la rassure : tout sera fait selon ses volontés, c'est lui qui apportera les cendres auprès d'Arno. Ensemble, ils vont enterrer l'urne. Elle lève un peu la droite, elle a compris.

Le neuvième jour, elle l'appela et lui souffla : « Reinhardt, je m'en vais. Reste avec moi ! » Plus tard, quand Falk rentra du lycée, les yeux d'Anne brillaient : « Caresse-moi. Nous sommes seuls, personne ne va nous déranger. » Il pria l'infirmière de les laisser pendant quelques instants. Anne ferma les yeux quand il lui prit la main, si élégante, légère et transparente, remonta du bout des doigts jusqu'au coude, lui massa doucement la paume et le poignet. Elle sourit, ouvrit les yeux et indiqua le coffre-fort. Falk en connaissait la combinaison. Là, se trouvaient ses bijoux et le bracelet d'Arno, une copie de son testament, des objets rapportés des fouilles avec l'autorisation des autorités syriennes, de l'argent.

Tard ce même soir, l'ambulance de l'hôpital luthérien l'emmena. « C'est la fin, dit la garde de nuit, son cerveau est atteint. Elle m'a prise pour ma collègue et a demandé quand reviendrait son frère Reinhardt. La dose de morphine est si élevée qu'elle peut mourir n'importe quand. Le problème est son cœur d'athlète. Elle peut résister plusieurs jours encore. »

Le lendemain, pendant le cours de chimie, le concierge apporta un message que le professeur lut et remit à Falk. « Ta mère va mourir dans quelques instants. G. B. » Il courut à l'hôpital, trouva la chambre. Le père se tenait devant la porte, en conversation avec un médecin : « Trop tard. Terminé depuis dix minutes à peine. Achim, je te présente mon fils Falk. Le docteur est un vieil ami à moi, du temps de Göttingen. Appelle Henning. Il faut que je m'occupe d'un tas d'affaires : acheter un tombeau familial – je n'y ai jamais pensé. Seigneur, nous sommes mardi, tout doit être réglé d'ici samedi. Les annonces dans les journaux, les faire-part, les pompes funèbres, le choix du cercueil, la messe, le restaurant, d'autres détails qui m'échappent. Ah oui, je dois informer le notaire. Tu ne pourrais pas prendre deux, trois jours de congé ? » Quand Falk l'informa des directives écrites concernant la crémation et l'enterrement de l'urne dans le caveau familial à Wiesbaden, le père se montra soulagé. « Donc, juste les faire-part et les annonces. Très bien. Pas de repas, pas de bla-bla devant le trou. Elle est morte comme elle a vécu, indépendante, athée, selon ses désirs. Tant mieux. Ça simplifie les choses. »

Falk la revit une dernière fois. Le front était tiède, les mains si fines qu'il les saisit comme s'il s'agissait de bibelots précieux. Il les caressa, ne pleura pas. Il appela à la maison et informa Claudine, qui parlerait à Esslin. Il fut de retour au lycée au moment où le professeur terminait la leçon. Celui-ci lui dit, une fois les autres sortis : « Toutes mes condoléances, Falk. C'est dur de perdre sa mère quand on est si jeune. » Après une poignée de main, ils se séparèrent. Falk alla au cours de latin, se concentra sur un texte de Tite-Live, composa une version lui méritant des éloges. Il mangea, suivit le programme du jour. Avant de quitter le lycée, il informa Eberhardt. Quand son ami entendit la nouvelle, ses yeux s'emplirent de larmes. « Écoute, je sais que tu l'aimais bien. Mais elle était ma mère, pas la tienne. Ne me prends pas pour un monstre si je ne pleure pas. J'ai horreur d'exhiber mes sentiments, tu le sais. Personne au lycée ne me connaît aussi bien que toi. Et tu es le seul ici que j'aime vraiment. C'est pour ça que je te le dis. Alors ne pleure pas. Il n'y aura pas de service religieux, elle sera incinérée. J'irai l'enterrer, après le bac. »

Ils venaient d'entrer au pavillon des internes. Falk prit une profonde inspiration : « Tu peux me prendre dans tes bras ? Merde, j'en ai besoin. J'ai l'impression que je vais tomber dans les pommes. » Quand ils entrèrent dans la chambre, il proposa : « Ferme à clé. Si quelqu'un frappe, tu lui dis de revenir dans une heure. » Un quart d'heure avant le souper, ils refirent le lit, ouvrirent la fenêtre – il était défendu de fumer, mais Eberhardt aimait les cigarettes turques au tabac blond – et se rendirent à la cafétéria, mangèrent ensemble, se serrèrent la main comme d'habitude. « Tu sais ce qui m'aide à ne pas m'effondrer ? C'est de ne pas parler allemand. Même si le français est devenu ma seconde langue maternelle, elle agit à la manière d'un écran entre moi et ce que je dis. Nous deux, comme la plupart de nos camarades sarrois, nous sommes assis entre deux chaises. Inconfortables sur l'une et mécontents sur l'autre. L'une de nos moitiés est toujours l'étrangère de l'autre. J'arrête, sinon je vais me trouver émouvant. Allez, ciao. »

* * *

Sauf un, les examens de Falk se sont bien déroulés. À l'oral, il a été appelé en mathématiques, car dans l'écrit, ce fut l'échec total. Il n'avait pas résolu un seul problème, bien qu'il les eût tous amorcés. Du collimateur, il sortit indemne, les examinateurs le croyaient épuisé après quatre jours d'examens rigoureux. Ils le pressèrent d'entrer le plus rapidement possible à l'École normale supérieure, lui donnèrent des références, les noms de professeurs, tous des « incontournables », le félicitèrent de son français impeccable, malgré un léger accent lorrain. Soudain, Falk en eut assez : « Excusez-moi, je suis incapable de penser à mon avenir.» Les examinateurs furent stupéfiés. Après une pause, il ajouta : «Il y a trois semaines, ma mère est morte du cancer de la moelle épinière. J'ai mis toute mon énergie à préparer le bac. Je n'en peux plus. Messieurs, veuillez m'excuser. Je suis au bout de mon rouleau.» Ils se levèrent, l'entourèrent, lui exprimèrent leurs condoléances pendant qu'il reculait vers la porte qu'il ouvrit et referma doucement du dehors.

Falk n'eut pas envie de fêter la fin de ses études avec ses camarades. À ceux qui n'avaient pas cru en l'existence du lycée franco-allemand après le référendum de 1955, il avait toujours répété que le gouvernement allemand préparait une pilule dorée pour la France sous forme d'un accord d'amitié. Ce genre de chose ne coûte pas cher : Allemands et Français maintiendraient le *Deutsch-Französisches Gymnasium,* ou *DFG,* comme cela se faisait depuis presque trois cents ans à Berlin, un lycée français établi à la suite de l'arrivée d'un fort contingent de huguenots, après la révocation de l'édit de Nantes. Au lieu de boire de la bière et de fumer des cigarettes, de danser et de bavarder avec des parents, Falk préféra inviter Eberhardt chez lui. Cela tombait bien parce que les Westhoff étaient partis pour la Normandie, lieu de prédilection des parents. Ils y disposaient d'une maison de vacances à Deauville ; c'était dans un village pas loin de la célèbre plage qu'ils avaient pu se cacher pendant l'occupation allemande. Eberhardt irait les rejoindre quelques jours plus tard, après avoir libéré sa chambre. Claudine leur prépara un festin et les laissa seuls. Ils savaient tous deux qu'à moins d'un changement des plans de Falk, ils ne se reverraient pas dans un avenir rapproché. Eberhardt étudierait les sciences politiques à Lyon. Il travaillerait avec des professeurs de renom, à proximité de Genève où, après l'obtention de sa licence, il pourrait obtenir un emploi au service de l'Allemagne ou de la France. Il prit en note l'adresse et le numéro de téléphone d'Arno et promit d'écrire régulièrement.

Falk lui raconta que le père s'était contenté de le féliciter, puis lui avait demandé quand il sortirait « cette urne de la maison, qui me cause des cauchemars et m'empêche de vivre en paix ». Bien entendu, l'urne n'était pas son souci premier. Falk avait mentionné que dès le soir où ils avaient eu « un important différend », son père lui avait dit : « Il est impossible que nous demeurions sous le même toit. Je reste à l'hôtel jusqu'à ton départ. »

Le notaire l'avait convoqué, lui et ses fils, pour l'ouverture du testament d'Anne. Henning ne s'était pas déplacé. Lors de la lecture, le père avait subi un choc, car Anne ne laissait à l'aîné que la part prescrite par la loi de succession allemande. Son mari sortait les mains vides. Depuis son décès, ses comptes personnels avaient été bloqués ; elle léguait sa fortune et tout objet lui appartenant à Falk. Le père avait demandé s'il pouvait contester ce document injuste, voire blessant. Mais le maître lui expliqua qu'une telle procédure aurait toutes les chances d'être rejetée, car il avait rédigé ces dernières volontés avec madame, parfaitement saine d'esprit. Dès son dix-huitième anniversaire, son principal héritier pourrait se permettre un style de vie confortable. Après avoir lu la copie de l'acte, Henning avait écrit à son frère, déplorant la décision de la mère et se plaignant que le père lui en voulût d'avoir abandonné le latin et de n'avoir gardé que la littérature allemande ainsi que la géographie. « Le vieux » lui avait écrit que ce changement constituait un échec pour le Dr Blatt, car celui-ci le voyait déjà sous son aile en jeune stagiaire.

Falk demanda au père de patienter quelques jours, le temps de faire ses valises et de disposer de ses objets personnels. Le lendemain, après le départ d'Eberhardt, qui n'avait pu s'empêcher de pleurer en quittant son ami, Falk vida le coffre-fort des bijoux, des artéfacts, des titres de valeur, ainsi que d'une somme considérable en espèces : livres sterling, marks allemands, francs français et suisses.

Il offrit à Claudine quelques objets parmi ses effets à lui et les bibelots de sa mère, ceux que les paysans du temps de la famine avaient dédaignés : ivoires japonais, bronzes chinois, porcelaines de la manufacture de Meißen. Elle choisit lentement et le remercia : « Chaque fois que je verrai ces magnifiques bibelots, je penserai à madame et à toi. » Elle inspira fortement, sachant que son « petit » n'aimait pas les démonstrations de sentiments. « Tu es discret, toi, contrairement à Henning, que j'ai entendu parler au salon avec votre père, de moi et de notre brève relation. Quelle idiotie de ma part ! J'étais jeune, ton père m'avait ensorcelée dès mon arrivée. Plus tard, j'ai pris chacun de ses mensonges pour argent comptant. Fini, tout ça. Demain soir, je prends le train. Je m'ennuie de Bar-le-Duc. Je suis restée pour toi. Ici, je ne me suis jamais sentie chez moi. Peut-être qu'avec un peu de chance, je trouverai un mari, si ce n'est pas trop tard à presque trente-cinq ans. Madame a été d'une grande générosité. »

Claudine et Falk se souhaitèrent bonne nuit. Un bruit étrange réveilla Claudine en pleine nuit, mais elle se rendormit aussitôt.

* * *

À l'aide d'un pied-de-biche, Falk brisa la serrure du bureau dans le *Herrenzimmer*. À quinze ans, il avait sorti et examiné tous les livres de la bibliothèque paternelle, cherchant sans succès des mécanismes dans l'immense armoire dissimulant une cachette. Son père étant un homme méthodique, il était à parier qu'il avait caché des notes dans lesquelles se trouvaient consignées ses activités à Paris, du temps de la guerre. Dans le tiroir du centre, Falk découvrit des paquets de paperasses, lettres, factures, reçus, de la correspondance à l'en-tête de la Wehrmacht, du gouverneur de l'entité administrative Saarpfalz, du ministère de la guerre à Berlin, un document attestant que lui et sa femme étaient des aryens purs. Partout, il retrouvait la croix gammée. Il y avait également un coffret avec des bijoux de femmes. Chacun d'eux était identifié par une date, de 1940 au début de 1944. Il déplia une feuille de papier : c'était l'empreinte de sa main ensanglantée, quand il avait menacé le père de mort. Tout au fond, un cahier, relié en toile noire. Pas de titre ; une soixantaine de pages, couvertes de l'écriture soignée du père, presque entièrement en écriture *sütterlin,* qu'il déchiffrait lentement. Il s'agissait de résumés d'interrogatoires qui s'étaient déroulés au 11, rue des Saussaies, dans le huitième arrondissement, tout près de l'Élysée. Il y était question d'un Karl Oberg qui, depuis ses bureaux rue de la Faisanderie, dirigeait la police et les informateurs français ainsi que les militaires attachés à son service, comme le Dr Bachmann. Il n'y avait que des phrases brèves ne disant presque rien : « rencontré F. C. pour entretien », « vu et parlé à J.-P. D. ce matin, accord au sujet des KG ». Falk comprit que l'acronyme « KG » signifiait « prisonniers de guerre », des *Kriegsgefangene* d'un ordre particulier. La liste des F. C., J.-P. D. et autres était longue. Il s'agissait d'agents d'information, autrement dit d'espions, surtout britanniques, polonais, ukrainiens, russes, néerlandais, ainsi que de membres de la Résistance française, pris dans les filets des services secrets allemands.

Un paragraphe attira son attention : de toute évidence, son père avait travaillé pour la Gestapo, la *Geheime Staatspolizei,* puisqu'il y avait des entrées concernant des « entretiens » à trois adresses, le 84, avenue Foch, le cœur des opérations de contre-espionnage, le 11, rue Boissy d'Anglas, ainsi que le tristement célèbre 180, rue de la Pompe, lieux que Falk connaissait par ses cours d'histoire. Le père rapportait avoir mené l'interrogatoire d'une espionne possiblement anglaise, une *Soldatenweib,* terme péjoratif pour désigner les femmes d'une unité de combat, un « beau spécimen », écrivait-il. Il l'avait bombardée de questions pendant plusieurs heures, en anglais, allemand, français. D'autres avaient pris la relève, parmi eux d'anciens camarades d'université connus pour leur efficacité, Blatt, Wulff, Schneider. Il l'avait revue vingt-quatre heures plus tard. Elle n'avait pas dormi, s'était évanouie de faim, de soif et de fatigue. Elle n'avait rien bu, ses lèvres gercées saignaient. Elle s'était réveillée sous les gifles, mais n'avouait toujours rien. « Il aurait fallu la passer au hachoir *après* les privations. Une fois affaiblie, elle aurait parlé, j'en suis presque certain, mais avec elle, tout est possible », avait-il noté. Exaspéré, il l'avait poussée dans la pièce voisine, entièrement carrelée de blanc, appelée « le bain de Barbe-Bleue », où se dressait une guillotine en acier inoxydable, trapue, d'une hauteur de deux mètres trente, « démontable en moins d'une heure* ». Il y régnait une odeur insupportable de métal huilé, de sang, d'urine, d'excréments. Pour convaincre l'espionne que, rue de la Pompe, les autorités n'y allaient pas par quatre chemins, il poussa du pied la tête d'un homme et indiqua le corps de ce dernier, encore couché sur la planche, les mains liées derrière le dos. Secouée par des spasmes violents, l'espionne avait eu du mal à se tenir debout. Il l'avait reconduite dans la salle où elle réussit à dire d'une voix rauque : « Compliments. La Veuve ne m'effraie pas. Faites-moi danser avec elle. Finissons-en. » Le père avait commenté : « Impossible de l'exécuter sans preuves. Femme d'un caractère exceptionnel. Même pas certain qu'elle soit Anglaise. Polonaise ? En aurait la beauté. Certainement pas Française. Nous l'enverrons dans

---

* Après la guerre, la « guillotine portable » a été utilisée en RDA lors de procès et d'exécutions sommaires de personnes considérées par les autorités militaires comme étant des agents doubles.

une usine de matériel de guerre. Elle survivra. Ne peux pas m'empêcher de l'admirer. »

Falk arracha les feuillets qu'il venait de lire, laissa le carnet sur le bureau, ouvert. À la salle d'eau, il frotta une allumette, brûla les papiers qu'il jeta dans les toilettes. Le père comprendra. Il ne l'approchera plus jamais.

« *Hôtel Liberté, bonjour !* »

Dans le train, Falk s'était dit qu'il demanderait à son grand-père d'occuper la chambre d'Anne, pas celle de son parrain.

À la gare, il prit un taxi, la voiture d'Arno n'étant pas disponible. Paschenny lui fit la fête – « tu es devenu un vrai jeune monsieur, un peu fatigué, il me semble », félicita son « beau faucon » pour l'obtention du baccalauréat et l'aida à s'installer. Elle lui demanda s'il avait l'intention d'entrer aux classes préparatoires menant à l'une des grandes écoles. Il haussa les épaules. La voyant à côté d'Arno, il se demandait si Paschenny n'avait vraiment que soixante-cinq ans ; elle paraissait aussi âgée que son patron, qui en avait soixante-dix-sept. Elle demeurait maigre comme un clou, sa peau était sèche et ridée. Il avait eu du mal à la reconnaître sur les photos prises avant sa fuite de Saint-Pétersbourg – une jeune femme magnifique, en costume de cavalière, de tennis, d'intérieur, ou en robe de bal blanche, épaules nues. Un visage parfait, des cheveux longs et lourds dans un arrangement compliqué, des gants en dentelle montant aux coudes, un sac à main orné de perles. Arno avait l'air presque jeune, la peau couperosée des joues donnait l'impression qu'il avait passé sa vie en *gentleman farmer*. Sans les taches brunes, que Claudine appelait des « fleurs de cimetière », sur les mains et les tempes, on lui donnerait le début de la soixantaine. Les vins du Rhin semblaient lui convenir, et les calculs biliaires n'étaient plus mentionnés.

C'était vrai que la comtesse avait procédé au grand ménage. Les rideaux de toutes les pièces avaient été remplacés, certains tapis orientaux avaient disparu. Il y avait de nouvelles compositions aux murs de la bibliothèque, et au premier étage, des œuvres aux couleurs vibrantes, Maurice Estève, Hans Hartung, Jean-Michel Atlan, Martin Barré. « J'aime l'abstraction lyrique. Ce qui se fait à Paris est superbe. Tu sais, j'ai eu d'excellentes offres pour mes croûtes hollandaises. Bon, *croûte* est un peu méchant. Très décoratives, mais je ne les voyais plus, tellement elles faisaient partie du mobilier. Alors, quand je me suis rincé l'œil dans quelques galeries parisiennes, l'an dernier, j'ai opté pour la nouveauté. Anne a beaucoup aimé, surtout le Marie Raymond, un vrai labyrinthe de couleurs où l'œil se perd. Elle le voulait dans sa chambre. » Arno sourit devant le regard étonné de Falk. « C'est frais, plein d'énergie, bien pensé. Regarde le dynamisme de cet Estève ! Génial, non ? Quand je passe devant ces tableaux, je m'arrête comme si je les voyais pour la première fois. Ils m'interrogent. Chaque jour de nouvelles questions, tu vois ? En Allemagne, nous ne sommes pas encore prêts à dépenser de l'argent pour ce genre d'art. Mais ça viendra. Dans trois, quatre ans, les traces les plus importantes de la guerre auront disparu, du moins de notre côté, à l'Ouest. Tu verras que, sous peu, à Wiesbaden, il y aura des millionnaires à la pelle. »

Un verre dans chaque main, il emmena Falk sur la terrasse et l'invita à s'asseoir dans un fauteuil à l'ombre d'un arbre. Le jeune homme pensait en souriant au professeur de dessin à l'*Oberrealschule,* Merheim, c'est cela, son nom était Merheim, et à son aversion profonde pour l'abstrait. Paschenny les suivit : « Laisse-le donc respirer, le pauvre. Après un long voyage, tu lui sers tes théories sur l'avenir de l'Allemagne ! Allez, dans quelques minutes, la table sera prête, ensuite on verra. » Ils entendaient son va-et-vient entre la cuisine et la bibliothèque. ·

Arno était lancé. « Écoute, je veux juste te parler d'un aspect important. À l'étranger, on admire notre miracle économique, le *Wirtschaftswunder.* Ça n'a rien de miraculeux. Après la fameuse vague de la grande bouffe qui a suivi celle de la famine et avec l'arrivée des millions du plan Marshall, tout le monde s'est craché dans les mains. Bâtir, reconstruire l'infrastructure, moderniser, inventer, produire ce qu'il y a de mieux sur le marché, le *made in W. Germany* qui fait de nouveau sa renommée. Les saloperies nazies ne sont pas oubliées, oh non ! À la première occasion, et avec raison, on nous les rappelle. Plus on en découvre, plus elles sont répugnantes. Nous devons passer par là et avaler la soupe, préparée par *cet homme,* en payant, entre autres choses, des sommes faramineuses à Israël, ce qui est une sorte de réparation, mais cela ne peut en aucun cas effacer ce que l'Allemagne a fait aux juifs. Si nous ne voulons pas perdre notre estime de ce que nous sommes en tant que peuple, il faut prouver notre valeur et tenir parole. La RDA nie la présence de nazis sur son territoire et prétend qu'ils se sont enfuis du côté ouest, donc à Berlin et en RFA, ou encore en Amérique latine. Peu importe, nous payons à leur place. »

Il vida son verre, le souffle court. Sur son front perlait de la sueur. Paschenny arriva sur la terrasse, mécontente : « Tu m'as promis de ne plus t'énerver ! Dès que tu parles de l'Allemagne, ta pression monte en flèche, ton cœur s'emballe, tu peux me faire un infarctus n'importe quand ! À quoi ça sert de te préparer des repas équilibrés et sans beurre ? Tu t'en fiches ! Ah, qu'est-ce que j'ai fait à Dieu pour qu'il me punisse de cette façon ? » Arno avait l'air sincèrement désolé, il tenta d'amadouer son amie, puis s'exclama, triomphant : « Mais Falk a l'âge de boire plus d'un verre. J'ai choisi pour lui un vin de la Moselle, léger, fruité, juste ce qu'il lui faut. » Cependant, vers dix heures, le jeune homme se retira : il se sentait fatigué, les articulations lui faisaient mal. Paschenny, craignant le début d'une grippe, lui donna deux aspirines. Avant de se coucher, Falk défit ses valises, rangea ses vêtements, le coffret à bijoux, l'argent. Demain, s'il ne faisait pas de fièvre, il pourrait renouer avec Arno et se montrer utile à Paschenny. Depuis le départ d'Anne pour Berlin, il avait appris un tas de trucs : Claudine avait été une excellente enseignante de son art.

* * *

Falk se réveilla quand la comtesse posa un plateau de petit-déjeuner sur la table de nuit. « Ouh la ! Monsieur a eu une mauvaise nuit ! Comment te sens-tu ? Regarde ce que tu as fait des draps ! Pire qu'un régiment de cosaques ! Tu as beaucoup transpiré, tes cheveux sont collés sur ton front. Tu ne fais pas de fièvre ? Hum… Non, je ne crois pas. Mal de gorge ? Toux ? Rien ? Alors, les deux aspirines t'ont sauvé. Bois ce thé et mange. Les meilleurs croissants en ville. Nous avons deux boulangers français, très courus. Et un boucher de Strasbourg. Il te fait un boudin noir et de ces pâtés… ! »

Il se sentait assez fatigué encore, mais beaucoup mieux que la veille. La chambre d'Anne était austère, pas de dentelles ni de baldaquin, des rayonnages de livres, un élégant bureau art nouveau à la surface de travail en cuir brun, ciré et poli, sur laquelle étaient posées des photos de Reinhardt, d'Arno et Mathilde, d'Arno et lui. Aucune ne montrait son mari ou Henning ni la maison de la Rotenbühl. S'y trouvait également un téléphone, sans doute en extension de la ligne principale. Il souleva le combiné : l'appareil était branché. Tout était en ordre, les livres, les manuscrits glissés dans des chemises, prêts à être envoyés pour publication à Ute ou à Karin. De cela, Arno pourra s'occuper. Déjà, la pièce ne portait plus d'autres traces d'Anne. Il ne restait rien, pas de peigne, d'eau de toilette, de stylo-bille, de plume, plus rien. L'armoire était vide. Avant d'y suspendre son manteau d'été, ses deux habits, ses pantalons et de ranger son linge qu'Esslin parfumait légèrement en ajoutant au dernier rinçage une goutte d'huile de lavande, il avait reniflé le bois : aussi neutre que dans un hôtel. Elle était partie sur la pointe des pieds. Il avait fait des cauchemars, la couverture était de trop pour cette nuit tiède, il avait transpiré. « C'est le vin, il faut me méfier du vin », se dit-il. La veille, ils avaient vidé presque deux bouteilles. Il prit sa douche, se rasa, bien que le duvet sur les joues et la lèvre supérieure soit si blond qu'il était presque invisible. Pour terminer, il enfila le bracelet avec les saphirs.

Il découvrit Arno sur la terrasse, assis sur une causeuse en rotin, en train de lire le journal, tandis que Paschenny s'occupait de son coin de fines herbes. Il salua Falk. Ce dernier lui demanda depuis quand il souffrait d'hypertension. « Ah ! J'oublie que tu as une mémoire redoutable. Notre garde-malade nationale se mêle de choses…, au lieu de me laisser vivre comme je l'entends. Rien d'aussi efficace qu'une femme pour te culpabiliser, l'index levé et agitant sous ton nez le dernier rapport médical. Alors que ma tension est parfois un peu élevée et qu'à l'occasion mon foie me joue des tours. Mais j'exagère. Mathilde n'avait pas ce travers, Anne non plus. Vivre et laisser vivre, telle était leur devise. » Il remarqua le bracelet et tapota le coussin à côté de lui : « Viens ici, assieds-toi. Voilà qui est réjouissant. Tu me fais un grand plaisir en portant ton bracelet.

Quand je te l'ai offert, il y a plus de dix ans, j'ai voulu créer un lien permanent entre nous. En l'enfilant, tu penses à moi, et tu sais que je serai là pour veiller sur toi. Comme un magicien. Il suffit d'y croire. » Il fixait le poignet de Falk. « Hum ! Il te va à merveille. Les saphirs aussi te protègeront, selon la légende. Ce qu'il te manque, c'est une bague avec les armoiries des Süter. Rien d'autre comme bijou. Tu l'auras, ta chevalière. » Il caressa d'un air absent le bracelet. « Dis-moi comment elle est morte. Il faut que je sache. Quand nous avons appris que Reinhardt…, je n'ai pas vu son corps. Longtemps, jusqu'au premier cancer d'Anne, une idée fixe me narguait. Je n'arrêtais pas de me dire qu'il y avait eu erreur sur l'identité du corps, que mon fils vivait au fond des steppes russes, avec une famille. Tu comprends que j'aurais aimé la voir, avant l'incinération. »

Falk lui résuma les derniers jours. Arno se rappela la dernière image de sa fille ainsi que sa voix, un murmure qui s'éteignait. À Saarbrücken, le déclin avait été très rapide, l'infirmière avait prédit l'arrêt cardiaque après une forte dose de morphine. Arno n'aurait eu qu'un accablant souvenir à la voir morte. De temps en temps, quand Falk reprenait son souffle ou faisait une pause pour se concentrer, le grand-père opinait à peine du chef, on aurait dit un tic de vieil homme. Il demanda : « Son mari ? Henning ? Toi ? Et toi, là-dedans ? » Falk lui parla du coffre-fort vidé, du cahier de Gabriel qu'il avait parcouru d'un bout à l'autre, des pages particulièrement incriminantes sur ses activités à Paris, arrachées et brûlées, du comportement de Gabriel à l'arrivée d'Anne, de Henning convaincu d'une grande injustice de la mère à son égard.

« Il est plus facile de vivre en dirigeant sa haine sur un individu que de perdre quelqu'un qu'on aime, dit Falk. En pensée, j'ai tué cet homme des milliers de fois. J'ai imaginé des morts lentes. Je l'ai fait revivre et j'ai recommencé la torture.

Il devait payer pour le mal qu'il avait fait sur Terre. Quand il rentrera à la maison, il se débrouillera, c'est un survivant-né. Pour Henning, je ne sais pas. Il est plus fragile et moins déterminé qu'on ne le pense. Il a vénéré notre père jusqu'au jour de sa fugue. Quant à moi..., parfois, ça devenait insupportable. Puisque Anne était absente, j'ai confié une partie de ce qui m'était arrivé à mon ami Eberhardt. Tard dans l'après-midi, on se retrouvait dans sa chambre, ou à la bibliothèque, pour parler. Quand je lui racontais les punitions infligées pour des vétilles, sa façon d'enseigner, lui qui se croit le plus grand pédagogue du monde, nous parlions français. C'était pour moi la seule façon de garder contenance. Avec toi, je parle allemand, c'est la langue d'Anne. Comme toi, Anne m'a sauvé en soufflant sur mes plaies et elle m'a chuchoté qu'elle m'aimait. Il fallait parler très bas, le lit de Henning se trouvait près du mur opposé. Pour moi, l'allemand est la langue de l'amour. Quand ce monstre me frappait, il hurlait, je ne comprenais rien, sauf qu'il était en colère. Quand il m'enseignait les mathématiques, ses explications, les chiffres, ses reproches ressemblaient si peu à l'allemand. Mais Anne et toi..., rien que de dire des mots comme *Schatz**, ou *Herz***, cela fait monter cette fichue boule dans ma gorge. Ah ! Voilà que ça commence... »

Il voulut se lever. Arno le retint, entoura de son bras gauche les épaules de Falk, qui posa sa tête sur la poitrine, près du cou du grand-père. De la main, celui-ci lissait les cheveux de son petit-fils, essuyait du pouce les larmes, lui posait de légers baisers sur le front. Paschenny était venue plusieurs fois les appeler à table ; chaque fois, son patron avait secoué la tête. Finalement, elle murmura : « Viens boire une gorgée de cognac.

---

* « Trésor. »
** « Cœur. »

C'est encore le meilleur remède. Après, nous allons manger une bouchée. Je suis allée chercher des *Blaufelchen* du lac de Constance, ton poisson préféré, que j'ai saupoudrés de farine et frits dans un soupçon d'huile d'olive. C'est drôle, tout le monde les prend pour des truites, mais c'est tellement meilleur ! Allez, courage ! » Il se détacha du grand-père, désolé de lui avoir mouillé la chemise. Il but entre ses hoquets de petites gorgées d'alcool, finit par se calmer. Puis, il mangea avec appétit et, quand il se leva de table, il se dit très fatigué, monta dans la chambre, dormit tout l'après-midi. « Il est en train de récupérer, dit Arno à Paschenny. Assister à l'agonie d'Anne, réussir son bac, quitter cette maison parfaitement malsaine, se retrouver seul avec toi et moi…, il n'est pas fait en acier, notre petit, laissons-le pleurer, et tant pis si ton steak ou ton poisson sont carbonisés. Tu appelles le *Nassauer Hof,* ils te livrent ce que tu veux. Excellent chef. »

Dans les jours qui suivirent, Falk pleura souvent. Anne lui manquait cruellement. Il s'en voulait de ne pas l'avoir comprise en ce dimanche de confirmation. Il l'avait bêtement punie pendant si longtemps. Ce reproche revenait constamment. Il aurait dû deviner qu'elle terminait sa thèse, même si elle avait parfaitement caché son jeu. Après l'obtention de son diplôme et le début de sa carrière d'archéologue, il était trop tard pour revenir en arrière. La douleur due à la *disparition définitive* de sa mère était d'une tout autre nature que ce qu'il avait connu. Elle se ravivait quand ces deux mots revenaient et lui rappelaient des souvenirs marqués au fer rouge dans sa mémoire, comme la terrifiante flagellation de l'intrus étranger, revue avec ses yeux d'adulte regardant avec compassion et pitié ce petit garçon confiant. Les coups, son visage méconnaissable dans la glace étaient aussi frais dans sa mémoire que si cela s'était passé la veille. Anne n'avait jamais été loin ; il l'avait appelée comme un animal désespéré, incapable de fuir le prédateur qui allait le tuer. Crier était le seul signal de son extrême angoisse, envoyé au monde extérieur, et la preuve qu'il vivait encore. Sa mère se tenait en arrière-plan, elle et sa présence apaisante, ses soins, rien que pour lui. *Il savait qu'elle l'aimait.* Quand elle le touchait, les plaies guérissaient vite. De ses cicatrices, la plus importante demeurait l'entaille à la tête, causée après son refus de continuer à jouer du piano. Elle empêchera tout adoucissement de l'incident. Il a toujours rêvé d'Anne, en tenue de travail, suant à grosses gouttes, à Tell Mardikh, ou assise à son bureau, rédigeant un article, des douzaines de livres autour d'elle qu'elle consultait, trop occupée pour lui accorder un regard. Le matin, il se réveille, épuisé, la peau moite.

Tous trois se rendirent à l'immense cimetière du sud de la ville, le Südfriedhof. Dans le caveau des Süter en granit noir, le gardien et son assistant soulevèrent une dalle portant le nom, les dates de naissance et de mort d'Anne, déposèrent l'urne dans le trou, replacèrent la plaque qu'ils cimenteraient plus tard. Le tailleur de pierre avait gravé « Anne Bachmann-Süter ». Falk demanda à son grand-père s'il pouvait, lui, changer son nom pour Süter. La réponse vint si rapidement qu'Arno avait dû y penser depuis longtemps : « Oui, si tu as un motif valable. Tu ne peux pas invoquer le caractère de mon… gendre ni ce que tu sais de et sur lui. Tu peux cependant présenter le fait qu'avec moi, le nom Süter disparaîtra, alors que ton frère assurera la continuité du sien. La procédure est souvent longue, mais je suis certain qu'elle sera acceptée. Comme tu le sais, je connais pas mal de gens dans les ministères de la Hesse et à Bonn, je peux la faire accélérer. As-tu des plans pour l'avenir ? »

Falk ne répondit pas tout de suite. Il demanda à Paschenny de se rendre au stationnement ; ils la rejoindraient dans quelques instants. « Arno, avant de te parler de ce que je voudrais faire, il faut que tu répondes à une question qui ne me lâche pas depuis des années : qui est mon père, Reinhardt ou l'autre ? J'ai compris beaucoup plus tard ce qu'avait dit cette nuit d'hiver l'inconnu qu'Anne m'a présenté comme mon père. Les sons, les *ou* et ces *s* répétés que j'ai encore à l'oreille, signifiaient *Bruder und Schwester,* frère et sœur. Je n'ai jamais oublié ses mots : « Anne… mensonges… je saurai. » Il a pointé le doigt sur moi, Anne n'a pas répondu. Il a eu ce geste terrible, celui de faire ployer son cou en tirant ses cheveux vers l'arrière comme s'il voulait lui couper la gorge. Dis-moi ce que tu sais. J'en ai parlé avec Anne avant sa mort. Elle était très faible, a secoué la tête et a murmuré qu'elle ne savait pas et que ça n'avait pas d'importance, alors que pour moi, c'est fondamental. Je dois être certain que l'étranger qui a tenté de me détruire n'est pas mon père, mais un imposteur. »

Le vieil homme inspira profondément. « Tu penses bien que j'en ai discuté avec Anne. C'est vrai, elle ne le savait pas. C'est la même situation que dans la chanson des Nibelungen, où le frère et la sœur s'aiment éperdument. Dans la mythologie germanique apparaissent fréquemment des couples incestueux. Je suis certain qu'elle et Reinhardt ont fait l'amour. J'aurais souhaité que cela n'arrive pas, mais il est impossible de s'opposer à un sentiment d'une telle force. Un autre père les aurait tués, ou dénoncés. Moi, je les adorais, ils étaient mes enfants. Tu m'as dit ne pas avoir compris l'expression dans les yeux d'Anne quand tu m'as embrassé à la gare, tu te souviens ? Un regard triomphant, selon toi. Pourquoi pas un moment de plaisir, de joie intense ? Elle voyait que tu m'aimais profondément. Je crois que c'est pour cela que ses yeux ont brillé.

« Je reviens à cette nuit chez Gabriel. L'accusation remonte à une visite de Reinhardt. Gabriel est arrivé de Paris, très pressé. Il devait remettre des rapports au *Gauleiter,* le gouverneur de la

Sarre et du Palatinat. Quand il a vu Reinhardt, il s'est montré si désagréable que ton futur parrain – tu n'étais pas encore né, n'oublie pas – a préféré une promenade en ville. C'est vrai qu'il n'aimait pas Gabriel. Il le méprisait. Pas à cause de ses origines modestes – nous ne sommes pas des snobs ni des idiots –, mais parce qu'il sentait, comme moi, une ambition maladive chez cet homme. Sous un mince vernis, c'est un rapace, acoquiné à tout ce qui est haut placé. Ce bel homme aux mouvements de grand félin est d'une intelligence supérieure, habile dans ses manipulations. Gabriel savait quels étaient les sentiments de son beau-frère envers lui ; il les lui rendait bien. Plus tard, peu avant la libération de Paris, Gabriel s'est rendu de nouveau aux bureaux du *Gauleiter* pour lui annoncer que la France était perdue. Il s'est arrêté à la maison pendant une ou deux heures. C'est là qu'il a demandé à Anne qui était ton père, lui ou son frère, l'accusant du même coup d'inceste : *Bruder und Schwester.* S'il n'avait pas prononcé ces mots, tu n'en aurais pas retenu les sons. Il n'y avait pas de témoins, votre jeune Française au pair était partie. Ton frère ne se rappelle pas les visites de son oncle ni celles de son père. Toi non plus, tu ne t'en souviens pas, mais tout ce qui touche cette scène unique, tu l'as retenu.

« J'essaie de répondre à ta question : ton caractère est presque identique à celui d'Anne et à l'opposé de celui de ton frère. Mais parfois, quand tu es mécontent ou en colère, tu sembles réagir comme Gabriel. Est-ce inné ou l'imites-tu parce que tu l'as fréquenté pendant quatorze ans ? D'un autre côté, tu es tenace, appliqué, rien n'est acquis pour toi, ce qui te situe tout à fait du côté de ma regrettée Mathilde. Reinhardt, toi et Anne, vous êtes du même bois. Quand tu étais plus jeune, ta ressemblance avec mon fils m'a profondément ébranlé. Aujourd'hui, tu n'es plus la réplique de Reinhardt, mais je te montrerai des photos de ta grand-mère et tu comprendras. D'après ce que tu m'as raconté, Henning ressemble beaucoup à son père, il a des facilités qui t'ont exaspéré, comme sa prodigieuse mémoire, sa vive intelligence. Si tu es le fils de Gabriel, cela ne me contrarie pas. Je suis heureux de te savoir en vie. Si ton père est Reinhardt, je dirais que mes enfants m'ont donné un petit-fils que j'aime de tout cœur. Tu es beau, intelligent, tes raisonnements et tes questions prouvent ta maturité. Je suis fier de toi. Je te suggère non pas d'oublier ta question, mais de la ranger dans un tiroir. Ça ne sert à rien de spéculer, pense à ton avenir. Ce qui me ramène à ce que je voulais savoir tout à l'heure : qu'as-tu prévu de faire au début de ta vie d'adulte ? »

Avant de se remettre en marche, Falk prit le bras de son grand-père. « Merci, Arno. Un autre que toi se serait défilé, aurait piqué une colère ou fait valoir l'honneur de la famille. Il me faudra du temps pour digérer ce que tu viens de me dire. Ce ne sera pas facile de vivre avec cette incertitude. J'espère que ma vie et ce que j'en ferai va révéler auquel des deux je ressemble le plus.

« Pour ce qui est de mes plans, depuis deux ans, j'ai lu des livres qui n'ont pas cessé de me faire réfléchir, tout comme Eberhardt, avec qui j'en ai discuté pendant des heures. J'ai découvert Michel Foucault, Roland Barthes, Sartre, Camus, Raymond Aron, Jean Cocteau. Il y en a d'autres. Pour moi, la France est en ce moment la force intellectuelle la plus importante en Europe. J'aimerais plonger dans ce milieu. La philosophie sur l'individu, la peur de vivre, l'existentialisme, un mouvement que nous avons touché trop brièvement au lycée, mais dont personne n'a parlé dans un *Gymnasium,* à ma connaissance du moins. Je veux en savoir davantage sur l'être humain, comprendre la pensée de Freud, me familiariser avec celle de Françoise Dolto sur la psychanalyse de l'enfance, entendre Jacques Lacan. Le terrain est immense, j'ai tout à apprendre et j'aimerais commencer en France. J'ai un bon bac en poche, avec une tache, le « passable » en maths. Qui sait si un jour je ne trouverai pas la clé pour entrer dans cette matière, comme tant d'autres qui y sont arrivés sur le tard ? Voilà une faille que je n'ai pas pu hériter ni de Reinhardt ni de Gabriel ! Mais personne n'est parfait, n'est-ce pas ? Pour moi, c'est à Paris que cela se passe, du moins dans un premier temps. »

Ils arrivaient à la Mercedes, aux lignes d'une autre époque, si loin de la Citroën dernier cri de Gabriel. À la Galileistraße, Arno servit à Falk et à Paschenny un verre de vin de la Nahe : « Un nectar hessois comme il y en a peu. Goûtez et admirez ! » Il but, fit claquer la langue : « Je connais un charmant petit hôtel bien tenu, derrière la rue Garancière. De là, en un quart d'heure de marche, tu es à l'université, rue Saint-Jacques. Jolie promenade d'ailleurs, tu longes le jardin du Luxembourg. Tu veux que j'appelle ? » La sollicitude du grand-père fit rire Falk. « Non, pas maintenant, voyons ! Je suis chez toi depuis deux semaines et tu veux m'expédier en plein mois d'août à Paris, quand tout le monde est parti et que rien ne s'y passe ? Tu m'as promis que je pouvais me reposer à Wiesbaden tant que je le voulais. Je suis comme l'animal de mon signe astrologique chinois, le serpent : enclin à apprécier le confort, change périodiquement de peau, attaque seulement s'il est dérangé. Tu me reconnais ? Laisse-moi le numéro et l'adresse, s'il te plaît. Je préfère téléphoner moi-même. »

* * *

Le lendemain, dans sa chambre, avant de descendre, Falk composa le numéro. Une voix de femme, jeune et fraîche, répondit : « Hôtel Liberté, bonjour ! » Pendant un moment, le nom de l'hôtel le laissa sans voix. *Liberté !* Pouvait-il souhaiter meilleur augure ? Il entendit un bref déclic sur la ligne ; quelqu'un à la villa ou à Paris écoutait la communication. Oui, ils disposent d'une petite suite avec cuisinette, louée à la semaine ou au mois. Ce serait pour quand ? « La rentrée. Je vais m'inscrire à l'université. » Son nom ? Il épelle : « S-u-t-e-r ». La jeune femme trouva qu'il s'agissait d'un nom rare en France, mais connaissait un Suisse de ce nom. À la dernière seconde, il avait pensé de n'utiliser que le *u,* prononcé comme le *ü* allemand. Il ne commenta pas la remarque et ajouta qu'il lui confirmerait la date précise de son arrivée. Avant de descendre au rez-de-chaussée, il se composa une mine renfrognée : « Quelle barbe ! Pourquoi ne m'as-tu pas dit comment s'appelle cet hôtel ? Tu y descends souvent quand tu vas à Paris ? » Arno répondit par un large sourire : « J'aime trop quand elle dit : *Hôtel Liberté, bonjour !* Pas toi ? »

L'élément du faucon

*La vérité narrative n'est pas la vérité historique,
elle est le remaniement qui rend l'existence
supportable.*

Boris CYRULNIK.

Les premiers mois à Paris ont été intimidants pour Falk,
une suite d'erreurs, de méprises, de mauvaises indications,
d'adresses inexistantes, de réactions impatientes de la part de
gens pour qui tout est *évident*. Il s'était inscrit en philosophie
et en psychologie, avait trouvé un studio dans le huitième
arrondissement, rue de Surène, s'était fait quelques amis, avait
rencontré les grands noms de l'époque. Il lisait et discutait
ferme avec des confrères, peu enclin à « tuer le temps en vains
bavardages », comme il le répétait souvent à Arno qu'il appelait
chaque samedi matin. Il établissait ses propres paramètres de
recherche, devint élève de Françoise Dolto, une révélation, un
choc déterminants pour sa vie. Il laissa passer Mai 68, déçu
de l'attitude de Sartre, un de ses anciens maîtres. Il en discuta
longuement avec Arno, qui craignait la nouvelle génération,
violente et cherchant autre chose que celle des pères. Un an plus
tôt, un policier berlinois avait tué Benno Ohnesorg lors d'une
manifestation d'étudiants contre la présence du shah iranien.

279

Son grand-père l'avait mis en garde : « Le temps est mûr pour la révolution, partout en Europe. »

À cette époque, Falk terminait ses études de philosophie et de psychologie. Il s'intéressait de plus en plus aux maladies mentales. Il entreprit une formation en médecine dans le but de se spécialiser en psychiatrie. Arno s'éteignit en 1971, à l'âge respectable de quatre-vingt-neuf ans. Son unique héritier fut Falk, qui assura le bien-être de Paschenny dans une confortable maison de retraite. Jusqu'au début des années quatre-vingt-dix, Falk ne put se résoudre à vendre la villa ; il y passait souvent ses vacances ou s'y retirait pour étudier et écrire. Quand il était à Wiesbaden, chaque jour il rendait visite à la comtesse, même si elle avait perdu la mémoire et ne le reconnaissait plus. Elle mourut à quatre-vingt-dix ans dans une maison médicalisée, atteinte depuis des années de démence sénile.

Avec quelques confrères, il ouvrit une clinique de psychiatrie juvénile, largement basée sur l'enseignement de Françoise Dolto, en collaboration avec l'hôpital Marmottan, à Neuilly, un repaire de jeunes drogués. Un jour, au début des années 2000, la réceptionniste vint le voir entre deux patients. « Il y a un monsieur qui vous appelle de Bruxelles. Il a déjà essayé de vous joindre plusieurs fois, mais vous étiez en consultation. Vous prenez la communication ? » C'était Eberhardt. De passage à Paris, il avait rencontré des connaissances sarroises qui avaient reconnu Falk à la télé, lors d'une émission sur les enfants dans les villes-satellites. On lui avait dit que Falk était fortement engagé dans la lutte contre la violence faite aux enfants et qu'il avait été l'une des figures les plus importantes lors de l'implantation du Service national d'accueil téléphonique pour l'enfance maltraitée, de l'Observatoire de l'enfance en danger, GIP Enfance en danger. Il ne s'appelait plus Bachmann, mais son nouveau nom leur avait échappé. Eberhardt avait demandé à son recherchiste de retracer un cabinet parisien portant le nom de Süter, Sueter ou Suter. Cela n'avait été qu'une intuition, mais il n'avait pas oublié le nom de jeune fille de madame Bachmann et l'amour de Falk pour sa mère. Son assistant avait trouvé un docteur F. Suter dans une clinique en banlieue parisienne. « Serait-il possible de nous revoir, question de raviver d'anciens souvenirs ? »

La rencontre eut lieu au printemps de 2001, aux *Deux Magots,* à quelques pas de la station de métro Saint-Germain-des-Prés. Quarante ans laissent leur marque sur un homme, mais il reconnut sans peine Eberhardt dans ce monsieur aux cheveux blancs, au visage empâté, à l'habit habilement coupé pour camoufler son embonpoint. L'expression du regard et son sourire avaient gardé leur ancien charme, et la noblesse de son profil n'avait pas changé. Ils se posèrent les questions d'usage. Qu'étaient-ils devenus ? Mariés ? Divorcés ? Enfants ? « Parlons allemand, proposa Falk, notre langue maternelle me manque, et le dernier avec qui je l'ai parlée a été mon grand-père. Raconte ! » Depuis le début de sa carrière, Eberhardt a travaillé pour différents organismes des Nations unies ; il fait encore la navette entre les bureaux de l'Union européenne à Bruxelles, à New York, et son quartier général, à Genève. Il a épousé une Suisse romande, qui lui a donné trois enfants, « conçus entre deux avions ». S'ensuivit l'échec du mariage, une facture salée jusqu'à la fin de ses jours. Il lui reste tout de même un appartement de dimensions modestes avec vue sur le lac Léman et un chalet dans le Tessin. « Heureusement que mes enfants ont terminé leurs études, cela allège le fardeau financier. Mon ex…, tu connais la chanson : amère, frustrée, elle n'arrête pas de s'apitoyer sur sa vie gâchée à cause de moi. Alors qu'elle se la coule douce, crois-moi. Et toi ? »

Falk ne s'est pas marié : « J'ai vite constaté que je n'avais pas de temps pour une famille, il y avait trop de choses à faire. Je suis impatient, un projet bouscule l'autre, la plupart sont pluridisciplinaires. Puis des publications dans des revues spécialisées ou de vulgarisation. » À la fin des années soixante, contrairement à tant d'autres de leur génération, il n'avait eu que des relations sporadiques, rien de sérieux. Personne n'avait su le retenir. Dès qu'il fallait se commettre, il se défilait. Au cours d'une seconde analyse, il avait reconnu la cause de sa fuite en avant, ses longues études, l'immense travail qu'il s'impose encore aujourd'hui. « J'ai réussi à me débarrasser de mon père, trop tard. » Sans Arno, il doute qu'il aurait survécu à sa profonde tristesse, à son pessimisme le poussant au suicide, comme… Il s'interrompit brusquement, suivit des yeux le serveur portant des bières à la terrasse où un groupe de Britanniques s'était installé. Il n'avait jamais raconté à Eberhardt sa tentative d'en finir, en quatrième. Il croyait qu'il allait obtenir une mauvaise note à un examen de chimie. Dans ce cas, « le type », comme il l'appelait à cette époque, devait contresigner la copie. Dans une *Drogerie,* il avait acheté du blanc de plomb qu'il avait dissous dans l'eau et avalé avant de se coucher. Un poison doux, qui ne provoque pas de douleurs. Le lendemain, il n'avait éprouvé que de légères nausées, et la note de l'examen avait été convenable.

« Comme… ? l'encouragea Eberhardt. – Ah, rien. Un souvenir quelque peu ridicule. » Falk sentit le regard de son ami sur lui. Il savait qu'il avait changé, lui aussi. Il ressemblait à un moine svelte à l'allure ascétique, portant un pull-over beige à col roulé. Ses cheveux étaient gris ; sous le large front, des lunettes sans monture dissimulaient à peine ses yeux bleus que d'aucuns qualifiaient de froids. Tout à coup, il se demanda si le jeu en valait la chandelle, s'il ne se battait pas comme Don Quichotte contre l'hydre invincible, la nature et la bêtise humaines.

Il sourit. Eberhardt reconnut immédiatement le message, l'appel à l'aide. Comme dans le passé, il dirigea Falk sur une autre piste : « Contrairement à moi, tu as brûlé les ponts. Plus aucun contact avec les camarades, ton père et ton frère. Pardonne-moi si je t'apporte de mauvaises nouvelles. Ton paternel a été tué dans un accident, au début des années 1970. Il venait de prendre sa retraite. À bord d'une voiture américaine volée, un chauffard s'était enfilé en sens inverse sur l'autoroute Munich–Salzbourg. Il est entré en collision frontale avec la lourde BMW de ton père. L'explosion a laissé de la ferraille tordue et un immense trou dans l'asphalte. Plus aucune trace des corps. Pulvérisés. Cela a été rapporté dans tous les journaux. L'accident le plus spectaculaire de l'année. Digne de ton père. Il y a une petite plaque portant son nom dans un cimetière de Saarbrücken, c'est tout. Quant à Henning, j'en sais moins sur lui. Je suppose qu'il est à la retraite. Il a été prof d'allemand et de géographie dans un *Gymnasium,* à Stuttgart. Marié à une Souabe qui semble avoir perdu la tête après le gros héritage laissé par Bachmann père… Enfin, elle a obtenu le divorce. Apparemment, ton frère buvait trop. Elle est donc partie avec les trois mômes et l'a dépouillé de la moitié de sa fortune. Un sport national, à ce qu'il paraît. Je ne sais pas comment va Henning, mais il ne doit pas avoir envie de se mettre la corde au cou une deuxième fois. Moi, j'ai appris. » Les traits d'Eberhardt se durcirent, tandis que Falk se fit la réflexion que le divorce et ses suites continuaient à gruger son ami, qui lui lança : « Dis donc, tu n'as même pas eu ta part légale du gâteau ? Personne ne savait où tu étais quand ton géniteur est mort ! Veux-tu que je t'aide ? »

D'un geste de la main, Falk écarta le sujet, son visage n'exprimait rien. Il réfléchissait à la disparition de Gabriel, l'homme à qui il avait souhaité des fins atroces et interminables.

Il n'émit aucun commentaire et, d'un air absent, fit tourner plusieurs fois le bracelet serti de saphirs et joua avec sa chevalière. Eberhardt regarda les bijoux : « Superbes. De famille ? » Falk hocha la tête. « En quelque sorte. Des cadeaux de l'homme que j'ai aimé le plus au monde, mon grand-père. Ces pièces nous lient intimement. Un peu long à expliquer. Je vais essayer lors de ta prochaine visite. » Son ami le dévisagea rapidement. Après une pause, Falk continua sa phrase de tout à l'heure en ajoutant qu'il considérait certains de ses étudiants, de ses collaborateurs, comme sa « descendance, sans autre lien que le travail intellectuel, et s'ils font des bêtises, qu'ils se débrouillent ». La retraite ne lui faisait pas peur ; il continuerait peut-être en pratique privée. « Tu ne te sens pas seul, des fois ? » demanda Eberhardt. Falk haussa les épaules. « Tu aimerais plutôt savoir si je suis heureux, non ? Que signifie *être heureux* ? Quant à la solitude, je suis comme tous ceux qui vivent seuls ou en couple. J'aime passer une soirée avec des amis. Tu sais qu'on n'est bien qu'avec soi-même. »

Il enfila son veston, se leva. « Désolé, pas d'accord, dit Eberhardt. Seul, j'angoisse, je m'embête. Je ne suis pas assez serein… Veux-tu que je t'accompagne un bout de chemin ? » Pendant un instant, Falk l'observa, comme s'il voulait connaître les pensées de l'autre, puis continua : « Tu es gentil, pas aujourd'hui. La prochaine fois, quand tu seras de passage, nous allons faire de longues promenades pour rattraper le temps. Un exercice impossible, bien entendu. Je me demande souvent si nous vivons vraiment dans le présent, sauf lorsque nous essayons de trouver la solution à un problème complexe et urgent. Si nous réussissons, une petite joie s'ajoute à notre trésor de souvenirs. » D'un geste léger, il posa une main sur l'épaule de son ami. Eberhardt demeura silencieux. « Devine comment s'appelait l'hôtel où j'ai passé mon premier mois à

Paris, après le bac : *Liberté*. Tu parles d'un nom pour te mettre sur la bonne voie ! J'ai compris que « liberté » signifie quelque chose de différent pour chacun d'entre nous. En réalité, nous construisons nos prisons intérieures… De cela aussi, nous allons parler la prochaine fois, si tu veux. J'habite un appartement dans le Marais, le pouls de Paris, d'après les courtiers immobiliers. Tu peux te libérer un week-end prochain ? J'aimerais beaucoup refaire ta connaissance. »

ACHEVÉ D'IMPRIMER
EN MARS 2013
SUR LES PRESSES DE MARQUIS IMPRIMEUR INC.
SUR PAPIER SILVA ENVIRO
100 % POSTCONSOMMATION